폴리애나

♦ ♦ ♦

교보클래식 002

폴리애나

엘리너 하지먼 포터 지음 · 방진이 옮김
강주헌 기획 및 번역 감수

교보문고

차례

훌륭한 건축물을 아침 햇살에 비춰 보고
정오에 보고 달빛에도 비춰 보아야 하듯이
진정으로 훌륭한 책은 유년기에 읽고
청년기에 다시 읽고 노년기에 또다시 읽어야 한다.

- 로버트슨 데이비스Robertson Davies

1장
폴리 해링턴

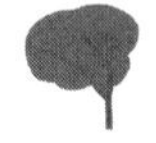

어느 6월 아침, 폴리 해링턴이 다소 허둥대며 부엌에 들어섰다. 폴리는 허둥대는 법이 결코 없었고, 나아가 자신이 매사에 차분한 태도로 임한다는 사실에 자부심을 느끼는 사람이었다. 그렇지만 이 날만은 허둥대고 있었다.

싱크대에서 설거지를 하고 있던 낸시가 놀라 고개를 들었다. 폴리 해링턴의 집에서 식모로 일하기 시작한 지 두 달밖에 되지 않았지만 낸시는 이 집주인이 좀처럼 서두르지 않는다는 것을 잘 알고 있었다.

"낸시!"

"예, 마님."

낸시는 활기차게 대답했지만 손으로는 여전히 주전자를 닦고 있었다.

"낸시." 폴리의 목소리가 곧바로 냉랭해졌다. "내가 말할 때는 하던 일을 멈추고 내 말에 귀 기울였으면 하는데."

냰시의 얼굴이 시뻘겋게 달아올랐다. 주전자를 얼른 내려놓았지만 여전히 행주로 감싼 채였기 때문에 하마터면 떨어뜨릴 뻔했다. 낸시는 더더욱 당황했다.

"예, 마님. 그럴게요, 마님." 낸시가 더듬더듬 대답하면서 주전자를 똑바로 놓고 재빨리 돌아섰다. "다만 그게, 마님이 오늘 아침에 설거지를 빨리 끝내라고 특별히 말씀하셨기 때문에 멈추지 않았던 거예요."

낸시의 주인은 이맛살을 찌푸렸다.

"그만해, 낸시. 변명을 듣고 싶은 게 아니야. 내 말에 집중하라는 거잖아."

"예, 마님." 낸시는 한숨이 나오는 것을 꾹 참았다. 이 여자를 만족시킬 방법이 과연 있을까 싶었다. 낸시는 여기 오기 전까지는 식모살이를 해본 적이 없었다. 하지만 아버지가 갑자기 돌아가시고 병약한 어머니에, 밑으로 어린 동생이 셋씩이나 되니 가족을 부양하려면 무슨 일이든 하는 수밖에 없었다. 그래서 언덕 위에 있는 대저택에 식모로 들어가게 되었을 때는 매우 기뻤다. 낸시는 이곳에서 10킬로미터 정도 떨어진 더 코너스 출신이다. 이 집에 오기 전까지 낸시가 폴리 해링턴에 관해 아는 것이라고는 그녀가 마을에서 아주 부유한 축에 속한다는 사실뿐이었다. 그것이 두 달 전의 일이었다. 이제는 폴리가 항상 엄격하고 쌀쌀맞은 표정을 하고 있으며, 나이프가 바닥에 떨어져 쨍그랑 소리를 내거나 문이 쾅 하고 열리거나 닫히면 인상을 쓰는 여자라는 것을 알게 되었다. 나이프와 문이 제자리에 조용히 있을 때조차 미소를 짓는 법이 없는 여자라는 것도.

폴리가 이어서 말했다. "낸시, 오전 일이 끝나면 지붕 밑 다락 계단 입구에 있는 작은 방을 청소하고 간이침대를 준비해놔. 물론 방을 정리하고 바닥을 쓸기 전에 그 안에 있는 짐 가방과 상자를 꺼내야겠지."

"네, 마님. 그런데 꺼낸 짐 가방과 상자를 어디에 둘까요?"

"다락 안쪽에." 폴리가 잠시 머뭇거리더니 덧붙였다. "아무래도 지금 네게 말하는 편이 나을 것 같구나. 내 조카인 폴리애나 휘티어가 나와 함께 살게 되었어. 나이는 열한 살이고, 네가 치울 그 방에서 지낼 거야."

"어린 아가씨가… 여기 온다고요, 마님? 정말 잘됐네요!" 낸시가 큰 소리로 말했다. 어린 여동생들 덕분에 더 코너스의 집이 얼마나 더 환해졌는지 떠올랐기 때문이다.

"잘됐다고? 나는 그 말에 동의할 수 없어." 폴리가 퉁명스럽게 말했다. "그래도 물론 최선을 다할 거야. 나는 내가 선한 사람이라고 생각하고, 또 그것이 내 의무이기도 하니까."

낸시가 얼굴을 붉혔다.

"물론이죠, 마님. 그냥 이곳에 여자애가 있으면 분위기가 밝아질 테니까, 마님도 좋을 거라고…." 낸시의 목소리가 점점 작아졌다.

"그래, 고맙군." 폴리가 냉랭하게 말했다. "하지만 나는 그런 게 전혀 필요하지 않아."

"물론 그렇겠죠. 하지만 언니의 아이니까 반가울 거예요." 낸시는 조심스럽게 말했다. 이 낯선 집에서 지내게 될 외로운 어린 영혼이 환영받을 수 있도록 뭐든 해야 한다는 막연한 느낌이 들었다.

폴리가 도도하게 고개를 치켜올렸다.

"낸시, 정말이지… 어리석은 결혼을 하고 이미 충분히 북적이는 세상에 쓸데없이 아이를 더 보탠 언니를 두었다고 해서 나까지 그런 아이를 돌보고 싶어 할 거라고 생각지 마. 다만 말했듯이 내 의무를 저버리지는 않을 거야. 낸시, 잊지 말고 방 구석구석 잘 청소해." 폴리는 날카롭게 말을 끝맺고는 부엌을 나갔다.

"예, 마님." 낸시는 한숨을 내쉬면서 씻다 만 주전자를 집어 들었다. 싸늘하게 식은 탓에 따뜻한 물에 담가 처음부터 다시 씻어야만 했다.

자기 방으로 돌아간 폴리는 이틀 전에 받은 편지를 다시 한번 펼쳐 들었다. 머나먼 서부 마을에서 온 편지는 뜻밖에도 매우 불쾌한 소식을 담고 있었다. 편지의 수신인은 버몬트주 벨딩스빌의 폴리 해링턴이었다. 내용은 다음과 같았다.

안녕하세요.

존 휘티어 목사가 2주 전에 사망했으며, 열한 살인 목사의 외동딸이 홀로 남았다는 안타까운 소식을 전하게 되어 유감입니다. 목사의 재산은 책 몇 권이 전부입니다. 잘 아시겠지만 휘티어 목사는 작은 개척 교회에서 일했고 봉급이 얼마 되지 않았습니다.

휘티어 목사가 당신 언니의 남편이라고 들었습니다. 물론 목사는 자신이 처가와 사이가 좋지 않다는 사실도 밝혔습니다. 하지만 언니를 생각해서라도 당신이 아이를 거두어 동부의 가족들 사이에서 자랄 수 있게 해줄 거라고 말했습니다. 그래서 이렇게 편지를 쓰게 되었습니다.

이 편지가 도착할 무렵에는 아이가 여행 준비를 다 마쳤을 겁니다. 만약 아이를 받아주시겠다고 하면 바로 보내고 싶습니다. 곧 이곳에서 동부로 출발하는 부부가 있는데 그 부부가 아이를 보스턴까지 데려다주겠다고 합니다. 보스턴에서는 벨딩스빌로 가는 기차에 태울 겁니다. 폴리애나가 언제, 어느 기차를 타고 도착할지 알려드리겠습니다.

곧 좋은 소식을 듣길 기대하면서….

제러마이아 화이트 드림

얼굴을 잔뜩 찌푸린 폴리는 편지를 다시 접어서 봉투에 넣었다. 답장은 어제 이미 보냈다. 물론 아이를 거두겠다고 썼다. 적어도 그것이 자기 의무임은 알고 있다고 믿었다! 결코 달갑지 않은 의무였지만 말이다.

편지를 손에 들고 앉아 있는 폴리의 생각은 아이의 엄마였던 언니 제니에게로 향했다. 그리고 스무 살밖에 안 된 제니가 가족이 반대하는데도 젊은 목사와 결혼하겠다고 고집을 부리던 때로 돌아갔다. 제니와 결혼하기를 청한 부유한 남자도 있었다. 가족은 제니가 목사가 아닌 그 남자와 결혼하기를 바랐다. 하지만 제니는 달랐다. 부유한 남자는 가진 돈만큼이나 나이도 더 많았다. 젊은 목사가 가진 것이라고는 치기 어린 이상과 열정으로 가득한 머리와 사랑으로 가득한 심장이 전부였다. 제니는 그런 것들이 더 좋았다. 아마도 당연한 것이었으리라. 그래서 제니는 목사와 결혼했고 개척 교회 목사의 부인이 되어 남편과 함께 남부로 떠났다.

그렇게 언니와 가족의 연은 끊어졌다. 폴리는 그때 일을 또렷이 기억했다. 막내인 그녀는 당시 열다섯 살이었다. 가족은 그 후에도 목사의 아내가 된 제니와 연락을 계속하려고 잠시나마 노력했다. 제니도 한동안은 가족에게 편지를 보냈고, 두 여동생의 이름인 폴리와 애나를 따서 마지막으로 낳은 아기에게 '폴리애나'라는 이름을 붙였다. 그 전에 낳은 아기들은 다 죽었다. 폴리애나의 탄생 소식을 담은 편지가 제니의 마지막 편지가 되었고 몇 년 뒤 제니의 사망 소식이 전해졌다. 서부의 작은 마을에서 가슴이 무너진 목사가 직접 쓴 짤막한 편지였다.

그동안 언덕 위 대저택에 사는 가족의 시간도 멈춰 있지는 않았다. 폴리는 언덕 아래로 끝없이 펼쳐진 계곡을 내려다보면서 25년 동안 자신이 겪은 변화를 돌아봤다.

폴리는 마흔 살이었고 세상에 홀로 남겨진 거나 마찬가지였다. 아버지, 어머니, 언니는 모두 죽었다. 꽤 오래전부터 그녀는 이 저택과 아버지가 남긴 엄청난 재산의 유일한 주인이었다. 그녀의 외로운 삶을 대놓고 동정하는 사람들도 있었고, 함께 지낼 친구나 동반자를 구하라고 충고하는 사람들도 많았다. 그러나 폴리는 사람들의 동정과 충고 모두를 거부했다. 그녀는 외롭지 않다고 말했다. 혼자 있는 게 좋다고 말했다. 그녀는 조용한 삶이 잘 맞았다. 그런데 이제 와서….

폴리는 얼굴을 잔뜩 찌푸린 채 입을 굳게 다물고서 일어섰다.

물론 그녀는 자신이 선한 사람이라서 다행이라고 생각했다. 그리고 자신의 의무가 무엇인지 잘 알았을 뿐 아니라 그런 의무를 다할 인격을 갖추었다는 사실에도 감사했다. 하지만 폴리애나라니, 정말 터무니없는 이름이지 않은가!

2장

톰 영감과 낸시

작은 다락방에서 낸시는 비질을 하고 마루를 열심히 닦았다. 방구석의 좁은 틈도 놓치지 않으려고 애썼다. 낸시가 이토록 청소에 열을 올린 이유는 먼지를 없애는 한편 자기 마음을 다스리려는 목적도 있었다. 벌벌 떨며 주인의 명령에 따르기는 했지만 성인군자는 아니었기 때문이다.

"마님, 영혼의, 구석구석에, 쌓인, 먼지를, 벗겨낼, 수만, 있다면, 얼마나, 시원할까!" 낸시는 살인이라도 할 듯한 기세로 뾰족한 청소막대기를 틈새마다 찔러 넣으면서 그에 맞춰 한 마디, 한 마디 뱉어냈다. "벗겨내야 할 먼지가 아주 많지. 암, 많고말고! 그 불쌍한 아이를 이 후텁지근한 작은 방에 처박아 놓을 생각을 하다니. 게다가 겨울에는 난방도 되지 않는 방인데. 이렇게 큰 집에, 하고많은 방 중에 이 방이라니! 정말 쓸데없는 아이라고 믿는 게 틀림없어! 흥!" 낸시는 화가 났다. 걸레를 얼마나 세게 비틀었는지 손가락이 다 아렸다. "지금 정말로 쓸데없는 것은 아이가 아닐 텐데, 지금 당장은 아니라고!"

그러다 한동안은 침묵 속에 일했다. 일이 끝나자 낸시는 그 작고 초라한 방을 아주 역겹다는 듯 훑어보았다.

"자, 끝났다. 적어도 내가 할 일은 끝났지." 낸시는 한숨을 내쉬었다. "이 방에 먼지는 없어. 다른 건 있을지 몰라도. 불쌍한 어린 영혼 같으니! 집이 그리울 외로운 아이가 지내기에 퍽도 예쁜 방이네!" 말을 마친 낸시는 나가면서 문을 쾅 닫았다. "앗!" 낸시가 입술을 깨물며 외쳤다. 하지만 곧 고집스럽게 말했다. "뭐, 상관없어. 마님이 이 소리를 들으셨으면 좋겠네. 진짜야, 정말이야!"

그날 오후 낸시는 정원에서 톰 영감에게 몇 분간 이것저것 캐물을 짬을 얻었다. 톰 영감은 셀 수 없이 많은 해 동안 이 대저택에서 잡초를 뽑고 산책로를 손질해왔다

"톰 아저씨." 낸시가 등 뒤를 흘깃 돌아보며 아무도 지켜보는 이가 없다는 것을 재빨리 확인한 뒤 입을 열었다. "마님과 함께 살려고 오는 어린 여자애에 대해 아세요?"

"어린 뭐?" 노인이 굽은 등을 어렵사리 펴면서 물었다.

"어린 여자애요. 앞으로 마님과 같이 살게 된다는."

"허튼소리 그만하고 어서 일이나 해." 톰이 믿을 수 없다는 듯 코웃음을 쳤다. "차라리 내일은 해가 서쪽에서 뜬다고 하지 그래?"

"하지만 진짜예요. 마님이 저한테 그렇게 말씀하신걸요." 낸시는 물러서지 않았다. "마님의 조카래요. 열한 살이고요."

노인의 입이 쩍 벌어졌다.

"호… 그렇단 말이지." 톰이 중얼거렸다. 곧 빛바랜 눈이 반짝거

렸다. "그럴 리가, 하지만 그렇다면… 제니 아가씨의 딸이 분명해! 아가씨들 중에서 그분만 결혼했으니까. 그래, 낸시, 제니 아가씨의 딸일 거야. 하느님, 감사합니다! 이 늙은이에게도 이런 날이 올 줄이야!"

"제니 아가씨가 누구죠?"

"천사가 따로 없었지." 노인의 호흡이 빨라졌다. "하지만 돌아가신 주인님과 마님은 제니 아가씨를 장녀로만 여기셨지. 아주 오래전, 스무 살에 결혼해서 이곳을 떠났어. 내가 듣기로는 아가씨가 낳은 아기가 다 죽었다고 했는데. 마지막에 태어난 아기만 살아남았지. 그 아기가 오는 게 틀림없어."

"열한 살이래요."

"그래, 그 정도 되었겠네." 노인이 고개를 끄덕였다.

"그런데 다락방에서 지내게 될 거래요. 마님도 부끄러운 줄 아셔야지!" 낸시가 집 쪽을 다시 한번 돌아보며 화를 냈다.

톰 영감이 이맛살을 찌푸렸다가, 곧 흥미롭다는 듯 입꼬리를 올렸다.

"아이가 있는 집에서 마님이 어떻게 지낼지 궁금해지는군."

"흥! 저는 마님이 있는 집에서 아이가 어떻게 지낼지가 걱정이네요." 낸시가 발끈하며 말했다.

노인은 웃음을 터뜨렸다.

"자네는 마님이 마음에 들지 않는 모양이로군."

"마님을 마음에 들어 하는 사람이 있는 것처럼 말씀하시네요!" 낸시가 쏘아붙였다.

톰 영감이 아리송한 미소를 짓고는 다시 엎드려 일을 계속했다.

"마님의 연애 이야기에 대해 듣지 못했나 보군." 그가 천천히 말했다.

"연애라니, 마님이요? 그럴 리가요! 저뿐 아니라 아무도 모르는 이야기겠죠."

"아니, 다들 알고 있어." 노인이 고개를 끄덕거렸다. "그리고 그 상대 남자도 지금 살아 있고. 바로 이 마을에 살고 있지."

"누군데요?"

"그것까지는 말해줄 수 없지. 내가 할 말은 아니니까." 노인은 등을 꼿꼿이 폈다. 저택을 마주한 노인의 흐릿한 파란 눈동자에는 자신이 오랜 세월 동안 충성하고 사랑한 가족에 대한 정직한 자긍심이 어려 있었다.

"하지만 도저히 믿기지가 않아요. 마님이 연애라니." 낸시가 여전히 어깃장을 놓았다.

톰 영감은 고개를 저었다.

"자네는 나처럼 마님을 잘 알지 못하니까." 그가 반박했다. "마님도 한때는 정말 고우셨어. 지금도 마음먹고 꾸미면 예쁘실 텐데."

"고왔다고요? 마님이!"

"그럼. 머리를 지금처럼 꽁꽁 묶지 않고 예전처럼 좀 자유롭게 풀어서 늘어뜨리고, 꽃장식이 달린 그런 모자를 쓰면, 그리고 온통 레이스로 덮인 하얀 천으로 된 옷을 입으면… 자네도 분명 곱다고 생각할걸! 마님은 나이가 그렇게 많지 않아, 낸시."

"많지 않다고요? 그렇다면 나이를 정말 그럴싸하게 잘 속이시네요. 암요!" 낸시가 콧방귀를 뀌었다.

"나도 안다네. 다 그때 이후로 그렇게 되었지. 연인과 사이가 틀어진 뒤로." 톰 영감이 고개를 끄덕였다. "그리고 그 후로는 마치 지렁이와 가시만 먹고 사는 사람처럼 굴기 시작했지. 그 정도로 대하기 까다로운 사람이 되었어."

"그 부분은 저도 동의해요." 낸시가 씩씩거리며 말했다. "마님은 만족을 모르세요. 아무리 노력해도 소용없어요! 돈을 벌어야 하고 가족을 생각해서 어쩔 수 없이 여기 있는 거지 언젠가는, 언젠가는 폭발하고 말 거예요. 그러면 물론 그 자리에서 해고당하겠죠. 그렇겠죠."

톰 영감은 고개를 저었다.

"나도 그럴 때가 있어. 자연스러운 반응이지. 하지만 그래서는 안 돼. 그러면 안 된다고. 내 말 새겨들어. 그러면 안 돼." 그러고 나서 그는 늙은 머리를 눈앞에 놓인 일 위로 다시 숙였다.

"낸시!" 날카로운 목소리가 들렸다.

"네, 네, 마님." 낸시가 허둥지둥 답했다. 그리고 서둘러 집으로 향했다.

3장
폴리애나가 오다

며칠 뒤 폴리애나가 다음 날인 6월 25일 오후 네 시에 벨딩스빌에 도착할 거라고 알리는 전보가 도착했다. 폴리는 전보를 읽고는 얼굴을 찌푸린 채 계단을 타고 다락방으로 올라갔다. 그녀는 찌푸린 얼굴로 방을 둘러보았다.

방에는 깔끔하게 정리된 작은 침대, 딱딱한 의자 두 개, 세면대, (거울이 달리지 않은) 서랍장, 작은 탁자가 있었다. 지붕창에는 커튼이 없었고 벽에는 그림이 걸려 있지 않았다. 천장으로 온종일 햇빛이 들어왔으므로 작은 방은 오븐처럼 뜨거웠다. 방충망이 달려 있지 않아서 창문은 닫아두었다. 커다란 파리가 지붕창 아래에서 성난 듯 앵앵거리며 창밖으로 나가려고 위아래로 날아다니고 있었다.

폴리는 파리를 잡아 창밖으로 내던졌다. (그래서 잠시 창을 2센티미터 정도 열었다.) 의자 하나를 바로 하고 다시 얼굴을 찡그리면서 방을 나섰다.

"낸시." 몇 분 후 폴리가 부엌문 앞에 서서 말했다. "위층 폴리애나 방에서 파리를 발견했어. 분명 창문을 열어두었을 테지. 방충망을 주문했지만 그 전까지는 창문을 꼭 닫아두도록 해. 조카는 내일 네 시에 올 거야. 역에는 네가 마중 나가면 돼. 티머시가 마차로 데려다줄 거야. 전보에는 '담색 머리, 빨간색 격자무늬 원피스, 밀짚모자'라고 적혀 있어. 그게 내가 아는 전부지만 그 정도면 아이를 알아보는 데는 문제가 없겠지."

"예, 마님, 하지만… 그래도 마님이…."

폴리는 생략된 내용을 아주 정확하게 이해한 게 틀림없었다. 왜냐하면 곧 얼굴을 찌푸리면서 냉랭하게 말했기 때문이다.

"아니, 나는 가지 않아. 그럴 필요는 없다고 생각해. 그게 다야." 그러고는 돌아섰다. 폴리가 생각하는 조카 폴리애나를 맞이할 준비는 다 끝났다.

부엌에서 낸시는 자신이 다리는 행주에 다리미를 힘차게 내리꽂았다.

"'담색 머리, 빨간색 격자무늬 원피스, 밀짚모자' 그게 아는 전부라고? 글쎄, 나라면 부끄러워서 그렇게 거침없이 말하지는 못할 텐데. 암, 그렇고말고…. 게다가 하나뿐인 조카가 대륙을 가로질러 오는 거잖아!"

다음 날 오후 네 시가 되기 딱 20분 전에 티머시와 낸시는 손님을 맞이하러 마차를 끌고 나섰다. 티머시는 톰 영감의 아들이었다. 마을사람들은 톰 영감이 폴리의 오른팔이라면 티머시는 왼팔이라고 말하곤 했다.

티머시는 성격 좋은 젊은이였고 외모도 준수했다. 낸시가 폴리의 집에 온 지 얼마 되지는 않았지만 두 사람은 벌써 친해졌다. 그러나 오늘 낸시는 자신에게 주어진 임무로 머리가 가득해서 평소처럼 수다를 떨 수가 없었다. 그래서 역까지 가는 내내 거의 침묵으로 일관했고 역에 도착하자마자 기차가 들어오는 걸 보기 위해 얼른 달려갔다.

낸시는 머릿속으로 반복해서 말했다. '담색 머리, 빨간색 격자무늬 원피스, 밀짚모자.' 낸시는 폴리애나가 어떤 아이일지 궁금했다.

"부디 아이가 조용하고 현명하면 좋겠어. 나이프를 떨어뜨리거나 문을 쾅 닫지도 않아야 할 텐데." 한숨을 내쉰 낸시가 저쪽에서 어슬렁어슬렁 걸어오는 티머시에게 말했다.

"글쎄, 안 그러면 어떻게 될지는 아무도 모를 일이지." 티머시가 빙그레 웃었다. "마님이 시끄러운 아이와 있는 걸 상상해봐. 맙소사! 그야말로 난리법석이 날 거야!"

"오, 티머시. 나를 보낸 건 심술 맞은 행동이었다고 생각해." 낸시는 갑자기 두려운 마음에 이렇게 내뱉고는 돌아서서 작은 기차역에서 하차하는 승객이 가장 잘 보이는 곳으로 갔다.

낸시는 아이를 금세 발견했다. 빨간색 격자무늬 원피스를 입은 작고 깡마른 소녀가 굵게 땋은 아마빛 머리를 등 뒤로 길게 늘어뜨리고 있었다. 밀짚모자 아래에는 주근깨투성이의 앳된 얼굴이 반짝거리는 눈으로 이쪽저쪽을 살피면서 누군가를 열심히 찾고 있었다.

낸시는 곧장 아이를 알아보았지만 왠지 무릎이 떨려서 아이에게 다가갈 수가 없었다. 마침내 낸시가 혼자 조용히 서 있는 어린 소녀에게 다가갔다.

"당신이… 폴리애나인가요?" 낸시가 떨리는 목소리로 물었다. 다음 순간 낸시는 자신이 격자무늬 팔에 꼭 붙들렸다는 사실을 깨달았다.

"아, 정말 기뻐요. 만나서 아주, 아주 기쁘고 기뻐요." 낸시의 귀에 열정적인 목소리가 울려 퍼졌다. "당연히 제가 폴리애나죠. 저를 만나러 나와주셔서 정말 기뻐요! 나오시길 바라고 있었어요."

"그, 그랬어요?" 낸시는 더듬거렸다. 도대체 폴리애나가 어떻게 자신의 존재를 알았을까, 자신을 만나고 싶어 하게 되었을까, 막연하게 의문이 들었다. "그, 그랬어요?" 낸시는 똑같은 말을 반복하면서 모자를 바로 썼다.

"네, 그럼요. 그리고 여기 오는 내내 어떤 모습일지 상상했어요." 이렇게 말한 어린 소녀는 발끝으로 서서 춤을 추면서 수줍어하는 낸시를 머리부터 발끝까지 눈으로 훑었다. "그리고 이제 알게 되었죠. 지금 같은 모습이어서 정말 기뻐요."

바로 그때 티머시가 나타났고 낸시는 안도했다. 폴리애나의 말이 아주 혼란스러웠기 때문이다.

"이 사람은 티머시예요. 혹시 짐 가방이 있지 않나요?" 낸시가 더듬더듬 말했다.

"네, 있어요." 폴리애나가 진지하게 고개를 끄덕였다. "완벽한 새것이에요. 부녀회에서 사주셨어요. 정말 감사한 일이죠? 실은 그 돈으로 융단을 사고 싶었을 텐데. 물론 저는 여행 가방을 살 돈으로 빨간 융단을 얼마나 많이 살 수 있는지 잘 모르지만 분명 꽤 많이 살 수 있었을 거예요. 적어도 복도를 반 정도는 덮을 수 있었겠죠, 그렇죠? 여기 제 손가방에 그레이 씨가 짐표라고 말한 작은 쪽지가 들어 있어요. 짐 가방을 찾을 때 필요하다고 했어요. 그레이 씨는 그레이 부인의 남편이에요. 카 집사님 부인의 사촌이고요. 여기 동부로 그분들과 함께 왔는데, 정말 좋은 분들이었어요! 그리고, 아, 여기 있네요." 폴리애나는 말을 멈추고 들고 있는 손가방을 한참 뒤진 끝에 짐표를 꺼내서 건넸다.

낸시는 숨을 깊이 들이마셨다. 본능적으로 그렇게 할 수밖에 없었다. 그토록 길게 말하는 걸 들은 뒤에는 당연히 그래야 할 것 같았다. 그런 다음 티머시를 힐끔 쳐다보았다. 티머시는 열심히 딴 곳을 보고 있었다.

마침내 셋은 역을 떠났다. 티머시가 폴리애나의 짐 가방을 마차 뒤에 실었고 폴리애나는 낸시와 티머시 사이에 아늑하게 자리를 잡았다. 역에서 떠날 채비를 하는 내내 어린 소녀는 끊임없이 이런저런 의견을 말하고 질문을 해댔다. 다소 얼이 빠진 낸시는 어린 소녀가 재잘거리는 말의 흐름을 따라가느라 결국 숨이 가빠졌다.

"아! 정말 기분이 좋지 않나요? 집은 먼가요? 멀었으면 좋겠어요. 저는 마차 타는 걸 좋아하거든요." 바퀴가 굴러가기 시작하자 폴리애나가 한숨을 내쉬었다. "물론 멀지 않아도 괜찮아요. 집에 빨리 도착했다는 것이 기쁠 테니까요, 아시죠? 정말 아름다운 길이에요! 아름다울 줄 알았어요. 아빠가 말씀해…."

폴리애나가 갑자기 숨이 막힌 듯 짤막한 숨을 토해내며 말을 멈췄다. 낸시는 소녀를 걱정스러운 눈으로 바라봤다. 어린 소녀의 작은 턱이 떨리고 눈에 눈물이 가득 고인 것이 보였다. 하지만 소녀는 대견하게도 고개를 조금 높이 들어 올리고는 서둘러 말을 이어나갔다.

"아빠가 말씀해주셨어요. 전부요. 기억하고 계셨거든요. 그리고… 그리고 미리 설명했어야 하는데, 그레이 부인이 곧바로 말하라고 했거든요. 제가 왜 검은 옷이 아니라 빨간색 격자무늬 원피스를 입고 있는지에 대해서요. 이상하게 여길 거랬어요. 하지만 최근에 받은 선교 물품 기부함에는 검은색 옷이 하나도 없었어요. 숙녀용 벨벳 상의가 있었지만 카 집사 부인 말씀이 제가 입을 수 있는 옷은 아니라고 했어요. 게다가 군데군데 흰 점이 있었어요. 닳은 거죠. 양쪽 팔꿈치 부분이랑 다른 부분에도요. 부녀회에서 제게 검은색 원피스와 모자를 사주자는 의견도 있었지만 원래 계획대로 빨간색 융단을 사는 데 그 돈을 써야 한다는 의견도 있었어요. 교회 바닥에 깔 융단 말이에요. 화이트 부인은 어쨌거나 그 편이 낫다고 말씀하셨어요. 검은 옷을 입은 아이들은 별로 마음에 들지 않는다고 했어요. 그러니까, 물론 아이는 좋아하지만 검은색 옷은 싫다는 거죠."

폴리애나가 호흡을 고르느라 잠시 말을 멈춘 틈을 타 낸시가 더듬거리며 끼어들었다.

"그래요, 저도 문제 되지 않을 거라고 생각해요."

"그렇게 생각한다니 기뻐요. 저도 그렇게 생각해요." 폴리애나가 고개를 끄덕이면서 또다시 조금 짤막한 숨을 토해냈다. "물론 검은 옷을 입고 기뻐하기는 훨씬 더 힘이 드니까요."

"기뻐한다고요?" 낸시가 놀란 나머지 외쳤다.

"네. 아빠는 천국에서 엄마랑 나머지 가족들이랑 함께 지내게 되었으니까요. 아빠가 제게 기뻐하라고 말씀하셨어요. 하지만 그러기가 쉽지 않아요. 빨간색 격자무늬 원피스를 입었는데도 잘 안 돼요. 왜냐하면 아빠가 정말 보고 싶으니까요. 게다가 아빠가 제 곁에 있어야만 한다는 생각을 떨치기가 힘들어요. 엄마랑 다른 가족들 곁에는 하느님과 천사들이 있지만 제게는 아무도 없어요. 부녀회 아주머니들을 빼면요. 하지만 이제는 훨씬 더 쉬울 거라고 믿어요. 폴리 이모가 있으니까요. 이모가 있어서 정말 기뻐요!"

자기 옆에 앉은 가엾은 어린 고아에게 낸시가 느낀 가슴 시린 동정심은 한순간에 충격과 공포로 바뀌었다.

"오, 하지만, 하지만 잘못 아셨어요, 아가씨." 낸시가 떨리는 목소리로 말했다. "저는 낸시예요. 아가씨 이모인 폴리가 절대로 아니랍니다!"

"이모가 아니라고요?" 어린 소녀가 절망에 빠진 듯 더듬거렸다.

"네, 아니에요. 저는 낸시예요. 아가씨가 저를 이모라고 생각할 줄은 몰랐어요. 저는 아가씨 이모와 전혀 닮지 않았거든요, 전혀요!"

티머시가 작은 소리로 키득거렸다. 하지만 낸시는 너무 당황한 나머지, 재미있다는 듯 반짝거리는 티머시의 눈빛에 반응하지 못했다.

"그렇다면 당신은 누구예요?" 폴리애나가 물었다. "부녀회 회원처럼 보이지도 않는걸요!"

이번에는 티머시가 큰 웃음을 터뜨리고 말았다.

"저는 낸시예요. 식모죠. 빨래와 다림질 빼고는 모든 살림을 맡아서 하고 있어요. 빨래와 다림질은 더긴 부인이 한답니다."

"하지만 폴리 이모가 정말 있기는 한 거죠?" 아이가 걱정스러운 듯 물었다.

"아가씨만큼이나 확실하게 있죠." 티머시가 끼어들었다.

폴리애나는 눈에 띄게 안심한 듯 보였다.

"아, 그렇다면 됐어요." 잠시 침묵이 흘렀다. 아이가 다시 쾌활하게 말했다. "그리고 그거 아세요? 그래서 기뻐요. 이모가 저를 만나러 나오지 않은 것이요. 왜냐하면 아직도 이모에 대해 기대할 수 있으니까요. 게다가 낸시도 있고요."

낸시의 얼굴이 빨개졌다. 티머시는 호기심 어린 미소를 띠면서 아이를 봤다.

"그거 정말 멋진 칭찬인데요." 티머시가 말했다. "낸시, 어린 숙녀에게 감사해야 하지 않을까?"

"나, 나는 마님에 관해 생각하고 있었어." 낸시가 기어들어 가는 목소리로 말했다.

폴리애나는 만족한 듯 한숨을 내쉬었다.

"저도요. 이모가 정말 궁금해요. 그거 아세요? 제게는 하나뿐인 이모예요. 오랫동안 제게 이모가 있다는 사실을 전혀 몰랐어요. 그런데 아빠가 말씀해주셨어요. 아빠 말씀이 이모가 높은 언덕 꼭대기에 있는 아주 멋진 저택에서 산다고 했어요."

"네, 맞아요. 이제 그 집이 보일 거예요." 낸시가 말했다. "저기 멀리 보이는 초록색 덧문이 달린 커다란 하얀 집이에요."

"아, 정말 예뻐요! 게다가 집 주위에 나무와 잔디가 아주 많잖아요! 저렇게 널찍한 초록빛 잔디는 본 적이 없어요. 낸시, 폴리 이모는 부자인가요?"

"네, 그래요."

"정말 기뻐요. 돈이 많다는 건 아주 멋진 일일 거예요. 지금까지 제가 만난 사람 중에는 돈이 많은 사람이 없었어요. 화이트 씨 부부를 빼고는요. 화이트 씨 부부는 상당한 부자예요. 방마다 융단이 깔려 있고 일요일에는 아이스크림을 먹어요. 폴리 이모도 일요일마다 아이스크림을 먹나요?"

낸시가 고개를 저었다. 그녀의 입술이 씰룩거렸다. 낸시는 재미있다는 듯 티머시와 눈빛을 교환했다.

"아니요, 아가씨. 폴리 이모는 아이스크림을 좋아하지 않아요. 아마도요. 적어도 저는 마님 식탁 위에 아이스크림이 오르는 걸 보지 못했어요."

폴리애나의 얼굴에는 실망한 기색이 역력했다.

"아, 그래요? 정말 안타깝네요! 어떻게 아이스크림을 안 좋아할 수가 있죠? 하지만, 그래도 그것에 대해서도 어느 정도는 기뻐할 수 있어요. 왜냐하면 아이스크림을 먹지 않으면 배탈이 날 일도 없을 테니까요. 화이트 부인 댁에서처럼요. 그러니까, 화이트 부인 댁에서 아이스크림을 먹은 적이 있거든요. 그것도 아주 많이. 그래도 폴리 이모 집에는 융단이 깔려 있겠죠?"

"네, 융단은 깔려 있어요."

"모든 방에요?"

"그게… 거의 모든 방에요." 낸시가 답했다. 융단이 깔려 있지 않은 작고 초라한 다락방을 떠올린 낸시가 갑자기 인상을 썼다.

"아, 정말 기뻐요." 폴리애나가 소리를 질렀다. "전 융단이 정말 좋아요. 우리 집에는 하나도 없었거든요. 선교 물품 기부함에 담긴 작은 깔개 두 개가 전부였어요. 게다가 하나는 잉크 얼룩이 있었어요. 화이트 씨 댁에는 예쁜 그림도 걸려 있었어요. 장미가 있는 그림, 어린 소녀들이 무릎을 꿇고 있는 그림, 새끼 고양이, 양, 사자가 있는 그림 같은 거요. 물론 양이랑 사자가 같은 그림에 있지는 않았어요. 아, 성경에는 양이랑 사자가 언젠가는 함께 지낼 거라고 쓰여 있지만 아직은 그때가 아니니까요. 그러니까, 화이트 씨 댁 그림에서는 아니었어요. 그림처럼 좋은 것도 없어요, 그렇죠?"

"글쎄요, 저는 잘 모르겠네요." 낸시는 목이 조금 메어와 무뚝뚝하게 답했다.

"저는 정말 좋아해요. 우리 집에는 그림이 하나도 없었어요. 선교 물품 기부함에 그림이 들어 있는 일은 정말 드물거든요. 그림이 들어 있었던 경우가 두 번 있기는 했어요. 하나는 정말 좋은 그림이었기 때문에 아빠가 그 그림을 팔아서 제게 신발을 사주셨어요. 다른 하나는 무척 낡은 그림이었는데 벽에 걸자마자 떨어져서 산산조각 났어요. 그러니까, 유리가 깨졌어요. 그래서 저는 울고 말았어요. 하지만 지금은 우리 집에 그런 좋은 것들이 하나도 없었다는 게 기뻐요. 덕분에 폴리 이모의 집이 훨씬 더 마음에 들 거예요. 그런 것들이 다 새로울 테니까요 그러니까 선교 물품 기부함에 빛바랜 갈색 리본만 계속 들어오다가 예쁜 리본이 들어오는 거랑 같잖아요. 얼마나 좋던지! 이 집처럼 완벽하게 아름다운 집이 또 있을까요?" 마차가 저택의 널찍한 진입로에 들어서자 폴리애나는 기쁨에 들떠 더는 말을 잇지 못했다.

티머시가 짐 가방을 내릴 때가 되어서야 낸시는 티머시의 귓속에 나지막이 속삭일 수 있었다.

"티머시 더긴, 앞으로는 내게 그만두겠다느니 어쩌니 하는 소리 하지 마. 돈을 준다고 해도 나는 그만둘 생각이 없으니까!"

"그만두다니! 그런 말을 할 리가 없잖아." 티머시가 싱긋 웃었다. "나를 쫓아내도 붙어 있을 거야. 저 아이만 있다면 이곳만큼 재미있는 곳도 없을 테니까. 매일이 영화보다 더 재미있을걸!"

"재미? 재미라고!" 낸시가 씩씩거리며 쏘아붙였다. "저 불쌍한 아이에게는 재미가 문제가 아니야. 그 둘이 함께 산다고 생각해봐. 저 아이에게는 피난처가 되어줄 단단한 바위가 필요해. 내가 그 바위가 되어줄 거야, 티머시. 암, 그렇고말고!" 낸시는 이렇게 맹세하고는 돌아서서 폴리애나를 넓은 계단으로 안내했다.

4장

작은 다락방

폴리 해링턴은 조카를 보고도 자리에서 일어나지 않았다. 낸시가 어린 소녀와 함께 거실문으로 들어왔을 때 읽고 있던 책에서 눈을 떼기는 했다. 그리고 차가운 손가락 하나하나에 '의무'라는 글자가 선명하게 새겨진 듯한 손을 내밀었다.

"폴리애나, 반갑구나. 나는…." 폴리는 말을 끝맺지 못했다. 폴리애나가 방을 날아오다시피 가로질러서 폴리의 뻣뻣한 품에 안겼을 때, 폴리는 당황하는 표정을 지었다.

"아, 폴리 이모, 폴리 이모. 함께 살아도 된다고 해주셔서 얼마나 기쁜지 몰라요." 폴리애나는 울먹였다. "부녀회 아주머니들이 제 전부였는데 이모랑 낸시랑 이 모든 것이 생겨서 얼마나 다행인지!"

"당연히 그렇겠지. 비록 나는 네가 말하는 부녀회 회원들을 만나보지는 못했지만." 폴리가 싸늘한 목소리로 답하면서 자신에게 매달린 작은 손가락을 떼어내고는 문가에 서 있는 낸시를 바라보며 얼굴을 찌푸렸다. "낸시, 이제 됐으니 가도 좋아. 폴리애나, 얌전하게 굴어야지. 예의 바르게 등을 펴고 똑바로 서거라. 아직 네 얼굴을 제대로 보지 못했구나."

폴리애나는 살짝 흥분한 채 깔깔 웃으면서 곧장 일어섰다.

"아, 그렇겠네요. 하지만 별로 볼 것도 없어요. 주근깨로 뒤덮여서 볼품없거든요. 아, 그리고 빨간 격자무늬 원피스와 팔꿈치가 하얗게 닳은 벨벳 상의에 대해 말씀드려야겠네요. 낸시에게는 아빠가…."

"아니, 네 아버지가 뭐라고 했는지는 관심 없다." 폴리가 폴리애나의 말을 가로막으며 날카롭게 말했다. "짐 가방을 가져왔겠지?"
"아, 물론이에요, 폴리 이모. 부녀회에서 아주 멋진 짐 가방을 주셨어요. 안에 든 건 별로 없지만, 그러니까 제 물건이 없다는 뜻이에요. 최근에는 선교 물품 기부함에 어린 여자애가 입을 만한 옷이 잘 들어오지 않았거든요. 하지만 아빠 책은 전부 가져왔어요. 화이트 부인이 제가 가져가는 게 좋겠다고 말했거든요. 왜냐하면 아빠는…."

"폴리애나." 폴리가 다시 한번 폴리애나의 말을 끊었다. "이것만큼은 지금 명확히 해두는 것이 좋겠구나. 앞으로 내게 네 아버지 이야기를 하는 일이 없기를 바란다."

어린 소녀는 두려운 마음에 숨을 크게 들이마셨다.

"그건, 폴리 이모, 그러면…." 폴리애나는 쉽게 말을 잇지 못했고 대신 폴리가 침묵을 깨며 말했다.

"네 방으로 올라가자꾸나. 아마도 네 짐 가방은 이미 방에 있을 거야. 티머시에게 가져다두라고 시켰으니까. 네게 짐 가방이 있다면 말이지. 자, 날 따라오너라.”

폴리애나는 말없이 이모를 따라나섰다. 눈에는 눈물이 글썽였지만 용기를 내어 고개를 빳빳하게 들었다.

‘그래, 차라리 아빠 이야기를 듣고 싶어 하시지 않아서 다행이야.’ 폴리애나는 생각했다. ‘그게 덜 힘들겠지. 아빠 이야기를 하지 않는 편이. 아마도 그래서 아빠 이야기를 하지 말라고 하셨을 거야.’ 이모가 ‘배려’했다고 확신한 폴리애나는 얼른 눈물을 털어내고 주변을 열심히 살폈다.

계단 입구에 막 도착한 참이었다. 바로 앞에서 이모의 검은색 실크 치마가 고급스럽게 사각사각 소리를 내고 있었다. 폴리애나의 등 뒤 열린 문틈으로 공단을 씌운 의자와 옅은 빛깔의 융단이 보였다. 발아래 깔린 융단은 초록빛 이끼 위를 걷는 것 같았다. 벽마다 걸린 그림 액자의 금박과 그물처럼 얇은 레이스 커튼 사이로 비치는 햇살이 폴리애나의 눈동자에 비쳤다.

“아, 폴리 이모, 폴리 이모.” 어린 소녀가 황홀해하며 가쁜 숨을 몰아쉬었다. “정말 아주, 아주 아름다운 집이에요! 이렇게 부자라서 정말 좋으시겠어요!”

“폴리애나!” 계단을 다 올라간 폴리가 날카롭게 외치며 홱 돌아섰다. “내게 감히 그런 말을 하다니 기가 막히는구나!”

“왜요, 폴리 이모, 부자인 거 맞잖아요?” 폴리애나가 천진하게 물었다.

“절대 아니야, 폴리애나. 나는 하느님이 내게 합당하다고 여기고 내리신 복을 자랑하는 죄를 지을 정도로 내가 어리석지는 않다고 믿는다." 폴리가 또박또박 말했다. "그중에서도 특히 부는 자랑스럽지 않아!"

폴리는 돌아서서 복도를 가로질러, 다락으로 올라가는 계단 문 앞에 섰다. 그녀는 아이의 방을 다락방으로 정하기를 잘했다고 생각했다. 처음에는 조카를 집에서 가능한 한 멀리 떨어뜨려 놓고 싶었다. 나아가 아이가 집 안의 비싼 장식을 망가뜨릴 염려가 없는 곳에서 지내게 하고 싶었다. 그런데 이렇게 어린 나이에 허영을 부리는 것을 보니, 아이에게 평범하고 실용적인 방을 배정해서 다행이라는 생각이 들었다.

폴리애나는 이모의 뒤를 따라 열심히 발을 굴렀다. 폴리애나의 커다란 파란 눈동자는 그보다 더 열심히 사방을 훑었다. 이 멋진 집에 있는 아름답고 흥미로운 것을 하나도 놓치고 싶지 않았다. 그녀의 마음은 곧 풀릴 아주 멋지고 설레는 수수께끼를 향하고 있었다. 이 모든 환상적인 문 가운데 하나 너머에 그녀의 방이 기다리고 있다. 커튼, 융단, 그림으로 가득한 사랑스럽고 예쁜 방이. 자기만의 방이. 그런데 이모가 문을 열고서 또 다른 층계를 오르기 시작했다.

이곳에는 볼거리가 없었다. 양쪽 벽은 비어 있었다. 계단 꼭대기에 어두운 공간이 나타났다. 사방으로는 지붕이 비스듬히 내려와 바닥에 닿아 있었고 수많은 짐 가방과 상자가 쌓여 있었다. 덥고 숨이 턱턱 막히는 곳이기도 했다. 폴리애나는 무의식중에 고개를 더 높이 들었다. 숨쉬기가 어려웠다. 그러다 그녀는 이모가 오른편에 있는 문을 열었다는 사실을 알아차렸다.

"자, 폴리애나. 여기가 네 방이다. 보아라, 네 짐 가방도 있구나.

열쇠는 있니?" 폴리애나는 멍하니 고개를 끄덕였다. 폴리애나의 눈이 조금 커졌고 눈동자에는 두려움이 깃들어 있었다.

폴리가 얼굴을 찌푸렸다.

"폴리애나, 내가 질문하면 큰 소리로 대답해야지. 고개만 끄덕이지 말고."

"네, 폴리 이모."

"고맙다. 훨씬 낫구나. 여기 네게 필요한 건 모두 있다." 폴리가 덧붙이면서 수건으로 채워진 수건걸이와 물이 담긴 주전자를 힐긋 쳐다봤다. "낸시를 올려 보낼 테니 함께 짐을 정리해라. 저녁 식사 시간은 여섯 시다." 말을 마친 폴리는 방을 나갔고 금세 아래층으로 내려갔다.

폴리가 사라진 뒤 폴리애나는 한동안 가만히 서서 주변을 둘러보았다. 그러다 커다란 눈으로 텅 빈 벽, 텅 빈 마룻바닥, 텅 빈 창문을 바라보았다. 마지막으로 바로 얼마 전 머나먼 서부의 고향집 자기 방에 놓여 있던 작은 짐 가방에 눈길이 닿았다. 그 순간 폴리애나는 멍하니 앞으로 비틀비틀 걸어가 짐 가방 옆에 털썩 주저앉아 두 손으로 얼굴을 감쌌다.

몇 분 뒤 올라온 낸시가 그러고 있는 폴리애나를 발견했다.

"자, 자, 가엾은 어린양 같으니." 낸시는 바닥에 같이 앉아 어린 소녀를 품 안에 안고 달랬다. "안 그래도 아마 이러고 있지 않을까 걱정했어요."

폴리애나는 고개를 저었다.

"하지만 제가 나쁜 아이인걸요, 낸시. 아주 사악해요." 폴리애나가 울먹이며 말했다. “어째서 하느님과 천사가 저보다 더 아빠를 필요로 했는지 이해가 전혀 안 돼요.”

“그럼요, 절대로 아가씨만큼 필요하지 않죠.” 낸시가 힘주어 말했다.

“아, 낸시!” 폴리애나는 겁에 질린 나머지 눈물이 말라버렸다.

낸시가 부끄러운 듯 미소를 짓고는 눈을 거칠게 비볐다.

“자, 자, 아가씨. 물론 진심으로 한 말은 아니었어요.” 낸시는 씩씩하게 말했다. “자, 열쇠를 꺼내보세요. 이 짐 가방을 열어서 얼른 옷가지를 정리해야죠.”

폴리애나는 우울한 기분으로 열쇠를 꺼냈다.

“어차피 들어 있는 것도 별로 없는걸요.” 폴리애나가 기어들어가는 목소리로 말했다.

“그럼 짐 정리가 빨리 끝나겠네요.” 낸시가 말하자, 폴리애나가 갑자기 환하게 웃었다.

“그렇네요! 그건 기뻐할 일이잖아요, 그렇죠?” 폴리애나가 소리쳤다.

낸시는 폴리애나를 빤히 바라봤다.

“그래요, 그렇죠.” 낸시가 조금 망설이며 답했다.

낸시의 부지런한 손은 책, 군데군데 기운 속옷, 아주 볼품없는 원피스들을 순식간에 정리했다. 이제는 용감하게 미소를 짓고 있는 폴리애나가 이리저리 뛰어다니면서 옷장에 원피스를 걸고, 탁자에 책을 쌓아 올리고, 서랍장에 속옷을 넣었다.

“분명… 분명 좋은 방이 될 거예요. 그렇죠?” 폴리애나가 잠시 뒤 더듬거리며 말했다.

아무런 답도 돌아오지 않았다. 낸시는 짐 가방에 얼굴을 파묻고는 바쁜 척을 했다. 서랍장 앞에 선 폴리애나가 빈 벽을 조금 서글픈 눈으로 바라보았다.

"그리고 거울이 없는 걸 기뻐해야겠죠? 거울이 없으면 제 주근깨도 보이지 않으니까요."

낸시의 입에서 갑자기 이상한 소리가 새어 나왔다. 하지만 폴리애나가 돌아보았을 때는 여전히 짐 가방에 고개를 박고 있었다. 몇 분 뒤 폴리애나가 창문 하나를 보면서 기쁜 듯 손뼉을 치며 외쳤다.

"아, 낸시, 아까는 저걸 보지 못했어요." 폴리애나가 흥분하며 말했다. "보세요. 저기 저쪽에, 나무들이랑 집들이랑 아주 아름다운 교회 첨탑이 보여요. 그리고 은빛으로 빛나는 강도요. 저런 풍경이 있으면 그림은 필요 없죠. 이모가 이 방을 쓰게 해주셔서 정말 기뻐요!"

낸시가 갑자기 울음을 터뜨리는 바람에 폴리애나는 당황했다. 소녀는 곧장 낸시의 곁으로 갔다. "왜 그래요, 낸시? 낸시, 무슨 일이에요?" 폴리애나가 외쳤다. 그리고 곧 조심스럽게 물었다. "저기, 혹시 이 방이 낸시 방이었던 건 아니죠?"

"그럴 리가요." 낸시가 울음을 삼키며 사납게 내뱉었다. "아가씨야말로 천국에서 내려온 작은 천사예요. 세상에는 부끄러움을 모르는 사람들이 있기 마련이지만… 아, 마님이 부르네!" 낸시는 이렇게 엄청난 말을 하자마자 벌떡 일어나 방에서 서둘러 나간 뒤 계단을 성큼성큼 내려갔다.

방에 홀로 남은 폴리애나는 다시 자기가 자기 방의 '그림'으로 지정한 창밖의 아름다운 풍경에 푹 빠져들었다. 어느 정도 시간이 흐른 뒤 폴리애나는 창문으로 조심스럽게 손을 뻗었다. 숨 막히는 열기를 더는 견딜 수가 없었다. 다행히도 창문에 손이 닿았다. 다음 순간 창문이 활짝 열렸고 폴리애나는 몸을 창밖으로 최대한 내밀고서 신선하고 깨끗한 바깥 공기를 들이마셨다.

폴리애나는 다른 창문으로 달려갔다. 그 창문도 쉽게 열렸다. 아주 큰 파리가 폴리애나의 코앞을 지나 방 안을 요란하게 날아다녔다. 그 뒤로 또 한 마리, 그리고 또 한 마리가 들어왔다. 하지만 폴리애나는 개의치 않았다. 아주 엄청난 발견을 했기 때문이다. 방금 연 창문으로는 커다란 나뭇가지들이 닿아 있었다. 폴리애나의 눈에는 그 나뭇가지가 자신을 초대하며 손을 내밀고 있는 것처럼 보였다.

폴리애나가 갑자기 웃음을 터뜨렸다.

"분명 할 수 있을 거야." 폴리애나는 깔깔 웃더니, 곧이어 능숙하게 창문틀에 올라섰다. 거기서 가장 가까운 나뭇가지까지는 발을 뻗으니 쉽게 닿았다. 원숭이처럼 나뭇가지에 매달린 폴리애나가 나뭇가지를 차례차례 타고 내려와 가장 아래에 있는 나뭇가지에 도착했다. 나무 타기에 익숙한 폴리애나였지만 무작정 땅 위로 뛰어내리기는 조금 겁이 났다. 하지만 소녀는 숨을 크게 들이마시고는 가녀리지만 튼튼한 두 팔로 나뭇가지에 매달린 채 흔들거리다가 뛰어내리면서 부드러운 잔디 위에 엎드렸다. 곧장 몸을 일으킨 폴리애나는 주변을 열심히 두리번거렸다.

저택의 뒤쪽이 보였다. 앞으로는 정원이 펼쳐져 있고 등이 굽은 노인이 일하고 있었다. 정원 너머에는 가파른 언덕으로 이어진 너른 들판으로 나가는 길이 보였다. 언덕 꼭대기에는 커다란 바위가 버티고 있었고 그 옆에는 보초를 서듯 소나무 한 그루가 홀로 서 있었다. 그 순간 폴리애나는 이 세상에서 있을 만한 곳은 딱 한 군데라는 생각이 들었다. 바로 그 커다란 바위 위였다.

폴리애나는 등이 굽은 노인 옆을 스치듯 지나서 달려나갔고 깔끔하게 열을 지어 선 초록빛 식물들 사이를 빠져나갔다. 숨이 조금 가빠질 무렵 너른 들판으로 나가는 길에 닿았다. 폴리애나는 결심한 듯 그 길을 따라 올라갔다. 하지만 벌써 그 바위가 얼마나 멀리 떨어져 있는지 실감하고 있었다. 창밖으로 볼 때는 아주 가까워 보였는데!

15분이 지나고 해링턴 저택 복도의 괘종시계가 여섯 시를 알렸다. 마지막 시계 종소리에 정확하게 맞춰 낸시가 저녁 식사 시간을 알리는 종을 울렸다.

1분이 지나고, 2분이 지나고, 3분이 지났다. 폴리가 얼굴을 찡그리면서 슬리퍼를 신은 발로 까딱까딱 바닥을 두드렸다. 다소 급하게 일어선 폴리는 복도로 나가 불쾌한 표정으로 계단 쪽을 바라봤다. 약 1분 정도 귀를 기울이다 돌아서서 식당으로 돌아왔다.

"낸시" 폴리는 어린 식모가 모습을 드러내자마자 굳은 목소리로 말했다. "조카가 늦는구나. 아니, 부르러 갈 필요 없어." 낸시가 복도로 나가려고 하자 폴리는 엄하게 덧붙였다. "폴리애나에게는 저녁 식사 시간이 언제인지 말했어. 이제 결과에 책임을 져야지. 곧바로 시간관념을 철저히 가르치는 게 나을 거야. 폴리애나가 내려오면 부엌에서 빵과 우유를 먹게 해."

"예, 마님." 폴리가 그 순간 낸시의 표정을 보지 못한 것이 다행인지도 모른다.

저녁 식사가 끝난 뒤 낸시는 곧장 계단을 타고 다락방으로 올라갔다.

"빵과 우유라니! 분명 불쌍한 어린양은 울다 지쳐 잠든 것뿐일텐데." 낸시가 씩씩거리면서 조심스럽게 문을 열었다. 다음 순간 낸시는 겁에 질려 소리쳤다. "어디 있어요? 어디로 간 거예요? 도대체 어디에 있는 거지?" 낸시는 숨을 헐떡거리며 옷장 안, 침대 밑, 심지어 짐 가방 속과 물 주전자 아래까지 샅샅이 살폈다. 그러고는 아래층으로 한달음에 내려가 정원에 있는 톰 영감에게로 갔다.

"톰 아저씨, 톰 아저씨, 가여운 아이가 사라졌어요." 낸시가 울며 소리쳤다. "자신이 내려온 천국으로 다시 연기처럼 올라갔나 봐요, 가여운 것. 부엌에서 빵과 우유를 먹여야 했는데, 지금쯤은 천국의 양식을 먹고 있겠죠, 암요, 암요!"

노인은 허리를 폈다.

"사라졌다고? 천국이라니?" 노인은 멍하니 중얼거리면서 무의식적으로 저녁노을에 화려하게 물든 하늘을 훑었다. 그는 잠시 멈추고는 한곳을 뚫어져라 쳐다보았다. 그리고 천천히 미소를 지었다. "글쎄다, 낸시, 천국에서 가장 가까운 곳에 가려고 했던 것 같기는 하구나." 노인이 낸시의 말에 맞장구치면서 굽은 손으로 붉게 물든 지평선에 뚜렷한 윤곽선을 그리며 커다란 바위 위에서 바람에 휘날리는 가냘픈 형상을 가리켰다.

"그래도, 오늘 밤 저런 식으로는 천국에 못 가요. 적어도 제가 그러도록 내버려두지 않을 거예요." 낸시가 꿋꿋하게 말했다. "마님이 물으면 설거지는 잊지 않고 할 테니 잠시 산책 다녀온다고 말해 주세요." 낸시는 어깨를 한껏 뒤로 젖히고 너른 들판으로 이어진 길 쪽으로 서둘러 갔다.

5장

기뻐하기 게임

“맙소사, 폴리애나 아가씨, 아가씨 때문에 얼마나 걱정했는지 아세요?” 낸시가 숨을 헐떡거리면서 커다란 바위 쪽으로 서둘러 다가왔다. 폴리애나는 아쉬워하며 바위에서 내려온 참이었다.

“걱정했어요? 정말 미안해요. 하지만 낸시, 절대로 저 때문에 걱정할 필요는 없었어요. 아빠랑 부녀회 아주머니들도 저 때문에 걱정하곤 했지만 제가 언제나 무사히 돌아온다는 걸 알게 된 뒤로는 괜찮았어요.”

“하지만 어디로 갔는지 알 수가 없었단 말이에요.” 낸시가 외치고는 어린 소녀의 손을 팔에 끼고서 언덕을 서둘러 내려갔다. “나가는 걸 못 봤잖아요. 아무도 못 봤다고요. 지붕 위에서 날아가기라도 했나 봐요, 그렇죠?”

폴리애나는 즐거운 듯 팔짝팔짝 뛰었다.

“거의 그런 셈이죠. 다만 위로 날아오른 게 아니라 아래로 뛰어내렸어요. 나무를 타고 내려왔거든요.”

냰시가 갑자기 멈춰 섰다.

"뭘… 했다고요?"

"나무를 타고 내려왔어요. 창밖에 있는 나무요."

"세상에나, 맙소사!" 낸시는 숨을 가쁘게 몰아쉬면서 다시 걸음을 재촉했다. "마님이 알면 뭐라고 할지 궁금하네요!"

"그래요? 그럼, 제가 말할게요. 뭐라고 하셨는지 낸시에게도 말해줄게요." 어린 소녀가 활기차게 약속했다.

"맙소사! 낸시가 놀라 외쳤다. "안 돼요, 절대 안 돼요!"

"왜요, 설마 이모가 싫어하실까요?" 당황한 기색이 역력한 폴리애나가 물었다.

"그래요. 아니, 아니요. 그건 중요하지 않아요. 솔직히 말해 뭐라고 하실지 딱히 알고 싶지 않아요." 낸시는 더듬거렸다. 적어도 폴리애나가 꾸지람을 듣게 하고 싶지는 않았다. "하지만, 어쨌든 서둘러야겠어요. 실은 설거지를 해야 하거든요."

"제가 거들게요." 폴리애나가 곧바로 약속했다.

"오, 폴리애나 아가씨!" 낸시가 난처한 표정을 지었다.

잠시 침묵이 흘렀다. 하늘이 재빠르게 어두워지고 있었다. 폴리애나는 친구의 팔을 더 단단히 잡았다.

"어쨌든 낸시가 걱정했다는 게 기뻐요. 조금은요. 그래서 저를 찾으러 왔잖아요." 폴리애나가 몸을 부르르 떨었다.

"가여운 어린양 같으니! 배고프죠. 안타깝게도 부엌에서 저와 함께 빵과 우유를 먹어야 할 것 같아요. 마님이 못마땅해했거든요. 저녁 식사 시간에 나타나지 않았으니까요."

"하지만 올 수가 없었는걸요. 저 위에 있었으니까요."

"알아요. 하지만 마님은 그런 줄 몰랐거든요." 낸시가 새어 나오는 웃음을 참으면서 무뚝뚝하게 말했다. "빵과 우유만 먹게 해서 미안해요, 정말이에요."

"아, 그럴 필요 없어요. 저는 기뻐요."

"기쁘다고요! 어째서요?"

"저는 빵과 우유를 좋아하거든요. 게다가 낸시와 함께 먹으니 기쁘지 않을 리가 없잖아요."

"아가씨는 뭐든지 다 기뻐하는 것처럼 보이네요." 낸시가 대꾸했다. 폴리애나가 대견하게도 작고 초라한 다락방을 좋아하려고 애쓰던 것이 생각나 목이 조금 메었다.

폴리애나는 작게 웃었다.

"그게, 실은 게임을 하는 거예요."

"게임…요?"

"네. '그냥 기뻐하기' 게임에요."

"도대체 그게 무슨 말인가요?"

"그냥 게임이라고요. 아빠가 가르쳐준 게임인데, 아주 재미있어요." 폴리애나가 설명했다. "늘 하던 게임에요. 제가 아주, 아주 어릴 때부터요. 부녀회 아주머니들에게도 알려주었는데, 그 후로는 함께 했어요. 안 하는 사람도 있었지만요."

"어떤 게임인가요? 그게, 저는 아는 게임이 많지 않아요."

폴리애나가 소리 내 웃다가 다시 한숨을 내쉬었다. 어스름한 하늘빛이 드리워진 소녀의 얼굴은 가냘프고 슬퍼 보였다.

"그러니까, 선교 물품 기부함에 들어 있던 목발을 가지고 시작했어요."

"목발이라고요?"

"네. 그게… 저는 인형을 받고 싶었거든요, 아빠도 편지에 그렇게 썼고요. 그런데 물품 기부함을 보낸 부인이 인형은 들어오지 않았지만 대신 작은 목발을 받았다고 썼어요. 부인은 어린아이가 있다면 언젠가는 쓸 일이 있지 않겠느냐면서 목발을 보냈어요. 그렇게 게임이 시작되었어요."

"글쎄요. 그게 어떻게 게임이 될 수 있는지 전혀 모르겠는데요." 낸시가 다소 짜증을 내며 반박했다.

"아, 그러니까, 게임의 규칙은 뭐든 기뻐할 만한 것을 찾는 거예요. 그것이 뭐든지 간에요." 폴리애나가 진지하게 답했다. "그리고 그 자리에서 게임을 시작했죠. 목발을 가지고요."

"저런… 하지만 목발의 어떤 점이 기뻐할 만한지 모르겠는데요. 인형을 원했다면서요?"

폴리애나는 손뼉을 쳤다.

"그거예요, 바로 그거요." 폴리애나가 흥분하며 말했다. "저도 몰랐어요, 낸시. 처음에는요." 소녀는 재빨리 고백했다. "아빠가 제게 알려주셨죠."

"글쎄요, 그렇다면 이번에는 아가씨가 제게 알려주어야 할 것 같은데요." 낸시가 퉁명스럽게 말했다.

"간단해요! 그냥 목발이 필요하지 않다는 사실을 기뻐하면 돼요!" 폴리애나가 의기양양하게 말했다. "봐요, 아주 쉽죠? 어떻게 하는지만 알면요."

"그래요, 정말이지 아주 괴상망측한 게임이군요"라고 외친 낸시는 불안한 눈빛으로 폴리애나를 바라보았다.

"전혀 괴상망측하지 않아요. 아주 좋은 게임에요." 폴리애나는 열심히 설명했다. "그리고 그 후로 아빠랑 둘이서 계속 그 게임을 했어요. 어려울수록 더 재미있는 게임이죠. 다만… 그게, 때로는 너무 어려워요. 아빠가 천국에 가거나 주위에 부녀회 아주머니들밖에 없을 때는요."

"그래요, 그리고 아무것도 없는 초라하고 비좁은 다락방에 머물게 되었을 때도 그렇겠죠." 낸시가 거칠게 말했다.

폴리애나는 한숨을 내쉬었다.

"물론 처음에는 정말로 어려웠어요." 폴리애나가 인정했다. "게다가 실은 조금 외로웠거든요. 게임할 기분이 더는 들지 않았어요. 게다가 예쁜 것들이 정말 갖고 싶었거든요! 그런데 거울에 비친 주근깨가 얼마나 싫었는지가 생각났고, 또 창밖으로 아주 아름다운 그림이 보였어요. 그래서 기뻐할 만한 일을 찾은 거죠. 그게, 기뻐할 만한 일을 찾고 있을 때는 나머지는 잊게 되거든요. 그러니까, 바라던 인형이나 그런 것들을요."

"흥!" 낸시는 목에 무언가 걸린 것 같아 침을 꿀꺽 삼켰다.

"대개는 그렇게까지 오래 걸리지 않아요." 폴리애나가 한숨을 내쉬었다. "그리고 일부러 찾으려고 애쓰지 않아도 떠오르는 때도 많고요. 아주 익숙한 게임이니까요. 정말 좋은 게임이에요. 아, 아빠랑 제가 아주 좋아하는 게임이었어요." 폴리애나는 떨리는 목소리로 말했다. “아마도, 아마도… 앞으로는 조금 힘들겠죠. 함께할 사람이 없으니까요.” 소녀가 갑자기 생각난 듯 덧붙였다.

“정말이지 어찌 되려는지…!” 낸시는 입술을 꽉 깨물며 내뱉었다. 그리고 큰 소리로 꿋꿋하게 말했다. “저기, 폴리애나 아가씨. 제가 잘하지는 못하겠지만, 그리고 사실 어떻게 하는지 잘 모르겠지만, 제가 함께할게요. 어떤 식으로든요. 정말이에요!”

“아, 낸시!” 폴리애나가 탄성을 지르며 낸시를 힘차게 꼭 안았다. “정말 고마워요! 정말 재미있을 거예요.”

“글쎄요. 그렇겠죠.” 낸시가 의심 가득한 목소리로 마지못해 답했다. “하지만 저를 너무 믿으시면 안 돼요. 저는 게임을 해본 적이 별로 없어서 아마도 이 게임에서도 실수를 엄청나게 많이 할 거예요. 하지만 아가씨가 달리 함께할 사람이 없으니까 할 수 없죠.” 낸시의 말이 끝나자 둘은 함께 부엌에 들어섰다.

폴리애나는 빵과 우유를 아주 맛있게 먹었다. 그리고 낸시의 제안에 따라 폴리 이모가 책을 읽고 있는 거실로 갔다.

폴리가 싸늘한 눈길을 보냈다.

“저녁은 먹었니, 폴리애나?”

“네, 폴리 이모.”

“벌써부터 부엌에서 빵과 우유를 먹게 해야 할 일이 생기다니 유감이구나.”

“하지만 저는 이모가 그렇게 한 것이 정말 기뻐요. 저는 빵과 우유를 좋아하고 낸시도 좋거든요. 전혀 유감스럽게 생각하실 필요 없어요.”

폴리가 갑자기 등을 더 꼿꼿하게 세웠다.

"폴리애나, 잘 시간이 다 되었다. 힘든 하루였겠지. 내일은 네 하루 일과를 짜고 어떤 옷이 더 필요한지 살펴보마. 낸시가 초를 줄 거야. 조심히 다뤄야 해. 아침 식사 시간은 일곱 시 반이다. 시간은 반드시 지켜다오. 가서 자라."

폴리애나는 당연하다는 듯이 폴리에게 다가가 애정이 듬뿍 담긴 포옹을 했다.

"오늘 모든 것이 좋았어요." 폴리애나는 행복한 듯 한숨을 내쉬었다. "이모와 함께 사는 게 정말 즐거울 거라고 믿어요. 하지만 여기 오기 전부터 그러리라고 짐작은 했어요. 안녕히 주무세요." 폴리애나가 쾌활하게 말하고는 방을 서둘러 빠져나갔다.

"정말이지…!" 폴리가 다소 큰 소리로 중얼거렸다. "아주 별난 아이야." 그러고는 얼굴을 찌푸렸다. "내가 벌을 주어서 '기쁘다'고? 나보고 전혀 유감스럽게 생각하지 말라고? 게다가 나와 함께 사는 게 정말 즐거울 거라고? 터무니없는 소리!" 폴리는 다시 한번 외치고는 책을 읽기 시작했다.

15분 뒤, 다락방에서는 외로운 어린 소녀가 이불을 꼭 쥐고 울먹이고 있었다.

"알아요. 천사 가운데 계신 아빠. 그 게임을 멋대로 중단했다는 걸요. 전혀 할 수가 없어요. 아빠도 이렇게 어두운 다락방에서 홀로 자게 되었다면 기뻐할 만한 것을 찾을 수 없을걸요. 낸시나 폴리 이모나 부녀회 아주머니들 중 아무라도 곁에 있다면 게임을 하기가 더 쉬웠을 텐데…."

1층 부엌에서는 낸시가 밀린 일을 하느라 분주히 움직이고 있었다. 낸시는 수세미를 우유병에 쑤셔 넣으면서 씩씩거렸다.

"인형을 원하는데 목발을 받은 것에 기뻐해야 하는 바보 같은 게임을 하는 것이 그 아이에게 바위 같은 피난처가 될 수 있다면, 그게 내가 할 일이라면, 그깟 게임, 하지 뭐. 암, 하고말고!"

6장

의무라는 것

폴리 이모의 집에 온 뒤 첫 밤을 보낸 폴리애나는 다음 날 아침 거의 일곱 시가 다 되어서야 일어났다. 다락방 창문은 남쪽과 서쪽으로 나 있었으므로 아직 해를 보지는 못했다. 하지만 어렴풋이 파란 아침 하늘이 보였으므로 화창한 날이 되리라는 것을 알 수 있었다.

작은 방은 이제 시원해졌고 신선한 공기가 흘러들어왔다. 밖에서는 새들이 즐겁게 지저귀고 있었다. 폴리애나는 새들과 대화를 나누려고 얼른 창문으로 달려갔다. 그때 벌써 정원의 장미 덩굴 사이를 거닐고 있는 폴리 이모의 모습이 보였다. 폴리애나는 이모에게 가고 싶어서 손가락을 부지런히 놀려서 단장했다.

다락방 계단을 재빨리 내려간 폴리애나는 계단 문을 모두 활짝 열어두었다. 복도를 한달음에 내달렸고 현관의 방충망을 탕 밀치고 나가 집을 빙 돌아 정원 쪽으로 달려갔다.

폴리애나가 한껏 들떠 폴리에게 달려가 안겼을 때 폴리는 등이 굽은 노인과 함께 장미 덩굴을 들여다보고 있었다.

"폴리 이모, 폴리 이모, 오늘 아침에는 이렇게 살아 있는 것만으로도 정말 기뻐요!"

"폴리애나!" 폴리는 엄한 표정으로 폴리애나를 꾸짖고는 40킬로그램이나 되는 아이가 목에 매달린 바람에 잔뜩 굽은 몸을 꼿꼿이 펴려고 애썼다. "평소에도 이런 식으로 아침 인사를 하니?" 어린 소녀는 발끝으로 내려서서는 사뿐사뿐 춤을 췄다.

"아니요. 다만 좋아하는 사람에게는 안 그러고는 못 배겨요! 창문으로 폴리 이모를 보자마자 이모가 부녀회 회원이 아니라는 데 생각이 미쳤어요. 제 진짜 이모죠. 이모를 보는 것만으로도 너무 좋아서 이곳으로 내려와서 이모를 안지 않을 수 없었어요!"

등이 굽은 노인은 갑자기 등을 돌렸다. 폴리는 얼굴을 찌푸리려고 했지만 평소처럼 잘되지 않았다.

"폴리애나, 너는, 나는…. 토머스, 오늘 아침에는 이 정도면 됐어요. 이제 장미 넝쿨을 어떻게 해달라는 건지 이해했죠?" 폴리가 무뚝뚝하게 말을 마치고는 돌아서서 재빨리 사라졌다.

"언제나 정원에서 일하세요, 그러니까… 아저씨?" 폴리애나가 호기심을 보이며 물었다.

노인은 다시 돌아섰다. 입술을 씰룩거리고 있었지만 눈에는 눈물이 고여 있었다.

"네, 아가씨. 저는 정원사인 톰 영감입니다." 노인이 대답했다. 망설이면서도 거부할 수 없는 힘에 끌린 듯 그는 바들바들 떠는 손을 내밀어 폴리애나의 밝은색 머리 위에 잠시 얹었다. "아가씨는 어머니를 꼭 닮았군요! 아가씨의 어머니가 아가씨보다 어렸을 때부터 알고 지냈답니다. 그게… 그때도 이 정원에서 일했거든요."

폴리애나는 숨이 턱 막히는 것 같았다.

"정말요? 정말로 우리 엄마를 알았어요? 천국의 천사가 아닌 이 세상의 어린 천사일 때 말이에요? 아, 부디 엄마 이야기를 해주세요!" 그러고는 노인 옆의 흙길 한가운데에 털썩 주저앉았다.

집에서 종이 울렸다. 다음 순간 낸시가 뒷문을 확 밀치고 나타났다.

"폴리애나 아가씨, 종이 울리면 아침 식사 시간이 된 거예요. 아침에는요." 낸시가 숨을 헐떡이며 어린 소녀를 일으켜 세워서는 집으로 서둘러 끌고 갔다. "그리고 다른 시간대에 울릴 때는 다른 식사 시간을 알리는 거고요. 그러니 이 소리를 들으면 언제든 달려와야 해요. 안 그러면, 어쨌든 우리 둘보다 더 똑똑해야만 그 결과에 대해 기뻐할 만한 걸 찾을 수 있을 거예요." 말을 마친 낸시는 말 안 듣는 닭을 닭장에 몰아넣듯이 폴리애나를 문안으로 밀어 넣었다.

아침 식사는 첫 5분 동안 침묵 속에 지나갔다. 그러다 폴리의 못마땅한 시선이 깃털처럼 가볍게 날갯짓하며 식탁 여기저기를 날아다니는 파리 두 마리를 쫓았다. 폴리가 차갑게 말했다.

"낸시, 이 파리들이 어디서 들어온 거지?"

"글쎄요, 마님. 부엌에는 한 마리도 없었는데." 낸시는 그 전날 오후에 너무나 당황한 나머지 폴리애나가 창문을 열어둔 걸 알아채지 못했다.

"아마도 제 파리들일 거예요, 폴리 이모." 폴리애나가 따뜻한 눈길로 파리들을 바라봤다. "오늘 아침 위층에서 한 무리가 좋은 시간을 보내고 있었어요."

냔시는 식당을 조용히 나갔다. 막 들고 들어온 따끈따끈한 머핀을 도로 들고 나가야만 했다.

"네 파리들이라니!" 폴리가 기가 막힌 듯 외쳤다. "그게 무슨 소리냐? 이것들이 어디서 온 거지?"

"폴리 이모, 당연히 창문을 통해서 밖에서 들어왔죠. 들어오는 걸 제 눈으로 보았는걸요."

"보았다고! 그럼 방충망이 없는 창문을 열었다는 말이니?"

"네, 그럼요. 방충망이 없었어요, 폴리 이모."

그때 낸시가 머핀을 들고 다시 들어섰다. 낸시의 얼굴은 어두웠지만 빨갛게 달아올라 있었다.

"낸시." 폴리가 날카롭게 불렀다. "그 머핀을 내려놓고 당장 폴리애나의 방에 가서 창문을 닫아. 문도 닫고. 나중에 오전 일을 마치고 나면 파리채를 들고 모든 방을 살피도록 해. 한 마리도 놓쳐서는 안 돼."

조카에게는 이렇게 말했다.

"폴리애나, 그 창문에 달 방충망은 주문해두었다. 물론 그게 내 의무이기도 하지. 하지만 너야말로 네 의무를 까맣게 잊은 것 같구나."

"제… 의무요?" 폴리애나의 커다란 큰 눈이 더 커졌다.

"그래. 날이 덥다는 거 안다. 하지만 방충망이 오기 전까지는 그 창문을 닫아두는 것이 네 의무라고 생각해. 폴리애나, 파리는 불결하고 불쾌할 뿐 아니라 건강에도 아주 해로워. 아침 식사 후에 이 문제를 설명한 책자를 주마."

"읽을거리인가요? 아, 고맙습니다, 폴리 이모. 저는 읽는 게 정말 좋아요!"

폴리는 흡 하고 큰 소리로 숨을 들이마셨다. 그리고 입을 굳게 다물었다. 폴리애나가 이모의 차가운 표정을 보고는 생각을 하는 듯 이마를 찡그렸다.

"물론 제 의무를 잊은 건 죄송해요, 폴리 이모." 폴리애나가 작은 소리로 사과했다. "다시는 창문을 열지 않을게요."

폴리는 여전히 입을 굳게 다물고 있었다. 그리고 식사가 끝날 때까지 말하지 않았다. 식사가 끝난 뒤 폴리는 자리에서 일어나 거실에 있는 책장으로 가서 작은 책자를 꺼내 조카 옆에 섰다.

"폴리애나, 이것이 내가 말한 책자야. 당장 네 방으로 가서 읽어라. 30분 뒤에 어떻게 지내는지 보러 올라가마."

폴리애나는 파리의 머리를 몇 배나 확대한 그림에서 눈을 떼지 못한 채 기쁨을 이기지 못하고 외쳤다.

"고마워요, 폴리 이모!" 다음 순간 폴리애나는 가벼운 발걸음으로 식당을 나서면서 식당 문을 쾅 닫았다.

폴리는 얼굴을 찌푸리고는 잠시 머뭇거리다가 우아하게 방을 가로질러 문을 열었다. 하지만 소녀는 이미 사라지고 없었다. 다락으로 이어진 층계를 우당탕 뛰어 올라가는 중이었다.

30분 뒤 폴리는 얼굴에 난 주름 하나하나에 엄격한 의무를 새겨 넣은 듯한 표정으로 계단을 타고 올라가 폴리애나의 방에 들어섰다. 흥분한 폴리애나가 활기차게 그녀를 맞이했다.

"아, 폴리 이모. 이것처럼 훌륭하고 흥미로운 글은 태어나서 처음 봐요. 이 책자를 읽어보라고 주셔서 정말 기뻐요! 파리가 다리에 그렇게 많은 것을 묻히고 다니는지 몰랐어요. 그리고…."

"그만하면 됐다." 폴리가 우아하게 말했다. "폴리애나 이제 옷을 꺼내렴. 한번 살펴봐야겠다. 네가 입기에 적합하지 않은 옷은 당연히 설리번 씨 댁에 기부할 거야."

폴리애나는 망설이는 게 분명했지만 책자를 내려놓고 옷장으로 갔다.

"제 옷을 보고 부녀회 아주머니들보다 더 실망할까 봐 걱정돼요. 부녀회 아주머니들은 정말 부끄럽다고 했거든요." 폴리애나가 한숨을 내쉬었다. "하지만 최근에 받은 선교 물품 기부함 두세 개에는 남자아이나 노인을 위한 옷밖에 없었어요. 폴리 이모는 선교 물품 기부함을 받아본 적이 있나요?" 폴리의 눈이 분노와 충격에 휩싸이는 것을 보면서 폴리애나는 곧장 말을 바꿨다.

"아, 물론 폴리 이모는 그런 적이 없겠죠!" 폴리애나가 벌게진 얼굴로 서둘러 말을 이었다. "깜빡했어요. 부자들은 그런 걸 받지 않죠. 하지만 저는 때로 이모가 부자라는 사실을 잊곤 해요. 그게, 이 방에 있으면요."

화가 잔뜩 치밀어 오른 폴리의 입술이 벌어졌지만 아무 말도 나오지 않았다. 이모가 불쾌해할 만한 말을 했다는 사실을 짐작도 못 하는 폴리애나가 계속 말을 이었다.

"그게, 무슨 말을 하려고 했느냐면요, 선교 물품 기부함을 받을 때는 안에 뭐가 들어 있을지 알 수 없다는 거예요. 다만 언제나 기대하는 건 들어 있지 않아요. 그래서 선교 물품 기부함을 받을 때는 게임을 하기가 힘들었어요. 아빠도….”

다행히 폴리애나는 이모에게 아빠 이야기를 하면 안 된다는 것을 기억해냈다. 소녀는 옷장에 코를 박고서 두 손 가득 자신이 소유한 작고 볼품없는 원피스를 전부 꺼냈다.

“좋은 옷은 전혀 아니에요.” 폴리애나는 목이 메었다. “그리고 교회에 빨간 융단을 깔지 않아도 되었다면 검은색이었을 거예요. 하지만 이게 제가 가진 전부예요.”

폴리는 손가락 끝으로 옷더미를 풀어헤쳤다. 폴리애나를 위해 만들어진 옷이 아닌 것만큼은 분명했다. 그다음에 폴리는 눈살을 찌푸리고서 서랍 속 허름한 속옷을 살펴보았다.

“제일 좋은 속옷은 제가 입고 있어요.” 폴리애나가 고백했다. “부녀회에서 해진 곳이 전혀 없는 걸로 한 벌 사주셨어요. 존스 부인은, 그분은 부녀회 회장이에요, 평생 융단이 깔리지 않은 복도에서 구두 소리가 울리는 것을 듣게 된다고 해도 그것만큼은 해야 한다고 부녀회에서 말했어요. 하지만 그럴 일은 없어요. 화이트 씨가 그 소리를 싫어하시거든요. 화이트 부인 말에 따르면 화이트 씨는 신경이 예민해요. 게다가 돈도 있고요. 그래서 교회에 융단을 깔 수 있도록 돈을 많이 보탤 거래요. 그게, 신경이 예민하니까요. 화이트 씨는 신경이 예민해도 돈이 많으니 그걸 다행으로 여길 거라고 생각해요. 그렇지 않나요?”

폴리는 폴리애나의 말이 들리지 않는 듯했다. 속옷을 다 살펴본 폴리가 갑자기 폴리애나를 보았다.

"물론 학교는 다녔겠지, 폴리애나?"

"네, 물론이에요, 폴리 이모. 게다가 아빠… 그러니까 집에서도 배웠어요."

폴리가 눈살을 찌푸렸다.

"그래, 다행이구나. 가을에는 당연히 이곳 학교에 다녀야겠지. 교장인 홀 씨가 네 학년을 정해주실 거야. 그 전까지는 매일 30분 동안 큰 소리로 책을 읽었으면 한다."

"저는 책 읽는 걸 정말 좋아해요. 혹시 제가 책 읽는 소리가 듣기 싫으시다면 기꺼이 혼자 읽겠어요. 정말이에요, 폴리 이모. 그리고 그것만큼은 기뻐하려고 노력할 필요도 없어요. 정말로 혼자 책 읽는 게 가장 좋거든요. 조금 과장되게 말하는 거긴 하지만요."

"그래, 네 말을 믿는다." 폴리가 침통한 목소리로 말했다. "음악을 배운 적은 있니?"

"아니요. 제가 연주하는 음악은 그다지 마음에 들지 않아요. 하지만 다른 사람의 연주를 듣는 건 좋아요. 피아노 치는 법은 조금 배웠어요. 그레이 양이 교회 반주자인데 가르쳐줬어요. 하지만 폴리 이모, 이것만큼은 그만 배워도 좋다고 생각해요. 정말이에요."

"그래, 그렇겠지." 폴리가 눈썹을 살짝 치켜뜨며 말했다. "하지만 너에게 최소한 음악의 기초는 제대로 가르치는 것이 내 의무라고 생각한다. 바느질은 할 줄 알겠지?"

"네, 이모." 폴리애나는 한숨을 내쉬었다. "부녀회 아주머니들이 가르쳐줬어요. 하지만 정말 끔찍했어요. 존스 부인은 단춧구멍을 만들 때 바늘을 남들과는 다르게 쥐는 방식을 고집했고, 화이트 부인은 단 접는 법을 가르치기 전에 박음질을 가르쳐야 한다고 주장했고, 제가 바꿔서 말한 걸 수도 있어요, 해리먼 부인은 패치워크는 가르치면 절대 안 된다고 했어요."

"뭐, 그런 어려움은 더는 없을 거다, 폴리애나. 바느질은 내가 직접 가르칠 테니까. 요리는 할 줄 모르겠지?"

폴리애나가 갑자기 웃음을 터뜨렸다.

"부녀회에서 이번 여름에 요리를 가르쳐주기 시작했지만 아직 배운 건 별로 없어요. 바느질을 가르칠 때보다 더 의견이 갈렸거든요. 빵 만들기부터 시작할 계획이었어요. 그런데 빵 만드는 방식이 모두 달랐어요. 그래서 어느 날 바느질 모임에서 이를 두고 내내 논쟁을 벌인 끝에 각자 저를 일주일씩 돌아가면서 맡기로 했어요. 각자의 부엌에서 말이죠. 그래도 초콜릿 사탕과 무화과 케이크 만드는 법은 배웠어요. 그 무렵 요리 수업을 중단할 수밖에 없었지만요." 폴리애나의 목소리가 갈라졌다.

"초콜릿 사탕과 무화과 케이크라니!" 폴리가 비꼬았다. "그건 곧 바로잡을 수 있겠지." 폴리가 잠시 말을 멈추었다가 다시 천천히 입을 열었다. "매일 오전 아홉 시에 나와 30분간 큰 소리로 책을 읽자. 그 전까지는 이 방을 정리하면 된다. 수요일과 토요일에는 아홉 시 반부터 점심 전까지 부엌에서 낸시에게 요리를 배우도록 해. 다른 요일에는 나와 바느질 수업을 할 거야. 그러면 오후에는 음악 수업을 할 수 있겠지. 물론 너를 가르칠 선생을 당장 구해야겠지." 폴리가 자리에서 일어나며 단호하게 말했다.

폴리애나는 실망한 듯 소리쳤다.

"하지만 폴리 이모, 폴리 이모, 그러면 그냥, 그냥 살아 있을 시간이 남지 않잖아요."

"살아 있을 시간이라니, 무슨 소리야? 넌 늘 살아 있어!"

"아, 물론 그런 일을 하는 동안 내내 숨은 쉬고 있겠죠, 폴리 이모. 하지만 살아 있지는 않아요. 자고 있을 때도 숨을 쉬고 있지만 그건 살아 있는 게 아니에요. 하고 싶은 걸 할 때만이 살아 있다고 할 수 있어요. 밖에서 놀고, 책을 읽고(혼자 읽는 거요), 언덕을 오르고, 정원에서 톰 아저씨와 이야기를 하고, 낸시와도 이야기하고, 어제 지나온 아름다운 거리에서 본 집들과 사람들과, 모든 것과 모든 장소를 탐험할 때요. 제가 말하는 살아 있다는 건 그런 거예요, 폴리 이모. 숨만 쉰다고 살아 있는 게 아니에요!"

폴리가 짜증을 내며 고개를 들었다.

"폴리애나 너처럼 별난 애는 처음 보는구나! 물론 놀 시간은 충분히 줄 생각이다. 하지만 네게 적절한 돌봄과 교양을 제공하는 것이 내 의무라고 내가 기꺼이 받아들였으니 너도 그런 돌봄과 교양이 헛되지 않도록 감사하며 노력하는 것이 네 의무라는 사실을 기꺼이 받아들여야 한다고 생각한다."

폴리애나는 충격을 받은 듯했다.

"아, 폴리 이모, 제가 감사하지 않을 리가 없잖아요. 그것도 이모한테요! 저는 이모를 사랑하는걸요. 이모는 부녀회 회원도 아니잖아요. 이모는 제 이모니까요!"

"그래, 알았다. 그렇다면 감사하지 않은 것처럼 행동하지 말아라." 폴리는 단단히 이르고는 문 쪽으로 돌아섰다.

계단을 반쯤 내려갔을 때 떨리는 목소리가 등 뒤에서 작게 들려왔다.

"폴리 이모, 죄송한데요… 제 물건 중 어느 것을 기부해야 하는지 말씀해주시지 않았어요."

폴리가 아주 피곤한 듯 한숨을 내뱉었다. 그 한숨은 곧장 계단을 타고 올라가 폴리애나의 귀에 꽂혔다.

"아, 그래. 네게 말하는 것을 깜빡했구나, 폴리애나. 오늘 오후 한 시 반에 티머시가 우리를 시내로 데리고 갈 거야. 네가 가지고 있는 옷 중에는 내 조카에게 입힐 만한 옷이 하나도 없더구나. 당연히 그런 옷을 입고 돌아다니게 한다면 내 의무를 아주 소홀히 하는 것이 되겠지."

이번에는 폴리애나가 한숨을 내뱉었다. 의무라는 단어가 싫어질 것 같은 예감이 들었다.

"폴리 이모, 부탁드려요." 폴리애나가 애처롭게 말했다. "기뻐할 만한 것을 하나라도 알려주실 수는 없을까요? 그 의무라는 것에 대해서요."

"뭐라고?" 폴리가 깜짝 놀란 듯 올려다보았다. 곧 양 볼이 새빨개진 폴리는 등을 돌리고 화를 내며 계단을 성큼성큼 내려갔다. "버르장머리가 없구나, 폴리애나!"

덥고 작은 다락방으로 돌아간 폴리애나는 등이 딱딱한 의자에 털썩 기대앉았다. 폴리애나가 보기에 앞으로의 삶은 의무의 연속일 것만 같았다.

"모르겠어, 정말로. 내 질문의 어떤 점이 버릇없었지." 폴리애나가 한숨을 내쉬었다. “그 모든 의무라는 것에서 기뻐할 만한 것을 알려달라고 부탁한 것뿐인데.”

몇 분간 폴리애나는 말없이 앉아 있었다. 슬픔에 빠진 두 눈은 침대 위에 놓인 옷더미에 머물렀다. 그러다 천천히 일어나 옷들을 치우기 시작했다.

“아무리 생각해도 기뻐할 만한 것이 생각나지 않아.” 폴리애나가 큰 소리로 말했다. “다만 의무를 다하고 나면 기뻐할 수 있겠구나!” 말을 마친 소녀의 입에서 갑자기 웃음이 터져 나왔다.

7장

폴리애나, 벌을 받다

오후 한 시 반에 티머시는 폴리와 폴리애나를 마차에 태워 옷가게 네다섯 군데를 돌았다. 상점들은 저택에서 8백 미터 정도 떨어져 있었다.

폴리애나의 새 옷을 구매하는 일은 모두에게 꽤 흥미로운 경험이었다. 폴리는 당장이라도 내려앉을 것 같은 위험한 화산 표면을 아슬아슬하게 걷다가 마침내 단단한 지면에 발을 디디게 된 사람처럼 기운이 쏙 빠져버렸지만 그래도 안도한 표정이었다. 두 사람의 시중을 든 여러 점원은 주문이 끝날 무렵에는 얼굴이 시뻘겋게 달아올라 있었지만 폴리애나에 관한 재미있는 이야기가 잔뜩 생긴 터라 남은 한 주 동안 친구들을 실컷 웃길 수 있게 되었다. 폴리애나는 한껏 들떠 있었고 얼굴에는 미소가 가득했다. 폴리애나가 한 점원에게 이렇게 설명했다. "이제껏 옷이라고는 늘 선교 물품 기부함과 부녀회에서 얻은 게 전부였던 저 같은 아이에게는 이렇게 상점에 들어가서 아무도 입지 않은 새 옷, 그것도 몸에 맞지 않아서 줄이거나 늘이지 않아도 되는 새 옷을 그 자리에서 사는 일이 당연히 즐거운 경험일 수밖에 없잖아요!"

옷만 샀는데도 오후가 후다닥 지나갔다. 그다음에는 저녁을 먹었고 정원에서 톰 영감과 아주 즐거운 대화를 나눴다. 그 뒤에는 집 뒤쪽 포치로 나가 설거지를 끝낸 낸시와 수다를 떨었다. 폴리가 이웃집을 방문하느라 집을 비운 덕분이었다.

톰 영감이 엄마에 관한 멋진 이야기를 들려주었기 때문에 폴리애나는 아주 행복했다. 낸시는 10킬로미터 정도 떨어진 더 코너스에 있는 작은 농장과, 그 농장에 사는 사랑하는 어머니와, 어머니만큼이나 소중한 동생들에 대해 이런저런 이야기를 들려주었다. 낸시는 언젠가, 폴리가 허락한다는 전제하에 폴리애나를 그곳에 초대해 모두를 만나게 해주겠다고 약속했다.

"그리고 다들 이름이 아주 예뻐요. 아가씨도 그 애들 이름은 마음에 들 거예요." 낸시가 한숨을 내뱉으며 말했다. "동생들 이름은 앨저넌, 플로라벨, 에스텔이에요. 저는 낸시라는 이름이 정말 싫어요!"

"낸시. 그런 말을 하다니! 왜죠?"

"다른 애들 이름처럼 예쁘지가 않잖아요. 그게, 제가 첫 아이였던 데다가 어머니가 예쁜 이름이 나오는 이야기책을 많이 읽기 전이었거든요."

"하지만 저는 '낸시'가 아주 좋은걸요, 낸시의 이름이니까요." 폴리애나가 힘주어 말했다.

"흥! 그렇다면 클라리사 마벨도 마찬가지로 좋아했겠죠." 낸시가 반박했다. "그게 제 이름이었다면 저도 훨씬 더 행복했을 거고요. 그 이름이야말로 정말 멋지다고 생각해요!"

폴리애나는 웃음을 터뜨렸다.

"어쨌거나 헤프시바가 아니라는 걸 기뻐할 수는 있잖아요." 폴리애나가 쿡쿡 웃으며 덧붙였다.

"헤프시바라고요!"

"네. 화이트 부인 이름이에요. 화이트 씨는 헵이라고 부르는데 화이트 부인은 질색하죠. 화이트 부인은 아저씨가 '헵, 헵!'하고 부르면 그 뒤에 금방이라도 '만세!'라고 덧붙일 것 같은 기분이 든다고 했어요. 그래서 만세 소리 듣는 것도 싫다고 했죠."

어두웠던 낸시의 얼굴에 환한 미소가 번졌다.

"정말 네덜란드계 사람들은 당해낼 수가 없다니까요! 그런데, 그거 아세요? 앞으로는 누군가가 '낸시'라고 부를 때마다 그 '헵, 헵' 이야기가 생각나면서 저도 모르게 낄낄 웃게 생겼네요. 그래요, 기뻐할 만한 일이기는…." 낸시가 갑자기 말을 멈추고는 놀란 눈으로 어린 소녀를 바라봤다. "그런데, 폴리애나 아가씨, 혹시 이건… 지금 그 게임을 한 건가요? 제 이름이 헤프시바가 아니라는 걸 기뻐하라고 했잖아요."

폴리애나가 잠시 이마를 찡그리더니 곧 웃음을 터뜨렸다.

"낸시, 그래요! 정말로 그 게임을 하고 있었네요. 하지만 이번에는 그래야겠다고 생각한 건 아니에요. 그런 때가 있어요. 그게, 그런 일이 꽤 많이 생겨요. 그 게임을 하도 많이 하다 보니 일상이 되어서요. 그러니까 기뻐할 만한 걸 찾는 일이요. 그리고 대개는 어떤 일에서나 기뻐할 만한 점이 있기 마련이거든요. 그것이 무엇인지 찾기까지 오래 걸릴 수는 있지만요."

"그래요, 그럴 수도 있겠네요." 낸시는 여전히 의심을 거두지 못하면서도 마지못해 인정했다.

저녁 여덟 시 반에 폴리애나는 잘 준비를 하러 다락방으로 돌아갔다. 방충망이 아직 도착하지 않아서 창문을 여전히 꼭 닫아두었으므로 방은 마치 찜통 같았다. 폴리애나는 굳게 닫힌 창문을 안타깝게 바라봤다. 하지만 창문을 열지는 않았다. 폴리애나는 잠옷으로 갈아입고 벗은 옷을 깔끔하게 정리한 다음 기도를 올리고 촛불을 끈 뒤 침대로 들어갔다.

잠이 오지 않았다. 우울한 마음으로 작고 더운 간이침대에서 얼마나 오랫동안 이리저리 뒤척였는지 알 수 없었다. 마침내 침대에서 빠져나와 방을 가로질러 방문을 열었을 때는 시간이 한참 흐른 것처럼 느껴졌다.

다락 복도는 동쪽 지붕 밑 창문으로 흘러들어와 건너편 복도를 반쯤 덮은 달빛을 제외하고는 새까만 벨벳처럼 어두컴컴했다. 방문 밖 공간의 왼편과 오른편을 모두 집어삼킨 무시무시한 어둠을 애써 모른 척하면서 폴리애나는 숨을 훕 하고 들이마신 뒤 그 은빛 길을 향해 곧장 달려가 동쪽 창문에 다다랐다.

그 창문에는 방충망이 달려 있을 거라는 막연한 기대를 품고 있었지만 막상 가보니 그 창문에도 방충망은 없었다. 하지만 창밖으로 요정의 나라처럼 아름다운 세상이 펼쳐져 있었고, 그곳에는 뜨겁게 달아오른 뺨과 손에 닿으면 아주 기분 좋아질 신선한 공기가 있다는 것을 폴리애나는 알고 있었다.

소녀는 창문에 점점 가까이 붙으면서 애절한 눈으로 창밖을 바라보았다. 그때 폴리애나의 눈에 무언가가 들어왔다. 그 창문 바로 밑으로 마차 출입구 위에 지은 일광욕실의 평평한 양철 지붕이 깔려 있었다. 폴리애나는 더 간절해졌다. 지금 당장 저곳으로 나갈 수만 있다면!

문득 겁이 난 폴리애나가 뒤를 돌아보았다. 저 뒤 어딘가에 자신의 찜통 같은 작은 방과 그보다 더 뜨거운 침대가 있다. 그리고 지금 이곳과 그곳 사이에는 끔찍한 어둠의 사막이 놓여 있다. 오로지 작디작은 두 팔에 의지해 그 어둠을 더듬어가며 돌아갈 길을 찾아야 한다. 하지만 이 앞에는, 일광욕실 지붕 위에는 달빛과 시원하고 상쾌한 밤공기가 있다!

침대가 저 바깥에 있다면 얼마나 좋을까! 게다가 밖에서 자는 사람들도 있다. 고향에서는 조엘 하틀리가 결핵이 심해지자 밖에서 자야만 했다.

폴리애나는 문득 이 창문 근처에서 기다랗고 하얀 주머니들이 열 지어 걸려 있는 걸 본 기억이 났다. 낸시는 그 주머니 안에 여름에는 필요 없는 겨울옷이 담겨 있다고 했다. 겁이 조금 났지만 폴리애나는 주변을 더듬어 그 주머니들이 있는 곳을 찾았다. 먼저 침대로 쓸 아주 두툼하고 부드러운 주머니를 하나 골랐다. (그 안에는 바다표범 가죽으로 만든 폴리의 외투가 들어 있었다.) 가느다란 주머니는 접어서 베개로 쓰기로 했다. 이불로 쓸 주머니도 하나 집어 들었다. (매우 얇은 걸 보면 아마도 빈 주머니인 듯했다.) 이렇게 채비를 마친 폴리애나는 기쁨에 차 달빛이 비치는 창문으로 다시 뛰어가 창문을 열고 자신이 고른 주머니들을 지붕 위로 밀어낸 다음 자기도 그 뒤를 따라 창밖으로 나갔다. 밖으로 나간 폴리애나는 조심조심 창문을 닫았다. 다리에 많은 것을 묻히고 다닌다는 파리에 관해서도 잊지 않았기 때문이다.

황홀할 만큼 시원했다! 폴리애나는 너무나 기쁜 나머지 팔짝팔짝 뛰면서 춤을 추고 신선한 공기를 가슴 깊이 한껏 들이마셨다. 발 아래에서 양철 지붕이 작게 삐걱거리는 소리가 울려 퍼졌는데 폴리애나는 그 소리가 마음에 들었다. 그래서 이쪽 끝에서 저쪽 끝까지 두세 번은 오갔다. 작고 더운 방에 있다가 탁 트인 공간으로 나오니 기분 좋은 감각이 폴리애나를 온통 휘감았다. 그리고 지붕이 아주 넓고 평평했기 때문에 떨어질 염려도 전혀 없었다. 마침내 아주 만족스러운 한숨을 내쉬며 폴리애나는 바다표범 가죽 외투가 들어 있는 매트리스 위에 웅크리고 누워서는 주머니 하나는 베개, 다른 하나는 이불 삼아 잠을 청했다.

"지금은 방충망이 오지 않은 것이 정말 기뻐." 폴리애나는 중얼거리면서 밤하늘을 수놓은 별을 올려다보았다. "덕분에 지금 이러고 있으니까!"

지붕 아래 일광욕실 옆은 폴리의 방이었다. 폴리는 서둘러 가운을 걸치면서 슬리퍼를 신었다. 핏기가 사라진 얼굴에는 두려움이 가득했다. 떨리는 목소리로 티머시에게 막 전화를 건 참이었다.

"얼른 와줘! 아버지와 함께. 등불을 가져와. 누군가가 일광욕실 지붕을 오르고 있어. 장미 울타리나 그 비슷한 걸 타고 올라왔겠지.

그 지붕은 다락의 동쪽 창문과 곧장 연결되어 있잖아. 그 창문은 잠겨 있지만, 어쨌든 서둘러!"

얼마 후 폴리애나는 스르륵 잠이 들려는 찰나에 등불에서 나온 환한 빛과 세 사람이 내지른 비명에 화들짝 놀라서 깼다. 폴리애나가 눈을 뜨자 옆으로 사다리 꼭대기에 서 있는 티머시가 보였다. 톰 영감은 막 창문 밖으로 나온 참이었고 폴리 이모가 그 뒤에서 내다보고 있었다.

"폴리애나, 도대체 이게 무슨 짓이지?" 폴리가 외쳤다.

폴리애나는 잠에 취한 눈을 깜빡이며 일어나 앉았다.

"어머나, 톰 아저씨, 폴리 이모!" 폴리애나는 더듬거렸다. "그렇게 놀란 눈으로 보지 마세요! 제가 조엘 하틀리처럼 결핵에 걸리거나 한 건 아니니까요. 그냥 너무 더웠어요. 방 안이요. 하지만 창문은 열지 않았어요, 폴리 이모. 세균 같은 걸 옮기는 파리가 들어오면 안 되니까요."

갑자기 티머시가 사다리 아래로 사라졌다. 톰 영감도 폴리에게 조용히 등불을 넘기고 아들 티머시만큼이나 재빨리 사라졌다. 폴리는 입술을 꽉 깨물면서 남자들이 사라지기를 기다렸다가 엄하게 말했다.

"폴리애나, 그것들을 당장 내게 넘기고 들어오너라. 너처럼 별난 아이는 처음 봐!" 잠시 뒤 폴리애나가 곁에 서자 폴리는 등불을 들고 다락으로 향했다.

시원한 바깥 공기를 마시던 폴리애나는 다락으로 돌아오자 이전보다 더더욱 숨이 막혀왔다. 하지만 불평하지 않았다. 떨리는 호흡으로 숨을 길게 내쉴 뿐이었다.

계단 입구에서 폴리가 쌀쌀맞은 목소리로 내뱉었다.

"폴리애나, 오늘 밤은 나와 함께 자야겠다. 내일이면 방충망이 오겠지만 그 전에는 내 눈길이 닿는 곳에 재우는 것이 내 의무겠지."

폴리애나는 숨을 크게 들이마셨다.

"이모랑요? 이모 침대에서요?" 폴리애나는 믿을 수 없다는 듯이 말했다. "아, 폴리 이모, 폴리 이모, 정말 감사해요! 저는 언젠가는 누군가와 꼭 함께 자고 싶다고 간절히 빌었거든요. 그러니까, 제 가족인 누군가와요. 부녀회 회원이 아니라요. 부녀회 회원과는 함께 잔 적이 있어요. 아! 지금은 방충망이 오지 않은 게 정말 기뻐요! 이모도 저라면 그렇게 생각하실걸요?"

아무런 답도 돌아오지 않았다. 폴리는 이미 저만치 앞에서 성큼 성큼 걸어가고 있었다. 사실을 밝히자면 폴리는 어쩐지 무기력한 느낌이 들었다. 폴리애나가 온 뒤로 벌써 세 번이나 폴리애나에게 벌을 주었다. 그리고 폴리는 자신이 내린 벌이 특별한 보상처럼 받아들여지는 놀라운 일 또한 세 번이나 겪어야 했다. 폴리가 무기력함을 느끼는 것도 당연했다.

8장

폴리애나, 병자를 방문하다

얼마 지나지 않아 해링턴 저택에서의 일상에도 질서라고 할 만한 것이 생겼다. 다만 폴리가 염두에 두었던 질서와는 조금 달랐다. 물론 폴리애나는 바느질을 하고, 피아노 연습을 하고, 큰 소리로 책을 읽고, 부엌에서 요리를 배웠다. 하지만 폴리의 계획과는 달리 이런 활동에 그렇게까지 많은 시간을 쓰지 않았다. 폴리애나는 자신의 표현대로 '그냥 살아 있는' 데 더 많은 시간을 썼다. 거의 매일 오후 두 시부터 저녁 여섯 시까지는 자신이 좋아하는 일을 해도 좋다는 허락을 받았기 때문이다. 그 '좋아하는' 일이 폴리가 금지한 것이 아니어야 한다는 조건이 붙기는 했지만.

폴리애나가 힘들지 않도록 배려하느라 이렇게 많은 여유 시간이 주어진 것인지는 확실하지 않았다. 폴리가 폴리애나에게서 벗어나기 위해서 어쩔 수 없이 그런 선택을 한 것처럼 보이기도 했으니까. 폴리애나가 해링턴 저택에서 보낸 첫 7월의 며칠 동안 폴리는 "정말 별난 아이구나!"라는 말을 수없이 반복했다. 무엇보다 독서 수업과 바느질 수업이 있는 날이면 수업이 끝날 무렵에는 머리가 혼란스럽고 기운이 쑥 빠져버리곤 했다.

부엌에서 폴리애나를 만나는 낸시는 훨씬 더 잘 지냈다. 머리가 혼란스럽거나 지치는 일도 없었고 오히려 수요일과 토요일을 손꼽아 기다렸다.

해링턴 저택 근처에는 폴리애나가 함께 놀 아이들이 없었다. 저택 자체가 마을의 변두리에 있었고 근처에 집들이 있었지만 폴리애나 또래 아이가 없었다. 하지만 폴리애나는 이런 점을 전혀 개의치 않는 것처럼 보였다.

"아니에요. 전혀 싫지 않아요." 폴리애나가 낸시에게 설명했다. "그냥 이 주변을 산책하고 거리와 집을 구경하고 사람들을 관찰하는 것만으로도 즐거워요. 저는 사람들이 너무 좋아요. 낸시는 안 그런가요?"

"글쎄요, 딱히 그렇지는 않아요. 싫은 사람도 있거든요." 낸시가 퉁명스럽게 답했다.

날씨가 좋은 날 오후가 되면 폴리애나는 거의 언제나 '심부름'을 보내달라고 애원했다. 이곳저곳을 돌아다니고 싶어서였다. 그렇게 돌아다니는 날에는 그 아저씨와 마주치곤 했다. 같은 날 아무리 많은 남자를 보더라도 폴리애나는 속으로 그 남자만을 '그 아저씨'라고 불렀다.

그 남자는 대개 긴 코트를 걸치고 원통형의 실크해트를 쓰고 있었다. 그 두 가지야말로 그가 다른 사람과 다른 특별한 사람이라는 것을 보여주는 복장이었다. 그는 면도를 깔끔하게 했고 다소 창백했으며 모자 밑으로 삐져나온 머리카락에는 백발이 섞여 있었다. 허리는 꼿꼿하게 펴고 다녔으며 발걸음이 다소 빠른 편이었다. 늘 혼자 다녔기 때문에 폴리애나는 어쩐지 그 남자가 불쌍하게 느껴졌다. 아마도 그래서 폴리애나가 그날 그에게 말을 건 것이리라.

"안녕하세요, 날씨가 정말 좋죠?" 폴리애나는 그와 가까워지자 밝은 목소리로 인사했다.

그 남자는 재빨리 주변을 살피더니 머뭇거리다가 멈춰 섰다.

"지금… 내게 인사한 거니?" 그가 날카로운 목소리로 물었다.

"네." 폴리애나가 활짝 웃었다. "정말 좋은 날이지 않나요?"

"어? 아! 흠!" 그는 꿍얼대다가 성큼성큼 가던 길로 계속 갔다.

폴리애나는 웃음을 터뜨렸다. 정말 재미있는 사람이라고 생각했다.

다음 날도 그 남자와 마주쳤다.

"오늘은 어제만큼 좋지는 않지만, 그래도 날씨가 좋은 편이네요." 폴리애나가 명랑하게 말했다.

"어? 아! 흠!" 그 남자는 전날과 마찬가지로 꿍얼거렸다. 폴리애나는 또다시 즐겁게 웃었다.

세 번째로 만났을 때도 폴리애나가 이전처럼 인사를 건네자 그 남자는 갑자기 발걸음을 멈췄다.

"얘야, 어디 한번 물어나 보자. 너는 누구냐? 왜 내게 매일 말을 거는 거지?"

"저는 폴리애나 휘티어라고 해요. 아저씨가 외로워 보였어요. 이렇게 시간을 내주셔서 정말 기뻐요. 덕분에 서로 소개를 했잖아요.

아, 그런데 저는 아직 아저씨 이름을 모르네요."

"아니, 왜 하필이면…." 남자는 말을 끝맺는 대신 다시 서둘러 가버렸다.

멀어져가는 남자를 보면서 실망한 나머지 평소에는 늘 웃음이 맴돌던 폴리애나의 입꼬리가 축 처졌다.

"내 말을 제대로 이해하지 못했나 봐. 소개가 반만 끝났는데…. 나는 그 아저씨의 이름을 아직 모르는걸." 폴리애나는 혼잣말을 하면서 제 갈 길을 갔다.

폴리애나는 스노 부인에게 우족을 고아서 만든 족편* 을 가져다 드리러 가는 중이었다. 폴리는 매주 한 번씩 스노 부인에게 먹을 것을 보냈다. 폴리는 그것이 자신의 의무라고 생각한다고 말했다. 스노 부인은 가난하고 몸이 불편한 교회 신도였다. 그래서 그것은 모든 교회 신도의 의무이기도 했다. 폴리는 대개 목요일 오후에, 직접 가지 못하더라도 낸시를 보내 자신의 의무를 다했다. 이날은 폴리애나가 대신 가겠다고 졸랐고 낸시는 폴리의 허락이 떨어지자마자 폴리애나에게 그 일을 맡겼다.

"그리고 저는 그 일을 떠넘기게 되어서 매우 기뻐요." 낸시는 나중에 폴리애나와 둘이 있게 되었을 때 고백했다. "다만 그 일을 맡게 된 것이 불쌍한 어린양, 아가씨라는 것이 마음에 걸려요. 정말이에요!"

* 정확한 용어는 '송아지 다리 젤리calf's foot jelly'이며, 송아지 다리를 삶아서 추출한 젤라틴에 레몬주스와 와인을 넣어 굳힌 요리다. 젤라틴을 추출하기 위해서는 우족을 오래 끓여야 하기 때문에 시간과 정성이 많이 들어가서 19세기에는 보양식으로 여겨졌다.

"하지만 낸시, 정말로 제가 가고 싶어요."

"글쎄요, 마음이 바뀔걸요. 한 번만 해보면 알게 돼요." 낸시가 입술을 삐죽거리면서 장담했다.

"왜요?"

"그 일을 좋아하는 사람은 아무도 없으니까요. 사람들이 스노 부인을 가엾게 여기지 않았다면 아침부터 밤까지 그 집 근처에는 사람 그림자조차 얼씬하지 않을 거예요. 그렇게 성미가 고약하답니다. 그저 스노 부인을 돌봐야만 하는 그 딸이 불쌍할 뿐이죠."

"하지만 왜 그런 거죠, 낸시?"

낸시가 어깨를 으쓱했다.

"쉽게 말해 스노 부인은 지금까지 일어난 모든 일을 못마땅하게 여겨요. 그날의 요일에 대해서조차 불평할 정도죠. 월요일에는 일요일이면 좋았을 거라고 말해요. 족편을 가지고 가면 분명히 닭고기가 먹고 싶다고 말할 거예요. 하지만 그것이 닭고기 요리라면 양고기 수프가 아니라고 투덜대겠죠."

"그것 참 재미있는 분이네요." 폴리애나가 웃었다. "그렇다면 더더욱 만나고 싶어요. 분명히 놀랍고 색다른 분이겠죠. 저는 색다른 사람을 만나는 게 즐거워요."

"흠, 스노 부인은 확실히 '색다른' 사람이기는 하죠. 그렇게 생각하는 편이 우리도 편하겠죠!" 낸시는 침통한 표정으로 결론 내렸다.

폴리애나는 낸시와 나눈 이 대화를 떠올리면서 작고 낡은 오두막의 대문 안으로 들어섰다. '색다른' 스노 부인을 만날 생각에 폴리애나의 눈이 반짝거렸다.

폴리애나가 현관문을 두드리자 창백하고 지쳐 보이는 젊은 여자가 문을 열었다.

"안녕하세요." 폴리애나가 예의 바르게 인사를 건넸다. "폴리 해링턴이 보내서 왔어요. 스노 부인을 뵙고 싶어요."

"그래요, 그렇다면 당신은 어머니를 '뵙고 싶어 하는' 최초의 사람이네요." 여자가 들릴 듯 말 듯한 소리로 중얼거렸고 폴리애나는 그 말을 듣지 못했다. 여자는 돌아서서 복도 끝에 난 문 쪽으로 안내했다.

여자가 폴리애나를 들여보내고 문을 닫자 폴리애나는 가만히 서서 방의 어둠에 익숙해지도록 눈을 깜빡거렸다. 잠시 뒤 희미한 윤곽이 보였다. 방 저쪽에 놓인 침대에서 병자가 반쯤 몸을 일으키고 있는 것이 보였다. 폴리애나는 곧장 그쪽으로 갔다.

"스노 부인, 안녕하세요. 폴리 이모가 오늘은 편안하셨으면 좋겠다고 전하면서 족편을 보냈어요."

"아… 족편이라고?" 실망한 목소리가 들려왔다. "물론 아주 감사하게 생각하지만 오늘은 양고기 수프가 먹고 싶었는데."

폴리애나가 이마를 살짝 찡그렸다.

"저런, 족편을 가져오면 닭고기를 드시고 싶어 하실 줄 알았는데."

"뭐라고?" 병자가 날카로운 눈빛을 보냈다.

"아니에요." 폴리애나는 서둘러 사과했다. "물론 그런 건 중요하지 않겠죠. 그냥 낸시 말이 족편을 가져다드리면 닭고기를 원하고, 닭고기를 가져다드리면 양고기 수프를 원할 거라고 했거든요. 하지만 낸시가 헷갈렸을 수도 있어요."

병자는 침대에서 몸을 일으키고는 허리를 꼿꼿하게 세웠다. 평소에는 전혀 하지 않는 행동이었지만 폴리애나가 이를 알 턱이 없었다.

"그래, 건방진 꼬마 아가씨, 너는 누구지?" 병자가 물었다.

폴리애나는 밝게 웃었다.

"아, 그건 제 이름이 아니에요, 스노 부인. 그게 제 이름이 아니라서 정말 기뻐요! 그 이름은 헤프시바보다 더 끔찍해요, 그렇지 않나요? 제 이름은 폴리애나 휘티어예요. 폴리 해링턴의 조카랍니다. 폴리 이모와 함께 살게 되었어요. 그래서 오늘 족편을 가지고 찾아뵙게 된 거예요."

앞부분을 듣는 동안 병자는 흥미를 보이며 허리를 폈지만 족편 이야기가 나오자마자 힘이 빠진 듯 다시 베개에 기댔다.

"그래, 알았다. 고맙구나. 네 이모는 물론 매우 친절한 사람이지. 하지만 오늘 아침은 배가 그다지 고프지 않구나. 양고기 수프가 먹고 싶었는데…." 스노 부인이 갑자기 말을 멈추더니 화제를 바꾸었다. "어젯밤에는 한숨도 못 잤어. 한숨도!"

"저런. 저도 자지 않고 깨어 있었다면 좋았을 텐데." 폴리애나가 족편을 침대 옆 작은 탁자 위에 올려놓으면서 한숨을 내쉬고는 침대에서 가장 가까운 의자에 편하게 앉았다. "자느라고 허비하는 시간이 얼마나 많은지! 그렇게 생각하지 않으세요?"

"자느라고… 시간을 허비한다고?" 스노 부인이 놀란 듯 말했다.

"네, 그냥 살아 있으면 좋을 텐데. 밤에 살아 있을 수 없다는 게 정말 아쉬워요."

스노 부인은 또다시 몸을 벌떡 일으켰다.

"글쎄다, 너는 정말 별난 아이구나! 자, 저기 저 창문으로 가서 커튼을 열어다오." 스노 부인이 목소리를 높이며 지시했다. "네 얼굴이나 좀 보자꾸나."

폴리애나가 조금은 아쉬운 듯 웃으면서 일어났다.

"아! 그럼 제 주근깨가 보일 텐데요." 소녀는 한숨을 쉬면서 창문으로 갔다. "방이 어두워서 저를 보지 못하시는 게 정말 다행이라고 막 생각하던 참이었거든요. 자, 이제…, 아!" 침대 쪽으로 돌아선 폴리애나는 흥분해서 말을 잇지 못했다. "아주머니가 제 얼굴을 보고 싶어 해서 정말 다행이에요. 덕분에 저도 아주머니의 얼굴을 보게 되었으니까요! 아무도 아주머니가 이렇게 아름답다는 말은 해주지 않았어요!"

"내가! 아름답다고!" 스노 부인은 기막히다는 듯 내뱉었다.

"네, 그럼요. 모르셨어요?" 폴리애나가 물었다.

"글쎄다, 그래…. 몰랐어." 스노 부인이 쌀쌀맞게 대꾸했다. 스노 부인은 마흔 해를 살았고 그중 15년 동안은 모든 것을 못마땅해하느라 자신에게 주어진 것을 즐길 시간이 별로 없었다.

"하지만 아주머니의 눈은 정말 크고 눈동자 색도 진해요. 머리카락도 까맣고 곱슬곱슬하잖아요." 폴리애나가 감탄하며 말했다. "저는 검은 곱슬머리를 정말 좋아해요. (제가 천국에 가면 그런 머리를 달라고 할 거예요.) 그리고 뺨도 고운 색을 띠고 있고요. 스노 부인, 아주머니는 진짜로 아름다워요! 저라면 거울만 봐도 금방 알아챌 것 같은데요."

"거울이라고!" 스노 부인은 베개에 다시 기대면서 퉁명스럽게 말했다. "그래, 최근에는 거울을 보면서 치장할 일이 없었지. 너도 나처럼 침대에서 꼼짝도 못하는 처지라면 그런 소리 못 할걸!"

"그래요, 그렇군요." 폴리애나는 스노 부인이 안됐다는 생각이 들었다. "하지만, 잠깐만요. 제가 보여드릴게요." 폴리애나가 큰 소리로 말하고는 서랍장으로 달려가 작은 손거울을 집어 들었다.

침대로 돌아오던 폴리애나가 멈추더니 스노 부인을 예리한 눈으로 요리조리 뜯어보았다.

"혹시 괜찮으시다면 거울을 건네기 전에 아주머니의 머리를 조금 매만지고 싶어요." 폴리애나가 부탁했다. "제발 머리를 꾸미게 해 주세요, 네?"

"그래, 뭐, 괜찮겠지. 네가 정 원한다면." 스노 부인은 못 이기는 척 허락했다. "그래도 그 상태가 오래가지는 않을 거야."

"감사합니다. 저는 사람들 머리를 만지는 걸 좋아해요." 폴리애나가 기쁜 듯이 말하고는 손거울을 조심스럽게 내려놓고 머리빗을 들었다. "오늘은 물론 머리 모양을 크게 바꾸지는 않을 거예요. 부인이 얼마나 아름다운지 얼른 보여드리고 싶으니까요. 하지만 한번쯤은 꼭 머리를 전부 풀어서 공들여 꾸미면서 즐거운 시간을 보내고 싶어요." 폴리애나가 부드러운 손가락으로 스노 부인의 머리카락을 꼬아서 이마 위로 올렸다.

5분 동안 폴리애나는 스노 부인이 꽁꽁 묶어놓은 머리를 재빠르게 빗으로 풀어서 능숙한 솜씨로 풍성하게 만들고, 목을 감싼 레이스를 빳빳하게 펴고, 스노 부인이 더 예뻐 보이는 자세로 앉을 수 있도록 베개를 두드리고 이리저리 옮겼다. 그동안 스노 부인은 못마땅한 듯 얼굴을 찌푸리면서 폴리애나의 모든 행동에 일일이 불평을 늘어놓았다. 그런데도 어느새 스노 부인은 흥분에 가까운 기분이 솟아나는 것을 느꼈다.

"자!" 폴리애나가 헐떡거리며 근처 꽃병에서 분홍색 꽃을 서둘러 뽑아 스노 부인의 검은 머리카락 사이 가장 잘 어울릴 법한 자리에 꽂았다. "이제 드디어 거울을 볼 준비가 끝난 것 같아요!" 폴리애나가 의기양양하게 거울을 들어 올렸다.

"흥!" 스노 부인은 거울에 비친 자신의 모습을 노려보면서 중얼거렸다. "이런 희미한 분홍색보다는 진한 분홍색이 더 좋은데. 하지만 진한 분홍색이었다고 하더라도 밤이 되기도 전에 색이 바래서 옅어져 버릴 테니까 다를 건 없겠지!"

"하지만 색이 바래면 기쁘지 않을까요?" 폴리애나가 웃으면서 말했다. "왜냐하면 그러면 또 다른 색 꽃을 꽂은 셈이 되잖아요. 이렇게 풍성하게 부풀린 머리가 정말 잘 어울려요." 폴리애나가 만족스러운 눈길을 보내며 말했다. "아주머니도 그렇게 생각하시죠?"

"흠, 그런 것도 같구나. 하지만 어쨌거나 오래가지 않겠지. 베개에서 이리저리 뒤척여야 하니까."

"물론 그렇겠죠. 그래도 그것도 기뻐요." 폴리애나는 밝게 말했다. "그러면 제가 또 머리를 손질해드릴 수 있잖아요. 아무튼 아주머니는 머리가 검은색이어서 기쁘시겠어요. 베개를 베고 누워 있을 때는 저처럼 옅은 색 머리보다는 검은색 머리가 훨씬 더 돋보이잖아요."

"그럴지도 모르지만 나는 검은 머리가 그렇게까지 좋다고 생각하지 않아. 흰 머리가 너무 빨리 눈에 띄니까." 스노 부인이 퉁명스럽게 대꾸했다. 목소리에는 불만이 가득했지만 손에서 거울을 여전히 놓지 않고 있었다.

"아, 저는 검은 머리가 정말 좋아요! 제가 검은 머리였다면 아주 기뻐했을 텐데."

폴리애나가 한숨을 내쉬었다.

스노 부인은 거울을 내리고는 폴리애나에게 짜증을 냈다.

"아니, 그렇지 않을걸! 네가 나였다면 기뻐할 리가 없어. 머리가 무슨 색이든 전혀 기쁘지 않을 거야. 나처럼 온종일 누워 있으면 그 무엇에도 기뻐할 수 없을 테니까!"

폴리애나는 눈썹을 찡그리며 생각에 잠겼다.

"그래요, 그건 확실히 어렵기는 하네요. 그렇죠?" 폴리애나가 말했다.

"뭐가?"

"기뻐하기가요."

"기뻐하기라니. 온종일 아파서 침대에 있어야 하는데? 그래, 당연히 힘들지." 스노 부인이 매섭게 말했다. "달리 생각한다면 내가 기뻐할 만한 것이 뭔지 어디 한번 들어나 보자. 말해보라고!"

스노 부인은 또다시 화들짝 놀랐다. 폴리애나가 벌떡 일어나서 손뼉을 쳤기 때문이다.

"좋아요! 그건 어려운 일이에요, 그렇죠? 이제 가볼게요. 하지만 집에 가는 동안 계속 고민할게요. 다음번에 올 때는 말해드릴 수 있을 거예요. 안녕히 계세요. 정말 즐거웠어요! 안녕히 계세요." 폴리애나는 거듭 인사하면서 뛰다시피 방을 나갔다.

"이런! 도대체 그건 또 무슨 말이지?" 스노 부인은 방문객이 가는 걸 보면서 소리쳤다. 그러다 고개를 돌리고는 거울을 다시 집어들어 자기 모습을 꼼꼼하게 살펴보았다.

"저 어린 것이 머리를 잘 만지기는 하네. 하지만 착각하지 말라고." 스노 부인은 혼자 중얼거렸다. "솔직히 말해 내 머리가 이렇게 예뻐 보일 줄은 몰랐어. 하지만 이게 다 무슨 소용이야?" 스노 부인은 한숨을 쉬고는 이불 위로 거울을 떨어뜨렸다. 그리고 우울한 표정으로 돌아누웠다.

잠시 후 스노 부인의 딸 밀리가 방에 들어왔을 때 거울은 여전히 이불 위에 놓여 있었다. 어찌 보면 조심스럽게 숨겨놓은 것처럼 보이기도 했다.

"어머, 어머니. 커튼을 열었네요!" 밀리가 놀란 눈으로 창문과 어머니 머리에 꽂힌 분홍색 꽃을 번갈아 보며 큰 소리로 말했다.

"그래서, 뭐가 어떻다는 거냐?" 스노 부인이 쏘아붙였다. "나라고 평생 어둠 속에 갇혀 지내라는 법이 있니? 아무리 병자라도 꼭 그렇게 지내야 하는 건 아니지 않느냐?"

"물론이에요. 그래야 한다는 법은 없죠." 밀리는 서둘러 어머니의 말에 동의하면서 약병을 집어 들었다. "그냥, 그게… 제가 예전부터 더 밝은 방으로 옮기시라고 말씀드렸잖아요. 그런데도 이 어두운 방을 고집하셨으니까요."

아무런 답도 돌아오지 않았다. 스노 부인은 잠옷의 레이스를 만지작거리고 있었다. 마침내 스노 부인이 초조한 목소리로 말했다.

"제발 누구라도 내게 새 잠옷을 가져다주면 좋겠어. 양고기 수프 대신 말이다!"

"어머, 어머니!"

밀리가 놀란 것도 당연했다. 밀리의 등 뒤 서랍장에는 밀리가 수개월 동안 어머니에게 입으라고 권했지만 거절당한 새 잠옷 두 벌이 들어 있었기 때문이다.

9장

그 아저씨의 이야기

폴리애나가 다시 '그 아저씨'와 마주친 날에는 비가 내리고 있었다. 하지만 폴리애나는 여전히 환하게 웃으면서 인사했다.

"오늘은 날씨가 별로 좋지 않네요, 그렇죠? 그래도 늘 비가 오는 건 아니니까 그건 기뻐요!"

남자는 이번에는 끙얼거리지 않았고 폴리애나에게는 눈길도 주지 않았다. 폴리애나는 그가 자기 목소리를 못 들은 것이 틀림없다고 생각했다. 그래서 다음번에는 (바로 다음 날이었다) 더 큰 목소리로 인사했다. 어쨌거나 그 남자가 뒷짐을 지고 눈은 땅에 고정한 채 빠른 걸음으로 걷고 있었기 때문에 그렇게 할 수밖에 없었다. 폴리애나는 그토록 눈부시게 화창한 날 아침, 공기도 상쾌한 날에 그런 식으로 걷는다는 것은 말도 안 된다고 생각했다. 폴리애나는 이날 특별히 허락을 받아 심부름을 가는 중이었다.

"안녕하세요." 폴리애나가 노래하듯 말했다. "오늘은 어제랑은 다른 날씨여서 정말 다행이에요, 그렇죠?"

그 남자가 갑자기 멈춰 섰다. 아주 무서운 얼굴을 하고 있었다.

“얘야, 한마디 해야겠구나. 지금 이 자리에서 처음이자 마지막으로 분명히 해둬야겠어.” 그의 말투에는 가시가 돋쳐 있었다. “나는 날씨 따위에 신경 쓸 겨를이 없어. 해가 떴는지, 안 떴는지는 관심도 없단 말이다.”

폴리애나는 환하게 웃었다.

“네, 그럴 거라고 생각했어요. 그래서 말씀드리는 거예요.”

“그래. 아니, 어? 뭐라고?” 폴리애나가 무슨 말을 하는지 깨달은 남자는 말문이 막혔다.

“제 말은 그래서 그런 인사를 하는 거라고요. 날씨가 화창한지 흐린지 아저씨가 알 수 있도록이요. 한 번만이라도 멈춰서 날씨에 관심을 가지면 기뻐할 수 있을 거라고 생각했어요. 아저씨가 날씨에는 전혀 관심이 없는 것처럼 보였거든요!”

“그래, 하지만 하필이면…” 그 남자는 이렇게 내뱉고는 의미를 알 수 없는 손짓을 했다. 그는 다시 발걸음을 옮겼지만 두 번째 발걸음을 내딛기도 전에 돌아봤다. 여전히 인상을 쓰고 있었다.

“저기, 차라리 네 또래 아이와 이야기를 하지 그러니?”

“저도 그러고 싶어요. 하지만 근처에는 또래가 없어요. 그래도 괜찮아요. 저는 나이 든 사람들도 좋아하거든요. 더 좋은 면도 있어요. 저는 부녀회 아주머니들에게 익숙하니까요.”

“허! 부녀회라니! 내가 부녀회 활동을 할 사람으로 보인 거냐?” 남자의 입 언저리에 미소가 언뜻 어렸지만 그는 여전히 눈살을 찌푸리면서 엄한 표정을 유지하려 애쓰고 있었다.

폴리애나가 재미있다는 듯 웃었다.

"아니요, 그럴 리가요. 아저씨는 부녀회 아주머니들이랑은 조금도 닮지 않았는걸요. 아저씨가 좋은 사람 같지 않다는 건 아니에요. 실은 더 좋은 사람일 수도 있죠." 폴리애나는 남자의 마음이 상할까 봐 얼른 덧붙였다. "그러니까 아저씨가 겉으로 보이는 것과는 달리 좋은 사람일 거라고 믿어요!"

그 남자의 목에서 이상한 소리가 새어 나왔다.

"그래, 하지만 하필이면…." 남자는 다시 한번 내뱉고는 돌아서서 가던 길을 갔다.

다음번에 마주쳤을 때는 그 남자가 폴리애나의 눈을 똑바로 쳐다봤다. 그의 얼굴에 어딘지 모르게 사람의 마음을 끄는 흥미로운 솔직함이 깃들어 있다고 폴리애나는 생각했다.

"안녕." 그가 다소 무뚝뚝한 말투로 인사를 건넸다. "오늘 날씨가 화창하다는 걸 내가 알고 있다고 미리 말해두는 게 낫겠지."

"하지만 제게 굳이 말할 필요는 없었는걸요." 폴리애나가 고개를 끄덕이며 밝게 말했다. "아저씨를 보자마자 알았으니까요."

"아, 그렇단 말이지."

"네. 아저씨 눈이 벌써 그렇다고 말했거든요. 그리고 아저씨의 미소에서도 알 수 있었어요."

"허!" 남자는 꿍얼거리면서 지나갔다.

그 후로 그 남자는 언제나 폴리애나와 인사를 나눴다. 대체로 남자가 먼저 말을 걸었다. 비록 "안녕"이 전부였지만. 하지만 어느 날 그가 폴리애나와 함께 있는 모습을 본 낸시에게는 그것이 아주 놀라운 일이었다.

“세상에, 이게 무슨 일이람, 폴리애나 아가씨.” 낸시가 화들짝 놀라며 말했다. “지금 저 사람이 아가씨에게 말을 했나요?”

“네, 그래요. 언제나 하는걸요. 요즘은요.” 폴리애나가 싱긋 웃었다.

“‘언제나 하는걸요’라고요! 맙소사! 저 사람이… 누군지… 아세요?” 낸시가 물었다.

폴리애나는 이마를 찡그리면서 고개를 저었다.

“아마 제게 말씀하시는 걸 잊은 것 같아요. 그게, 저는 제 소개를 했거든요. 하지만 저분은 안 했어요.”

낸시의 눈이 휘둥그레졌다.

“하지만 저 사람은 누구와도 말하지 않아요, 아가씨. 그런 지 몇 년 됐어요. 적어도 그렇다고 알고 있어요. 어쩔 수 없을 때만 겨우 한대요. 저 사람은 존 펜들턴이에요. 펜들턴 힐에 있는 커다란 저택에서 혼자 살아요. 요리할 사람조차도 고용하지 않았어요. 그래서 매일 세 번씩 언덕을 내려와서 호텔에서 식사를 한대요. 저는 호텔에서 저 사람 시중을 드는 샐리 마이너를 알거든요. 샐리 말로는 주문할 때조차 입을 거의 열지 않는대요. 그래서 대개는 알아서 이해해야 한다고 해요. 다만 뭔가 싼 걸로 주문한다는 건 안대요. 그건 말 안 해도 알 수 있대요.”

폴리애나가 동정하며 고개를 끄덕였다.

“그래요. 가난하면 싼 걸 고를 수밖에 없죠. 아빠랑 저도 사 먹을 때가 많았어요. 거의 대부분은 콩과 어묵을 먹었어요. 우리가 콩을 좋아해서 정말 다행이라고 말하곤 했어요. 언젠가 구운 칠면조를 파는 식당 앞에서는 몇 번이고 그렇게 말했어요. 거기 요리는 60센트나 했거든요. 펜들턴 씨는 콩을 좋아하나요?"

"좋아하느냐고요! 콩을 좋아하든 안 좋아하든 그게 무슨 상관이에요? 게다가, 폴리애나 아가씨, 그 사람은 가난하지 않아요. 존 펜들턴은 엄청난 유산을 물려받았어요. 이 마을에 그 사람만 한 부자도 없을걸요. 그럴 마음만 있다면 1달러 지폐만 먹고 살 수도 있을 거예요. 그렇게 해도 티도 안 날걸요."

폴리애나가 깔깔 웃었다.

"종이돈을 먹고도 그걸 알아차리지 못할 사람이 있을까요? 낸시, 그걸 씹을 때만큼은 알 거예요!"

"그만큼 부자라는 이야기죠." 낸시가 어깨를 으쓱했다. "돈을 전혀 안 써요. 꼭 붙들고 있는 거겠죠."

"아, 이교도를 위해서죠?" 폴리애나가 추측했다. "정말 훌륭하네요! 그게 바로 금욕하면서 십자가를 지는 거죠. 저도 알아요. 아빠가 말씀해주셨어요."

낸시의 입이 살짝 벌어졌다. 분노에 찬 말을 쏟아낼 참이었다. 하지만 즐거움과 신뢰로 가득한 폴리애나의 눈을 보는 순간 무언가가 낸시의 입을 막았다.

"흥!" 낸시는 짧게 답하고는 예전에 품었던 호기심이 되살아나 말을 이어나갔다. "하지만, 그러고 보니, 정말로 이상하긴 하네요. 아가씨와는 말을 하잖아요. 그는 진짜로 누구와도 말을 안 해요. 게다가 멋진 것으로 채워진 저 아름다운 대저택에서 홀로 산대잖아요. 미쳤다고 말하는 사람도 있고 성미가 고약하다고 말하는 사람도 있어요. 심지어 벽장 속에 해골을 감춰두었을 거라고 말하는 사람도 있죠.*"

"아, 낸시!" 폴리애나가 부르르 떨었다. "그런 끔찍한 걸 어떻게 집 안에 두고 있겠어요? 그런 게 있다면 진작 내다 버렸겠죠!"

낸시가 쿡쿡 웃었다. 폴리애나가 해골을 비유로 받아들이지 않고 곧이곧대로 이해한 것이 틀림없었다. 하지만 낸시는 굳이 설명하지 않았다.

"게다가 모두들 입을 모아 괴짜라고 말하죠." 낸시는 이어서 말했다. "어떤 해에는 여행을 가요. 몇 주씩이나요. 게다가 언제나 이교도의 나라로 가죠. 이집트, 아시아, 사하라 사막 같은 곳이요."

"아, 선교 활동이군요." 폴리애나가 고개를 끄덕였다.

"아니, 저는 그렇게 말하지 않았어요, 폴리애나 아가씨." 낸시가 야릇한 미소를 띠었다. "여행에서 돌아오면 책을 쓴대요. 기이하고 이상한 책이라고 들었어요. 자신이 이교도의 나라에서 손에 넣은 그럴싸한 물건들에 관한 책이래요. 하지만 이곳에서는 돈을 한 푼도 안 쓰려고 들죠. 적어도 일상생활을 할 때는요."

"물론이죠. 이교도를 위해 돈을 모아야 하니까요." 폴리애나가 주장했다. "하지만 재미있는 사람이긴 해요. 색다르기도 하고요. 스노 부인처럼요. 다만 그 사람은 다른 방식으로 색다르죠."

* 벽장 속의 해골skeletons in the closet은 '감추고 싶은 비밀' '치부' '집안의 수치' 등을 나타내는 관용구다. 여기서 폴리애나는 그 뜻을 모른 채 단어 그대로 해석해 펜들턴의 벽장에 진짜 해골이 있다고 믿는다.

"글쎄요, 그렇긴 하네요. 그것도 아주 많이요." 낸시가 킥킥거렸다.

"어쨌거나 그 이야기를 듣고 나니 그 아저씨가 저와 말을 한다는 게 더더욱 기뻐요." 폴리애나가 만족스러운 듯 한숨을 내쉬었다.

10장

스노 부인을 위한 깜짝 선물

폴리애나가 스노 부인을 다시 찾아갔을 때 그녀는 지난번처럼 어두컴컴한 방에 누워 있었다.

"해링턴 댁 아이가 왔어요, 어머니." 밀리가 지친 목소리로 말했다. 폴리애나는 곧 병자와 단둘이 방에 남게 되었다.

"오, 너로구나." 침대 쪽에서 불만으로 가득한 목소리가 들렸다. "네가 누구인지 기억하고 있지. 널 한 번이라도 만난 사람이라면 그 누구도 너를 잊을 수 없을 거야. 어제 너를 기다리고 있었는데. 네가 어제 오기를 원했어."

"그러셨어요? 그렇다면 내일이나 모레나 그 뒤가 아닌 오늘 와서 다행이네요." 폴리애나가 웃음을 터뜨리면서 씩씩하게 다가와 의자 위에 바구니를 조심조심 내려놓았다. "어머나! 방이 정말 어둡네요, 그렇죠? 아주머니가 전혀 안 보여요." 폴리애나는 큰 소리로 말하고는 창 쪽으로 성큼성큼 걸어가서 커튼을 열었다. "지난번에 제가 해드린 대로 아주머니가 머리를 만지셨는지 궁금해요. 아, 안 하셨군요! 하지만 괜찮아요. 안 하셔서 기뻐요. 덕분에 제가 해드릴 수 있을 테니까요. 하지만 조금 있다가 할게요. 지금은 제가 뭘 가져왔는지 보여드리고 싶어요."

스노 부인은 부산을 떨며 일어나 앉았다.

"내가 눈으로 본다고 음식 맛이 달라지는 것도 아닌데." 스노 부인이 비꼬았다. 하지만 시선은 바구니를 향하고 있었다. "그래, 뭘 가지고 왔니?"

"맞혀보세요! 뭘 드시고 싶으세요?" 폴리애나가 다시 바구니 쪽으로 팔짝팔짝 뛰어왔다. 잔뜩 기대한 얼굴이었다.

"글쎄, 먹고 싶은 건 없어. 적어도 없는 것 같아." 스노 부인이 한숨을 토해냈다. "어쨌든 그 맛이 그 맛처럼 느껴지니까."

"이건 안 그럴 테니까 한번 맞혀보세요! 만약 배가 고프다면 뭘 드시고 싶을 것 같아요?"

스노 부인은 망설였다. 미처 깨닫지는 못했지만 오랜 시간 동안 자기에게 없는 것을 원하는 데 익숙해진 터라 자신이 무엇을 원하는지 즉흥적으로 말하는 것 자체가 불가능한 일처럼 느껴졌다. 자신에게 무엇이 주어졌는지 알지 못하는 한은 그랬다. 하지만 무슨 말이든 해야 했다. 이 별난 아이가 기다리고 있지 않은가.

"글쎄다, 물론 양고기 수프…."

"가져왔어요!" 폴리애나가 자신 있게 말했다.

"하지만 그건 먹고 싶지 않은 음식이야." 병자가 한숨을 쉬었다. 이제 자기 배에서 달라고 하는 것이 무엇인지 확실해졌다. "내가 먹고 싶은 건 닭고기야."

"아하, 그것도 있어요." 폴리애나가 깔깔거렸다.

스노 부인은 놀란 눈으로 폴리애나를 쳐다봤다.

"둘 다 가지고 왔다고?"

"네, 족편도요." 폴리애나가 의기양양하게 답했다. "한 번만이라도 아주머니가 원하는 걸 드리고 싶었어요. 그래서 낸시와 함께 준비했죠. 아, 물론 세 요리 모두 양이 얼마 안 돼요. 그래도 모두 조금씩은 가져왔으니까요! 아주머니가 닭고기가 드시고 싶다니 정말 기뻐요." 폴리애나는 바구니에서 작은 그릇 세 개를 꺼내며 만족한 듯 말을 이어나갔다. "그게, 여기 오는 길에 그런 생각이 들었거든요. 혹시 아주머니가 양고기구이나 양파 수프처럼 제게 없는 음식을 드시고 싶어 하면 어쩌나 걱정했어요! 그랬다면 속상했을 테니까요. 열심히 준비한 게 쓸데없는 일이 되어버리잖아요." 폴리애나가 밝게 웃었다.

아무런 답도 돌아오지 않았다. 병자는 자신이 손해 본 것이 무엇인지 알아내려고 머리를 열심히 굴리고 있었다.

"자! 전부 두고 갈게요." 폴리애나가 당당하게 말하면서 그릇 세 개를 탁자 위에 나란히 올렸다. "어차피 내일은 양고기 수프가 드시고 싶을 테니까요. 오늘은 좀 어떠세요?" 폴리애나가 스노 부인에게 안부를 물었다.

"아주 안 좋지만 고마워." 스노 부인이 중얼거리면서 평소처럼 기운이 하나도 없는 사람처럼 굴었다. "오늘 아침잠을 설쳤어. 옆집에 사는 넬리 히긴스가 음악 수업을 시작했거든. 연습하는 소리에 미칠 지경이란다. 오늘 아침에도 연습을 해대더구나. 쉴 틈을 털끝

만큼도 주질 않아! 정말이지, 어떻게 해야 할지 모르겠어!"

폴리애나는 스노 부인이 안됐다는 듯 고개를 끄덕였다.

"정말 끔찍하겠네요! 화이트 부인도 그런 일을 겪었어요. 고향의 부녀회 아주머니 이야기예요. 화이트 부인은 류머티즘열 환자였어요. 그래서 돌아누울 수가 없었대요. 그럴 수만 있었다면 더 나았을 거라고 했어요. 아주머니는 할 수 있나요?"

"할 수 있느냐니, 뭐를?"

"돌아눕는 거요. 그러니까, 연주 소리를 도저히 견딜 수 없으면 이리저리 뒤척이며 자리를 옮길 수 있느냐고요."

스노 부인이 멍한 표정을 지었다.

"그게, 물론 움직일 수 있지. 어디로든, 침대에서는." 스노 부인이 살짝 짜증을 내며 대꾸했다.

"그러면 그건 기뻐할 수 있겠네요, 그렇죠?" 폴리애나가 고개를 끄덕였다. "화이트 부인은 그러지 못했거든요. 류머티즘열에 걸리면 돌아누울 수가 없대요. 아무리 그러고 싶어도요. 화이트 부인이 그렇게 말했어요. 나중에 다 나은 화이트 부인이 화이트 씨 여동생의 귀가 아니었다면 미쳐버렸을지도 모른다고 말했어요. 그러니까, 귀머거리였대요."

"여동생의…, 귀라고! 그게 무슨 소리야?"

"아, 그러고 보니 제가 이야기를 제대로 전하지 않았네요. 아주머니가 화이트 부인을 모른다는 사실을 깜빡했어요. 그게, 화이트 씨 여동생은 귀가 안 들린대요. 전혀 듣지 못한다나 봐요. 화이트 부인을 돌보러 화이트 씨 댁에 왔는데, 그게, 어떤 말이든 알아듣게 전달하기가 매우 힘들었대요. 화이트 부인은 그 후로는 거리에 피아노 소리가 울려 퍼질 때마다 들을 수 있다는 사실이 아주 기쁜 나머지 그 소리가 들린다는 사실은 별로 개의치 않게 되었대요. 만약 자기가 시누이처럼 귀가 들리지 않아서 아무 소리도 듣지 못한다면 얼마나 끔찍할까라는 생각을 하니까요. 그러니까, 화이트 부인도 게임을 하고 있었거든요. 제가 화이트 부인에게도 게임에 대해 알려드린 뒤로는요."

"게, 게임?"

폴리애나가 손뼉을 쳤다.

"어머나! 깜빡할 뻔했어요. 찾았어요, 아주머니가 기뻐할 만한 일이요."

"기뻐할 만한 일이라니! 그게 무슨 소리니?"

"제가 생각해보겠다고 했잖아요. 기억 안 나세요? 아주머니가 기뻐할 만한 일이 뭐가 있는지 물으셨잖아요. 그러니까, 이렇게 온종일 침대에 누워 있어야 하는데도 기뻐할 만한 일이요."

"아!" 스노 부인이 코웃음을 쳤다. "그거? 그럼, 기억하지. 하지만 진심이라고 생각하지 않았단다. 적어도 나는 그게 가능하다고 생각하지 않으니까."

"그럴 리가요. 물론 진심이었어요." 폴리애나가 고개를 끄덕이며 의기양양하게 말했다. "그리고 찾았는걸요. 하지만 진짜 어려웠어요. 솔직하게 말하자면 한동안은 아무것도 생각나지 않았어요. 그런데 찾았어요."

"그래? 자, 뭔지 말해보렴." 스노 부인은 냉소적인 말투로 점잖

게 말했다.

폴리애나가 숨을 깊이 들이마셨다.

"제 생각에는, 아주머니가 이걸 기뻐하면 돼요. 남들이 아주머니 같지 않다는 걸요. 다들 아주머니처럼 아파서 침대에서 지내지 않아도 되니까요." 폴리애나가 힘주어 말했다.

스노 부인이 폴리애나를 쳐다봤다. 그녀의 두 눈은 분노로 가득 차올랐고 입은 굳게 다물어졌다.

"그렇단 말이지!" 스노 부인이 마침내 싸늘한 목소리로 말했다.

"이제 게임에 대해 말씀드릴게요." 폴리애나가 밝은 목소리로 자신 있게 말했다. "아주머니가 하시기에 정말 좋은 게임이에요. 아주 어려울 테니까요. 어려울수록 더 재미있거든요! 그러니까, 이렇게 하면 돼요." 폴리애나는 선교 물품 기부함, 목발, 받지 못한 인형에 관해 차례차례 설명했다.

폴리애나가 설명을 막 마쳤을 때 밀리가 나타났다.

"폴리애나 양, 이모가 찾아요." 밀리가 우울하고 맥 빠진 목소리로 말했다. "건너편 할로 씨 댁으로 전화를 했어요. 빨리 돌아오래요. 어두워지기 전에 무슨 수업을 해야 한다면서."

폴리애나는 마지못해 자리에서 일어났다.

"알았어요." 폴리애나가 한숨을 쉬었다. "얼른 갈게요." 갑자기 소녀가 웃음을 터뜨렸다. "제게 얼른 갈 수 있는 다리가 있는 걸 기뻐해야겠죠?"

아무런 답이 없었다. 스노 부인은 눈을 감고 있었다. 하지만 밀리의 눈은 놀라움으로 커졌다. 푹 파인 뺨 위로 흐르는 눈물을 보았기 때문이다.

"안녕히 계세요." 문가에서 폴리애나가 돌아보며 인사했다. "머리를 만져드리지 못해 죄송해요. 정말 하고 싶었는데. 하지만 다음에 하면 되니까요!"

그렇게 7월이 하루하루 지나갔다. 폴리애나에게는 행복한 나날이었다. 폴리 이모에게도 자신이 매일매일 얼마나 행복한지 즐거운 목소리로 자주 말하곤 했다. 그럴 때면 폴리는 의심 가득한 목소리로 이렇게 답했다.

"그래, 잘됐구나, 폴리애나. 나도 물론 네가 행복한 것에 감사하고 있다. 하지만 그와 더불어 네 하루하루가 유익했다고 믿는다. 그렇지 않다면 내가 내 의무를 다하지 못한 것이 되니까."

대개는 이런 답을 들으면 폴리애나는 이모를 꼭 안고서 키스를 했다. 폴리에게는 여전히 당혹스러운 경험이었다. 그런데 어느 날 폴리애나가 반문했다. 바느질 수업 중이었다.

"그렇다면, 폴리 이모, 하루하루가 그냥 행복하기만 해서는 안 된다는 뜻인가요?"

"그래, 그런 의미야, 폴리애나."

"꼭 유익하기까지 해야 하나요?"

"당연하지."

"유익하다는 건 어떤 걸 말하나요?"

"글쎄다… 그냥, 유익한 거지. 결실이 있는 것. 누군가에게 보여줄 수 있는 무언가가 있어야겠지, 폴리애나. 넌 정말 별난 아이구나!"

"그렇다면 그냥 기뻐하는 것은 유익하지 않나요?" 폴리애나가 다소 불안한 듯 물었다.

"그래, 물론 아니야."

"저런! 그렇다면 이모는 당연히 좋아하지 않겠네요. 이모는 그 게임을 절대 하지 않을 거라는 생각이 드네요, 폴리 이모."

"게임이라고? 무슨 게임?"

"그러니까, 아빠가…." 폴리애나는 손으로 입을 막았다. "아, 아무것도 아니에요." 폴리애나가 더듬거렸다.

폴리는 이맛살을 찌푸렸다.

"오늘은 이만하자꾸나, 폴리애나." 폴리가 퉁명스럽게 말했다. 그렇게 바느질 수업이 끝났다.

오후가 되었을 때 다락방에서 내려오던 폴리애나가 층계에서 폴리와 마주쳤다.

"어머, 폴리 이모, 정말 기뻐요!" 폴리애나가 큰 소리로 말했다. "이모가 저를 보러 오시다니! 어서 오세요. 저는 누군가와 함께 있는 게 좋아요." 폴리애나는 말을 마치고 다시 계단을 뛰어 올라가 다락방 문을 활짝 열었다.

그런데 폴리는 조카를 보러 다락에 올라간 것이 아니었다. 다락 동쪽 창문 근처에 둔 삼나무 상자에서 하얀 양털 숄을 꺼내려던 것이었다. 하지만 놀랄 사이도 없이 어느새 삼나무 상자 앞이 아닌 폴리애나의 작은 방에 있는 딱딱한 의자에 앉아 있었다. 폴리애나가 온 뒤로 폴리는 이런 놀라운 일을 많이, 너무도 많이 겪었다. 전혀 예상치 못한, 자신이 계획한 것과는 사뭇 다른 행동을 하는 일이 자주 생겼다.

"누군가가 찾아오면 기분이 좋아요." 폴리애나는 마치 궁전으로 안내하는 사람처럼 사뿐사뿐 돌아다녔다. "이 방이 생긴 뒤로는 더 그래요. 내 방이니까요. 아, 물론 늘 제 방이 있기는 했지만 셋방이었거든요. 셋방은 진짜 자기 것인 방만큼 좋지는 않잖아요, 그렇지 않아요? 그리고 이 방은 진짜 제 거 맞죠, 그렇죠?"

"그, 그래, 폴리애나." 폴리는 중얼거리면서도 자신이 왜 당장 자리에서 일어나 숄을 찾으러 가지 않는지 의아해하고 있었다.

"그리고 물론 지금은 이 방이 정말 좋아요. 제가 원했던 것과는 달리 융단도 깔려 있지 않고, 커튼도 달려 있지 않고, 그림도 걸려 있지 않지만…." 얼굴이 빨개진 폴리애나가 말을 멈췄다. 얼른 다른 이야기를 하기 시작했지만 폴리가 집요하게 물었다.

"그게 무슨 말이지, 폴리애나?"

"아, 아무것도 아니에요, 폴리 이모. 진짜예요. 그런 말을 하는 게 아니었어요."

"그럴지도 모르지." 폴리가 차갑게 말했다. "하지만 이미 시작했잖니. 어디, 나머지도 들어보자꾸나."

"하지만 정말 아무것도 아니에요. 단지, 그러니까, 원래는 예쁜 융단이랑 레이스 커튼 같은 걸 기대했다는 것뿐이에요. 하지만 물론…."

"기대했다고!" 폴리가 날카로운 목소리로 끼어들었다.

폴리애나의 얼굴이 더 시뻘겋게 달아올랐다.

"물론 그래서는 안 되는 거였어요, 폴리 이모." 폴리애나가 사과했다. "그냥 언제나 그런 걸 원했지만, 가져본 적이 없거든요. 그래서 그런 생각을 했을 거예요. 아, 기부함을 통해 깔개 두 개를 얻기는 했어요. 다만, 그게, 그러니까… 하나에는 잉크 얼룩이 있었고, 다른 하나는 구멍이 잔뜩 나 있었어요. 그리고 그림도 두 개밖에 없었어요. 하나는 아빠… 그러니까 좋은 그림은 팔았고, 나쁜 그림은 부서졌어요. 그런 일이 없었다면 그런 것들을 원하지 않았을 거예요. 그러니까 예쁜 것들을요. 첫날 이 집에서 복도를 지나가는 내내 제 방이 얼마나 예쁠지 기대하지도 않았겠죠. 그리고, 그리고…. 하지만 폴리 이모, 진짜로 그런 기대를 한 건 1분 정도에 불과했어요. 아니다, 몇 분 정도였을 거예요. 그 뒤로는 서랍장에 거울이 달리지 않은 걸 기뻐했어요. 제 얼굴을 뒤덮은 주근깨를 보지 않아도 되니까요. 그리고 저 창문 밖 풍경보다 더 훌륭한 그림도 없고요. 그리고 이모가 정말, 정말 잘해주셨으니까….”

폴리가 갑자기 일어섰다. 얼굴이 아주 빨개져 있었다.

“이제 그만 됐다, 폴리애나.” 폴리가 퉁명스럽게 말했다. “이미 하고 싶은 말은 다 했을 거라고 믿는다.” 다음 순간 폴리는 계단을 서둘러 내려갔다. 1층에 도착해서야 애초에 다락에 올라간 목적이 기억났다. 다락 동쪽 창 근처에 놓인 삼나무 상자에 든 하얀 양털 숄을 찾으러 갔었는데.

그로부터 스물네 시간이 채 지나기도 전에 폴리는 낸시를 불러 또박또박 말했다.

“낸시, 오늘 오전 중으로 폴리애나의 물건을 그 바로 아래층에 있는 방으로 옮기도록 해. 앞으로는 폴리애나가 그곳에서 지내도 괜찮을 것 같아.”

"예, 마님." 낸시가 큰 소리로 답했다.

속으로는 '아, 감사합니다!'라고 외치고 있었다.

1분 뒤 낸시는 한껏 들떠서 폴리애나에게 이렇게 전했다.

"폴리애나 아가씨, 제 말 좀 들어보세요. 앞으로는 이 방 바로 아래에 있는 방에서 지내래요. 정말이에요!"

폴리애나의 얼굴이 하얗게 질렸다.

"그게 무슨… 어머, 낸시. 설마 진짜로… 정말이에요?"

"아가씨도 이미 진짜로, 정말이라고 생각하고 있잖아요." 낸시가 옷장에서 원피스들을 꺼내 두 팔 가득 안고서는 그 너머로 폴리애나에게 고개를 끄덕이면서 의기양양하게 말했다. "아가씨 물건을 아래층 방으로 옮기라고 했어요. 그러니 마님 마음이 바뀌기 전에 얼른 옮기려고요."

폴리애나는 이 마지막 문장을 듣지 못했다. 한 번에 두 계단씩 건너 뛰어가며 굴러떨어지다시피 아래층으로 내려가고 있었기 때문이다.

문 두 개를 쾅 소리를 내며 열어젖히고 의자 하나를 넘어뜨린 뒤에야 폴리애나는 목표 지점에 도달할 수 있었다. 바로 폴리의 앞이었다.

"아, 폴리 이모, 폴리 이모, 정말이세요? 하지만 그 방은 모든 것을 갖췄잖아요. 융단이랑 커튼이 있고, 그림도 세 개나 걸려 있어요. 바깥 풍경 그림도 있고요. 위층이랑 똑같은 방향으로 창문이 나 있으니까요. 폴리 이모!"

"그래, 잘 알았다, 폴리애나. 네가 그 방을 좋아한다니 다행이구

나. 하지만 그 모든 것이 그렇게 소중하다면 그만큼 조심히 다룰 것이라고 믿는다. 폴리애나, 그 의자를 일으켜 세우렴. 그리고 1분도 되지 않는 시간 동안 문을 두 개나 요란하게 열어젖히더구나." 폴리가 엄하게 말했다. 평소보다 더 엄하게 말했다. 왜냐하면 이유는 알 수 없었지만 어쩐지 울고 싶은 기분이 들었기 때문이다. 폴리는 그런 기분이 익숙하지 않았다.

폴리애나는 의자를 도로 세웠다.

"네, 이모. 세게 열었다는 거 알아요. 그러니까 문들을요." 폴리애나가 즐거운 목소리로 선뜻 인정했다. "그게 방에 대한 이야기를 막 들은 참이었고, 이모가 저라도 그랬을…." 폴리애나가 갑자기 말을 멈추고는 호기심 어린 눈으로 이모를 바라봤다. "폴리 이모, 이모는 문을 쾅 소리가 나도록 활짝 열어젖힌 적이 한 번도 없나요?"

"글쎄다… 어, 없었겠지, 폴리애나!" 폴리는 충격을 받은 듯했다.

"폴리 이모, 정말 안됐어요!" 폴리애나의 얼굴이 걱정과 동정심으로 가득했다.

"안됐다고!" 폴리는 머리가 혼란스러워 이렇게 말할 수밖에 없었다.

"네, 그럼요. 그게, 문을 활짝 열어젖히고 싶은 기분이 들 때는 그렇게 안 할 수가 없거든요. 그러지 않았다는 건 그렇게까지 기쁜 일이 아직 없었다는 거잖아요. 있었다면 문을 세차게 열었을 테니까요. 안 그러고는 못 배겼을걸요. 이모에게 지금껏 그럴 만큼 기쁜 일이 없었다니 정말 안타까워요!"

“폴리애나!” 폴리가 깜짝 놀라 외쳤지만 폴리애나는 이미 방을 나가고 없었다. 저 멀리 다락 계단 입구 문이 쾅 하고 열리는 소리가 대신 답했다. 폴리애나는 낸시가 ‘자신의 물건’을 옮기는 것을 도우려고 다락방까지 한달음에 뛰어 올라갔다.

거실에서 폴리는 어쩐지 머릿속이 복잡했다. 왜냐하면 그녀에게도 그럴 만큼 기쁜 일들이 있었던 적이 있으니까.

11장

지미를 소개하다

8월이 되었다. 8월에는 몇몇 놀라운 일과 함께 변화가 있었다. 하지만 낸시는 그 어떤 일에도 놀라지 않았다. 폴리애나가 온 뒤로 낸시는 오히려 놀라운 일과 변화를 기다리게 되었다.

시작은 새끼 고양이였다.

폴리애나는 저택에서 조금 떨어진 길에서 애처롭게 울고 있는 새끼 고양이를 발견했다. 이웃집을 차례차례 돌며 물었지만 고양이의 주인을 찾지 못했다. 폴리애나는 당연하다는 듯 곧장 고양이를 집으로 데리고 왔다.

"그리고 주인을 찾지 못한 게 기쁘기도 해요." 폴리애나는 행복해하며 이모에게 당당하게 말했다. "왜냐하면 내내 집에 데려오고 싶었거든요. 저는 새끼 고양이를 무척 좋아해요. 이모도 얘가 여기서 살게 돼서 기뻐할 거라고 생각했어요."

폴리애나의 팔에는 작고 볼품없는 회색 털 뭉치가 안겨 있었고 폴리는 그 버림받은 골칫덩어리를 보면서 몸을 부르르 떨었다. 폴리는 고양이를 좋아하지 않았다. 아주 귀엽고 건강하고 깨끗한 고양이조차도 싫어했다.

"윽, 폴리애나! 정말 더러운 짐승이구나! 게다가 분명 병들었겠지. 털도 더럽고 이도 있을 거야!"

"네, 맞아요. 가엾은 것." 폴리애나가 부드럽게 속삭이면서 작은 생명체의 겁먹은 눈을 바라봤다. "게다가 이렇게 떨고 있어요. 잔뜩 겁먹은 거겠죠. 당연해요. 그게, 얘는 우리가 돌봐줄 거라는 걸 아직 모르잖아요."

"아무도 그런 말을 하지 않았으니까." 폴리가 쏘아붙였다.

"아니에요, 제가 말했어요." 폴리애나가 이모의 말을 곧이곧대로 해석하고는 고개를 끄덕이며 말했다. "주인을 찾지 못하면 우리가 돌볼 거라고 모두에게 말했거든요. 이모도 당연히 키우고 싶어할 테니까요. 불쌍한 아기 고양이야!"

폴리가 입을 열고 말하려고 했지만 아무 말도 나오지 않았다. 폴리애나가 온 뒤로 자주 느낀 그 알 수 없는 무력감이 또다시 밀려들었다.

"당연하잖아요." 폴리애나가 서둘러 감사를 표했다. "저도 거둬주신 이모인데 이렇게 작고 약한 새끼 고양이를 내칠 리가 없잖아요. 포드 부인이 과연 이모가 새끼 고양이를 키우는 걸 허락하겠느냐고 물었을 때도 그렇게 말했어요. 생각해보면 제게는 부녀회라도 있었잖아요. 이 새끼 고양이에게는 아무도 없어요. 그러니 당연히 허락하실 거라고 생각했어요." 폴리애나는 기쁜 듯 고개를 끄덕이고는 거실을 나갔다.

"하지만 폴리애나, 폴리애나." 폴리가 폴리애나를 불러세웠다. "나는…." 그러나 폴리애나는 이미 부엌으로 가 낸시에게 이렇게 말하고 있었다.

"낸시, 낸시. 이 작고 사랑스러운 새끼 고양이를 좀 봐요. 이모가 저뿐 아니라 이 새끼 고양이도 키워주실 거예요." 고양이라면 질색하는 폴리는 거실에서 절망에 빠져 한숨을 내쉬면서 의자에 도로 앉았다. 반대해도 소용없을 거라는 생각이 들었다.

그다음 날에는 개를 들였다. 새끼 고양이보다도 더 더러운 데다가 더 딱한 사연을 지니고 있기도 했다. 폴리는 또다시 정신이 혼미해진 사이에 자상한 보호자이자 자비를 베푸는 천사가 되었다. 폴리애나가 아무런 망설임 없이 폴리에게 부여한 역할이었다. 폴리는 고양이라면 딱 질색이었고 심지어 개는 고양이보다 더 싫어했다. 그런데 지난번과 마찬가지로 전혀 반대하지 못했다.

그로부터 일주일도 채 지나지 않아 폴리애나가 넝마를 걸친 작은 남자애를 데리고 와서 그 아이도 자신과 마찬가지로 받아달라고 요청했을 때는 마침내 폴리도 말하고야 말았다. 그 사건은 이렇게 시작됐다.

화창한 목요일 아침 폴리애나는 스노 부인에게 족편을 가져다 드렸다. 스노 부인과 폴리애나는 이제 세상에서 둘도 없는 친구 사이였다. 이 둘의 우정은 폴리애나가 스노 부인에게 게임에 대해 설명한 다음에 방문했을 때, 즉 스노 부인을 세 번째로 방문한 날부터 싹텄다. 스노 부인도 이제 폴리애나와 함께 게임에 참여하고 있었다. 물론 게임 실력은 아직 형편없었다. 워낙 오랫동안 모든 것에 불만을 품는 데 익숙해져 있던 터라 이제 와서 뭔가 기뻐할 만한 것을 찾는 일이 쉽지 않았다. 하지만 폴리애나가 늘 즐겁게 이끌어주었고 스노 부인이 실수해도 쾌활하게 웃어넘겼기 때문에 스노 부인의 실력은 하루가 다르게 늘었다. 심지어 그날은 폴리애나가 족편을 가져와서 기쁘다고 말해 폴리애나를 아주 뿌듯하게 했다. 마침 그게 먹고 싶었기 때문이라고 말했는데, 실은 목사 부인이 이미 그날 오전에 족편을 한 접시 가득 담아서 가져왔다고 밀리가 현관에서 폴리애나에게 귀띔해놓았던 것이다. 스노 부인은 폴리애나가 그 사실을 안다는 것을 몰랐다.

폴리애나가 그 일을 곱씹으며 걷고 있는데 문득 한 남자아이가 눈에 들어왔다.

소년은 슬픈 표정으로 길가에 몸을 잔뜩 웅크리고 앉아서 작은 막대기를 아무렇게나 깎고 있었다.

"안녕." 폴리애나가 친절한 목소리로 웃으며 말했다.

소년은 고개를 들었지만 곧 외면했다.

"너나 안녕하든지." 아이가 중얼거렸다.

폴리애나가 큰 소리로 웃었다.

"지금 너는 족편을 줘도 기뻐하지 않을 것처럼 보이네." 폴리애나가 쿡쿡 웃으며 소년 앞에 섰다.

소년은 불안한 듯 움직이며 놀란 눈으로 폴리애나를 쳐다봤다. 하지만 무딘 데다가 이가 나간 칼로 막대기를 깎는 일에 다시 집중했다.

폴리애나는 잠시 머뭇거리다가 소년 옆의 잔디 위에 편한 자세로 앉았다. "부녀회 아주머니들에게 익숙하다"거나 "개의치 않는다"고 주장했지만 또래 친구가 없다는 사실에 가끔씩 아쉬운 마음이 들어 한숨을 쉬곤 했다. 그래서 이 소년과 잘 지내보겠다고 굳게 결심했다.

"내 이름은 폴리애나 휘티어야." 폴리애나가 밝게 말했다. "너는 이름이 뭐야?"

소년은 여전히 불안한 듯 주춤주춤 일어서려다가 도로 주저앉았다.

"지미 빈." 소년이 무심하게 툭 내뱉었다.

"좋아! 이제 서로 소개가 끝났네. 네가 이름을 말해줘서 기뻐. 그게, 어떤 사람들은 말해주지 않거든. 나는 폴리 해링턴의 집에서 살아. 너는 어디 살아?"

"아무 데도 안 살아."

"아무 데도 안 산다고? 어머, 그럴 리가. 누구나 어딘가에는 사는걸." 폴리애나가 주장했다.

"그렇지만 나는 그런 곳이 없어. 적어도 지금은. 지낼 만한 곳을 봐두기는 했어."

"거기가 어딘데?" 소년은 못마땅하다는 듯 폴리애나를 쳐다봤다.

"바보야! 그런 곳을 봐뒀을 리가 없잖아. 그런 곳이 있으면 그냥 거기서 살겠지!"

폴리애나는 고개를 갸우뚱했다. 착한 아이는 아닌 것 같았다. '바보' 소리를 들은 것에 기분이 나빠졌다. 하지만 소년이 어른이 아닌 아이라는 점이 중요했다.

"그럼 전에는 어디서 살았는데?" 폴리애나가 물었다.

"참 궁금한 것도 많네, 웬 질문이 그렇게 많아!" 소년이 귀찮은 듯 한숨을 내쉬었다.

"그럴 수밖에 없잖아." 폴리애나가 침착하게 대꾸했다. "안 그러면 너에 대해 아무것도 알아낼 수가 없잖아. 네가 이야기를 좀 더 하면 내가 이렇게까지 묻지 않아도 될 텐데."

소년이 짤막하게 웃었다. 부끄러워하는 기색이었지만 딱히 웃으려고 한 것은 아닌 것 같았다. 하지만 다시 입을 연 소년의 표정이 다소 부드러워졌다.

"알았어. 그럼 이야기하지! 나는 지미 빈이고 열 살이야. 곧 열한 살이 돼. 작년에 이곳 고아원에 왔어. 하지만 아이들이 너무 많아서 내가 있을 자리가 없었고, 어쨌거나 나를 원하지 않는 건 분명했어. 그래서 나왔어. 다른 데 가서 살려고. 아직 마땅한 곳을 찾지는 못했어. 집이었으면 좋겠어. 그러니까, 그냥 남들 같은 집. 원장님이 아닌 엄마가 있는 곳. 집이 있으면 돌봐주는 어른도 있잖아. 나는 꽤 오래전부터 그렇게 돌봐주는 어른이 없었어. 아빠가 죽은 뒤로는 쭉. 그래서 집을 찾아다니는 거야. 실은 집을 찾아서 네 군데나 돌아다녔어. 하지만 날 원하는 집이 없었어. 물론, 나는 일을 하겠다고 했어. 자! 이제 궁금한 게 다 해결됐니?" 마지막 두 문장에서는 소년의 목소리가 살짝 갈라졌다.

"어머, 그거 정말 안됐네!" 폴리애나가 위로하듯 말했다. "게다가 너를 원하는 사람이 아무도 없었다고? 저런! 그 기분 나도 알아.

왜냐하면 나도, 나도 아빠가 돌아가셨거든. 부녀회 외에는 기댈 곳이 없었어. 그러다 폴리 이모가 받아주겠다고….” 폴리애나가 갑자기 말을 멈췄다. 폴리애나의 표정에서 아주 멋진 아이디어가 떠올랐다는 것을 알 수 있었다.

“네게 딱 맞는 곳을 알아.” 폴리애나가 큰 소리로 말했다. “폴리 이모가 너를 받아줄 거야. 분명 그럴 거야! 나도 받아주셨잖아. 게다가 플러피랑 버피도 받아주셨고. 아무도 사랑해줄 사람이 없고, 갈 곳도 없는 애들을. 게다가 걔들은 고양이랑 개였는걸. 자, 어서 가자. 폴리 이모가 받아주실 거야! 정말 마음이 따뜻하고 상냥한 분이셔!”

지미 빈의 작은 얼굴이 환해졌다.

“맹세할 수 있어? 진짜로 그럴까? 그러니까, 나는 일도 할 수 있거든. 나 힘이 아주 세!” 지미가 옷을 걷어 가냘픈 팔을 보여주었다.

“물론이지! 우리 이모는 세상에서 제일 착한 분이거든. 그게, 우리 엄마는 하늘나라로 올라가서 천사가 되셨으니까. 그리고 방도 있어. 엄청 많아.” 폴리애나가 벌떡 일어나 지미의 팔을 잡아끌며 계속 말했다. “엄청나게 큰 집이거든. 하지만 어쩌면….” 지미와 함께 서둘러 걸으면서 폴리애나가 조금 걱정되는 듯 덧붙였다. “어쩌면 다락방에서 자야 할지도 몰라. 나도 처음에는 그랬거든. 하지만 이제는 방충망을 달았으니까 그렇게 덥진 않을 거야. 파리도 못 들어올 거고. 다리에 세균을 달고 다닌다잖아. 넌 알고 있었니? 정말 멋지지 않니? 네가 착하게 굴면 이모가 네게도 책자를 읽게 해주실지도 몰라. 아, 그러니까 착하게 굴지 않으면 그럴 거라는 거야. 게다가 너도 주근깨가 있구나.” 폴리애나가 꼼꼼하게 살폈다. “그러니까 너도 거울이 없다는 게 기쁠 거야. 그리고 바깥 풍경 그림은 벽에 걸린 그 어떤 그림보다도 훌륭하니까 그 방에서 지내도 전혀 싫지 않을 거야. 분명히 그럴 거야." 폴리애나가 헐떡이며 말했다. 문득 말하는 것 외에도 들이마신 공기를 다른 데 써야 한다는 것을 깨달은 듯했다.

"맙소사!" 지미 빈이 탄성을 질렀다. 폴리애나의 말이 다 이해되지는 않았지만 감탄하고 있었다. "너처럼 그렇게 쉴 새 없이 말하는 사람은 본 적이 없는 것 같아. 그렇게 말할 수 있으면 시간을 때우려고 질문 따위를 하는 일은 없겠다!"

폴리애나가 웃었다.

"뭐, 어쨌든 내가 이렇게 수다스러운 걸 기뻐하라고." 폴리애나가 맞받아쳤다. "내가 말하는 한 너는 말하지 않아도 되잖아!"

해링턴 저택에 도착한 폴리애나는 곧장 함께 온 손님을 이모 앞에 데려갔고 그 손님을 본 폴리는 당황했다.

"아, 폴리 이모." 폴리애나가 자랑스럽게 말했다. "여기 좀 보세요! 훨씬 더 좋은 걸 찾았어요. 플러피나 버피보다 키우기가 훨씬 더 좋을 거예요. 살아 있는 진짜 남자아이니까요. 다락방에서 지내도 괜찮대요. 그러니까, 처음에는요. 일도 할 수 있대요. 하지만 저랑 놀 시간도 많았으면 좋겠어요."

폴리의 얼굴이 하얗게 질렸다가 다시 시뻘겋게 달아올랐다. 무슨 일이 벌어지고 있는지 확실히는 몰랐지만 필요한 만큼은 알아들었다.

"폴리애나, 이게 무슨 짓이지? 이 더러운 아이는 누구니? 어디서 만난 거야?" 폴리가 앙칼진 목소리로 물었다.

'더러운 아이'는 한 발짝 뒤로 물러서고는 문 쪽으로 고개를 돌렸다. 폴리애나는 명랑하게 웃었다.

"아, 그러고 보니 이 아이의 이름을 말하는 걸 깜빡했네요! 저도 그 아저씨만큼이나 심각하네요. 그리고 더럽긴 해요, 그렇죠? 그러니까, 이 아이도 플러피나 버피를 데려왔을 때랑 똑같다고요. 하지만 씻으면 금방 깨끗해질 거예요. 플러피랑 버피도 그랬으니까요. 그리고… 아, 또 깜빡했네요." 폴리애나가 웃음을 터뜨렸다. "얘는 지미 빈이에요, 폴리 이모."

"그런데 여기에 왜 온 거지?"

"참, 이모도. 제가 말씀드렸잖아요!" 폴리애나는 놀란 나머지 두 눈이 휘둥그레졌다. "이모랑 함께 살려고 왔죠. 여기 데려온 건 여기서 살면 되니까요. 집이랑 돌봐줄 어른을 찾고 있대요. 그래서 이모가 제게 얼마나 잘해주셨는지 말했어요. 플러피랑 버피에게도 잘해주셨다고요. 그리고 이모가 당연히 이 아이도 받아주실 테니까요. 이 아이는 고양이나 개보다도 더 좋잖아요."

폴리가 의자에 털썩 주저앉아 떨리는 손으로 목을 잡았다. 익숙한 무기력함이 다시금 밀려오고 있었다. 하지만 애써 정신을 차리고 몸을 꼿꼿이 세웠다.

"이제 됐다, 폴리애나. 이번에야말로 정말 어리석은 일을 저질렀구나. 길고양이와 더러운 개로도 모자라 이제는 거리에서 굴러다니던 꼬마 거지까지 집에 데려와야 했니? 이 아이는…"

소년이 갑자기 움직였다. 소년의 눈은 이글거렸고 고개는 빳빳하게 들려 있었다. 말랐지만 튼튼한 다리로 성큼성큼 앞으로 다가온 소년은 겁먹지 않고 폴리를 똑바로 쳐다봤다.

“저는 거지가 아니에요. 그리고 당신에게 아무것도 바라지 않아요. 물론 일할 생각은 있어요. 제 밥값은 할 생각이니까요. 어쨌거나 이 여자애가 고집을 부리지 않았으면 이런 낡은 집에 오지 않았을 거예요. 당신이 아주 착하고 친절하고 저를 돌보고 싶어 안달할 거라고 내내 말했거든요. 그러니까, 됐어요!” 말을 마친 소년은 홱 돌아서서 당당하게 방에서 나가버렸다. 하도 당당해서 불쌍해 보이지 않았다면 터무니없어 보일 정도였다.

“폴리 이모.” 폴리애나가 울먹였다. “저는 저 아이가 집에 오면 이모가 기뻐할 거라고 생각했어요! 정말이에요, 당연히 기뻐할 거라고….”

폴리는 엄한 표정으로 손을 들어 침묵하라고 손짓했다. 마침내 폴리의 인내심이 한계에 다다랐다. 소년의 ‘착하고 친절하고’라는 말이 여전히 귓가에 맴돌았다. 무기력함이 다시 그녀를 뒤덮고 있었다. 하지만 마지막 남은 의지를 짜내 그 무기력함에 맞섰다.

“폴리애나.” 폴리가 날카롭게 말했다. “그 지겨운 ‘기쁘다’는 소리 좀 그만해! 이것도 ‘기쁘다’, 저것도 ‘기쁘다’, 아침부터 밤까지 그 ‘기쁘다’ 소리에 정신이 나갈 지경이구나!”

엄청난 충격을 받은 폴리애나의 입이 쩍 벌어졌다.

“하지만, 폴리 이모.” 소녀의 호흡이 가빠졌다. “제가 기뻐하는 것을 기뻐하실 거라고…. 아!” 폴리애나는 말을 끝맺지 못하고 손으로 입을 가린 채 방에서 뛰쳐나갔다.

소년이 저택 대문을 완전히 벗어나기 전에 폴리애나가 나타났다.

"저기, 얘! 지미 빈, 제발 알아줘. 정말, 정말 미안해." 폴리애나가 숨을 헐떡이며 소년을 붙잡았다.

"미안할 것 없어. 네 잘못이 아니야." 소년이 퉁명스럽게 말했다. "하지만 나는 거지가 아니야!" 소년은 갑자기 열을 내며 덧붙였다.

"당연히 아니지! 하지만 이모를 미워하지는 마." 폴리애나가 애원했다. "아마도 내가 뭔가 소개를 잘못한 걸 거야. 그리고 네가 누구인지도 제대로 설명하지 않았으니까. 이모는 정말로 착하고 친절해, 진짜야. 늘 그랬는걸. 그러니까 아마도 내가 제대로 설명하지 않은 게 문제일 거야. 어쨌든 네가 지낼 곳을 찾으면 좋겠는데!"

소년은 어깨를 으쓱하고 다시 가던 길로 몸을 돌렸다.

"신경 쓰지 마. 내가 찾으면 되니까. 어쨌든 나는 거지가 아니야, 알았어?"

폴리애나가 이마를 찡그리며 생각에 잠기더니 곧 환한 얼굴로 지미를 바라봤다.

"아, 그럼 나는 이렇게 할게! 오늘 오후에 부녀회 모임이 있어. 폴리 이모가 말하는 걸 들었어. 부녀회에 가서 네 이야기를 할게. 우리 아빠는 언제나 그렇게 했어. 뭐든 필요한 게 있을 때는 부녀회에 말했어. 이교도에게 전도해야 하거나 새 융단이 필요하거나, 그럴 때."

소년이 화난 얼굴로 돌아보았다.

"하지만 나는 이교도도 아니고, 새 융단도 아니야. 게다가…. 그런데 부녀회는 또 뭐야?"

폴리애나는 믿을 수 없다는 눈으로 소년을 바라봤다.

"어머, 지미 빈. 도대체 어디서 자란 거야? 어떻게 부녀회를 모를 수 있지!"

"아, 그래. 관둬." 소년은 중얼거리면서 더는 볼일 없다는 듯 돌아서서 다시 가던 길을 갔다.

폴리애나는 곧장 소년의 곁으로 달려갔다.

"그러니까, 그게, 뭐라고 하지, 그냥 아주머니들이 만나서 바느질도 하고 점심도 먹고 모금 활동도 하고, 또, 또…. 이야기도 해. 그게 부녀회야. 다들 아주 친절해. 그러니까, 내가 고향에서 만난 부녀회 아주머니들은 대부분 그랬어. 이곳 부녀회에는 아직 가보지 못했지만 분명히 다들 좋은 분들일 거야. 오늘 오후에 부녀회에 가서 네 이야기를 할게."

소년은 또 한 번 화내며 돌아보았다.

"어림도 없어! 너를 따라 아줌마들이 잔뜩 모인 곳에 가서 나를 거지라고 부르는 소리를 들으라고? 한 명으로도 충분했다고! 절대 안 해!"

"아, 하지만 너는 없어도 돼." 폴리애나가 얼른 달랬다. "나 혼자 가서 말해도 충분해."

"정말?"

"그럼. 그리고 이번에는 설명을 더 잘해볼게." 폴리애나가 재빨리 말하면서 소년의 화가 누그러졌는지 기색을 흘깃 살폈다. "그리고 분명 누군가가 나설 거야. 기뻐하며 네게 집을 제공할 누군가가 있을 거라고 믿어."

"나는 일도 할 거야. 잊지 말고 꼭 전해." 소년이 다짐했다.

"물론이야, 잊지 않을게." 드디어 소년의 마음을 돌렸다는 생각에 폴리애나가 기뻐하며 약속했다. "어떻게 됐는지 내일 알려줄게."

"어디서?"

"길가에서. 오늘 우리가 만난 곳에서. 스노 부인 댁 근처였지."

"알았어. 거기에 있을게." 소년은 잠시 말을 멈추었다가 천천히 입을 열었다. "아마 오늘은 돌아가는 게 나을지도 모르겠다. 오늘 밤만은 고아원에서 보낼게. 실은 달리 갈 곳도 없고. 그리고, 그리고 오늘 아침에 나온 거라서. 몰래 나왔어. 돌아오지 않을 거라는 말을 하지 않았어. 아니면 못 가게 할 테니까. 하지만 지금 생각해보면 내가 한동안 나타나지 않아도 아무도 걱정하지 않을 것 같긴 해. 나를 돌봐주는 어른은 없으니까. 나한테 관심조차 없어!"

"그래." 폴리애나가 다 안다는 눈빛을 하고는 고개를 끄덕였다. "하지만 내일 너랑 만날 때쯤이면 평범한 가정과 기꺼이 관심을 가지고 돌봐주는 어른이 생길 거야. 안녕!" 폴리애나는 밝게 말하고 돌아서서 집으로 갔다.

거실 창가에서는 폴리가 두 아이를 지켜보고 있었다. 그리고 소년이 굽은 길을 따라 사라질 때까지 침울한 눈으로 계속 바라봤다. 소년이 더 이상 보이지 않게 되었을 때 폴리는 한숨을 내쉬고는 돌아서서 축 처진 발걸음으로 계단을 올라갔다. 귀에는 원망하는 듯한 소년의 목소리가 여전히 들렸다. "당신이 아주 착하고 친절하고…." 왠지 모르게 가슴 한구석이 휑한 느낌이 들었다. 마치 무언가를 잃어버린 것처럼.

12장
부녀회 모임에서

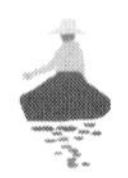

해링턴 저택에서는 점심을 정오에 먹었는데 부녀회 모임이 있던 날 점심은 침묵 속에 지나갔다. 물론 폴리애나는 이야기를 하려고 애썼다. 하지만 잘되지 않았다. 무엇보다 이야기하던 중에 '기쁘다'는 단어가 튀어나와서 얼굴을 붉히며 당황하는 바람에 네 번이나 말을 멈춰야 했기 때문이다. 다섯 번째로 말을 멈췄을 때 폴리는 질렸다는 듯이 고개를 절레절레 흔들었다.

"얘야, 이제 그만하면 됐다. 쓰고 싶으면 써도 돼." 폴리가 한숨을 내쉬었다. "물론 안 하는 편이 나는 좋다만. 그게 그렇게까지 불편하다면 차라리 그냥 쓰렴."

잔뜩 구겨져 있던 폴리애나의 작은 얼굴이 곧바로 펴졌다.

"감사해요. 정말 어렵거든요. 그 말을 안 쓰는 게요. 워낙 오래전부터 하던 게임이라서요."

"오래전부터 뭘 했다고?" 폴리가 물었다.

"게임을 했다고요. 그러니까 아빠가…." 다시 한번 금지어를 쓴 폴리애나는 얼굴이 새빨개져서 말을 멈췄다.

폴리는 눈살을 찌푸렸지만 아무 말도 하지 않았다. 그 뒤로는 침묵 속에 식사를 했다.

폴리애나는 식사 후 폴리 이모가 목사 부인에게 전화를 걸어 머리가 아파서 그날 오후 부녀회 모임에 참석하지 못하겠다고 말하는 것을 들었다. 그 말을 들은 폴리애나는 안도했다. 폴리가 위층 자기 방에 들어가 문을 닫자 폴리애나는 두통을 앓는 이모를 불쌍히 여기려고 애썼다. 하지만 그날 오후에 부녀회 앞에서 지미 빈의 이야기를 할 때 이모가 없을 거라는 사실에 기뻐하지 않을 수 없었다. 폴리 이모가 지미 빈을 꼬마 거지라고 불렀던 것이 생생하게 떠올랐다. 폴리 이모가 또다시 지미 빈을 꼬마 거지라고 부르는 것을 듣고 싶지 않았다. 부녀회 앞에서는 특히나 더.

폴리애나는 부녀회가 집에서 1킬로미터도 채 떨어지지 않은 교회 옆 소예배당에서 오후 두 시에 모인다는 것을 알고 있었다. 그래서 오후 세 시가 되기 조금 전에 도착할 수 있도록 출발하기로 했다.

"부녀회 사람들이 모두 있는 자리에서 말하고 싶어." 폴리애나는 속으로 생각했다. "혹시 그 자리에 없는 사람이 실은 지미 빈에게 가정을 마련해줄 사람일 수도 있으니까. 그리고 두 시에 모인다는 말은 세 시에 모인다는 거나 마찬가지니까. 부녀회에서는."

폴리애나는 조용히, 그러나 담대하게 소예배당 계단을 올라가서 문을 열고 안으로 들어갔다. 여자들이 떠드는 소리와 웃음소리가 나지막하게 흘러나왔다. 폴리애나는 아주 잠깐 망설이다가 안쪽 문을 열었다.

한창 수다를 떨던 여자들이 깜짝 놀라 말을 멈췄다. 폴리애나는 조심스럽게 앞으로 나갔다. 막상 이야기하려니 뜻밖에도 수줍은 기분이 들었다. 어쨌든 익숙한 얼굴과 낯선 얼굴이 뒤섞인 이 무리는 고향의 부녀회가 아니었으니까.

"안녕하세요, 부녀회 여러분?" 폴리애나는 떨리는 목소리로 인사했다. "저는 폴리애나 휘티어라고 해요. 아, 아마 여러분 중에 저를 아는 분도 있을 거라고 생각해요. 어쨌든 저는 여러분을 알아요. 다만 이렇게 모두 모여 있는 걸 보는 건 처음이지만요."

이제는 침묵이 뼛속까지 느껴질 정도였다. 몇몇은 회원의 조카인 이 별난 아이를 이미 만난 적이 있었다. 거의 모두가 폴리애나에 관해 들어봤다. 하지만 그 순간에는 누구도 무슨 말을 해야 할지 알 수가 없었다.

"제, 제가 여러분 앞에 선 것은, 부탁드릴 일이 있어서예요." 잠시 뒤 폴리애나가 입을 열고 아빠가 하던 말을 떠올리며 더듬더듬 말했다.

옷자락이 바스락거리는 소리만이 들렸다.

"저기, 얘야, 네 이모가 보냈니?" 목사 아내인 포드 부인이 물었다.

폴리애나의 뺨이 살짝 붉어졌다.

"아, 아니에요. 그냥 제가 온 거예요. 그게, 저는 부녀회를 잘 알거든요. 저를 키운 게 부녀회였어요. 아빠랑 같이요."

누군가가 너무 긴장한 나머지 깔깔 웃었다. 목사 부인은 이마를 찡그렸다.

"그래, 무슨 일이지?"

"그게, 그러니까 지미 빈 일이에요." 폴리애나가 한숨을 쉬었다. "지미는 고아원 말고는 갈 곳이 없어요. 그나마 고아원에도 자리가 부족해서 지미를 원하지 않는대요, 적어도 지미는 그렇게 생각하고 있어요. 그래서 다른 곳에 가고 싶어 해요. 평범한 가정을 원하고 있어요. 원장이 아닌 엄마가 있는 그런 곳이요. 그러니까 관심을 가져주는 어른이 있는 가정이요. 지미는 지금 열 살이고 곧 열한 살이 된대요. 저는 여러분 중에 지미를 원하는 분이 있을 거라고 생각했어요. 그러니까 지미를 받아줄 분이요."

"아니, 어떻게 그런 생각을…!" 폴리애나의 말 뒤에 이어진 혼란스러운 침묵을 깨고 목소리 하나가 새어 나왔다.

폴리애나는 불안한 눈빛으로 자기 앞에 모여 있는 얼굴들을 훑어봤다.

"아, 깜빡할 뻔했네요. 지미는 일도 할 수 있다고 했어요." 폴리애나는 기대를 갖고 덧붙였다.

하지만 아무도 입을 열지 않았다. 그러다 한두 명이 냉랭한 목소리로 질문을 던지기 시작했다. 얼마 후 부녀회는 지미에 관한 모든 것을 알게 되었고 자기들끼리 시끌벅적하게 토론하기 시작했다. 그다지 훈훈한 분위기는 아니었다.

부녀회의 이야기를 들으면서 폴리애나는 점점 더 불안해졌다. 전혀 이해되지 않는 말도 있었다. 하지만 어느 정도 시간이 지나자 지미를 받아줄 사람이 한 명도 없음을 깨닫게 되었다. 그 와중에 서로 다른 누군가에게 지미를 거두도록 떠미는 듯했다. 대개 아들이 없는 집이 거론되었다. 하지만 지미를 거두겠다고 나서는 사람은 없었다. 그러다 목사 부인이 쭈뼛거리며 부녀회도 이 마을의 일원이니 올해는 머나먼 인도에 있는 아이들에게 돈을 보내는 대신 지미에게 경제적 지원을 하고 교육을 시키면 어떻겠느냐고 제안했다.

그러자 갑자기 여기저기서 이런저런 말이 쏟아져 나왔다. 몇몇이 동시에 말하는 바람에 이전보다 더 시끄러워지고 분위기가 험악해졌다. 알고 보니 부녀회는 매년 힌두교도 개종 사업에 기부하는 것으로 유명한 듯했다. 올해 기부 액수가 줄어든다면 창피해서 죽고 싶을 거라고 말하는 사람까지 있었다. 이때 오고 간 이야기를 폴리애나는 이해할 수가 없었다. 왜냐하면 마치 부녀회가 돈이 어디에 쓰이는지는 전혀 신경 쓰지 않는 것처럼 들렸기 때문이다. 부녀회가 바라는 것은 부녀회의 이름으로 기부한 돈의 총액이 어떤 '보고서'의 '목록 제일 위에 놓이는 것'인 듯했다. 그런데 그런 이야기일 리가 없지 않은가! 하지만 그래서 더 혼란스러웠고 더는 듣고 싶지 않았다. 폴리애나는 마침내 조용한 밖으로 뛰쳐나갔다. 시원한 공기를 한껏 들이마시고 나니 마음이 편안해졌지만 한편으로는 절망에 빠졌다. 왜냐하면 내일 지미에게 오늘 일을 말하기가 쉽지 않을 것이고, 더 나아가 슬플 것을 알았기 때문이다. 자기 마을에서 어린 소년을 돌볼 수 있을 정도의 금액을 따로 떼어놓기보다는 그 돈을 전부 인도의 아이들에게 보내고 싶어 한다고 말해야 한다. 안경을 쓴 키 큰 부인의 말에 따르면 '보고서에서 돋보이고 싶어서' 그렇게 해야 한다는 데, 그건 또 어떻게 설명한단 말인가?

"물론 이교도에게 돈을 보내는 것이 나쁘다는 건 아니야. 하지만 그중 일부는 이곳에다가 써도 좋을 텐데." 폴리애나가 혼잣말하며 한숨을 내쉬고는 슬픔에 잠겨 터덜터덜 길을 걸었다. "그 아주머니들은 마치 이곳의 아이들은 전혀 중요하지 않다는 듯 굴었어. 머나먼 곳에 있는 아이들에게만 신경을 썼지. 하지만 나는 그 아주머니들이 보고서 따위보다는 지미 빈이 잘 크는 것을 보고 싶어 할 거라고 생각했는데."

13장

펜들턴 숲에서

폴리애나는 교회를 나선 뒤 곧장 집으로 향하는 대신 펜들턴 힐로 발길을 옮겼다. 아주 힘든 하루였고 게다가 '휴일'(드물지만 바느질 수업이나 요리 수업이 없는 날)이었다. 폴리애나는 오늘 같은 날에는 진한 초록빛으로 물든 고요한 펜들턴 숲속을 거니는 것보다 더 위안이 되는 일도 없을 거라고 생각했다. 그래서 머리 위로 햇볕이 따갑게 내리쬐는데도 천천히 펜들턴 힐을 올라갔다.

"어쨌든 집에는 다섯 시 반까지만 도착하면 되니까." 폴리애나는 속으로 생각했다. "그리고 멀리 돌아가기는 하지만 이 숲을 통과해서 가면 기분이 훨씬 더 좋아질 거야. 언덕을 올라가야 하기는 해도."

폴리애나는 펜들턴 숲에 이미 와본 적이 있어서 이 숲이 매우 아름답다는 것을 알고 있었다. 다음 날 지미 빈에게 전해야 하는 소식 때문에 마음이 무거웠는데도 그날은 숲이 유난히 더 아름답게 느껴졌다.

"그 아주머니들이 저 위에 있었다면 좋았을 텐데. 그렇게 큰 소리로 떠들던 사람들 전부 다." 폴리애나는 햇빛을 받아 초록빛으로 반짝이는 나무 꼭대기 사이로 보이는 선명한 파란 하늘을 올려다보며 한숨을 내쉬었다. "왜냐하면 그 사람들이 저 위에 있었다면 마음이 변해서 지미 빈을 자기 아들로 삼았을 테니까, 그랬을 테니까." 폴리애나는 왜 그렇게 생각하는지 스스로에게조차 설명할 수 없었지만, 그래도 그런 확신이 들었다.

폴리애나는 문득 고개를 들고 귀를 기울였다. 어디선가 개 짖는 소리가 들렸다. 개가 계속 짖으면서 곧 자신을 향해 달려왔다.

"안녕, 개야, 안녕!" 폴리애나가 개를 향해 손가락을 튕기면서 기대에 찬 눈빛으로 그 뒤를 물끄러미 바라봤다. 전에 이 개를 한 번 본 적이 있었다. 그 아저씨, 즉 존 펜들턴 씨와 함께였다. 폴리애나는 몇 분간 두근거리는 마음으로 펜들턴 씨를 기다렸지만 펜들턴 씨는 나타나지 않았다. 그래서 개를 자세히 살펴보았다.

폴리애나가 보기에도 개의 행동이 이상했다. 개는 여전히 짖고 있었다. 경고하듯이 짧고 높은 소리로 낑낑거렸다. 개는 왔던 길을 향해 앞으로 달려갔다가 다시 돌아오기를 반복했다. 폴리애나는 개를 따라 좁은 오솔길에 다다랐다. 개는 거의 날아가다시피 오솔길 쪽으로 뛰어갔다가 곧 다시 돌아와 낑낑대면서 짖었다.

"얘, 그쪽은 너희 집으로 가는 길이 아니야." 폴리애나가 웃으면서 널찍한 산책로를 따라 계속 걸었다.

작은 개는 이제 거의 정신이 나간 듯 보였다. 앞으로 갔다가 돌아왔다가, 앞으로 갔다가 돌아왔다가. 개는 폴리애나와 오솔길 사이를 왔다 갔다 하면서 마구 짖다가 애처롭게 낑낑대기를 반복했다. 작은 갈색 몸집이 떨릴 때마다, 간절한 갈색 눈동자가 쳐다볼 때마다 분명 뭔가를 호소하는 것처럼 보였다. 그 눈빛이 하도 강렬해서 마침내 폴리애나는 개가 전하고자 하는 바를 알아챘고 개를 따라 오솔길로 들어섰다.

이제 개는 곧장 앞으로 미친 듯이 달려가고 있었다. 그리고 곧 폴리애나는 개가 왜 그렇게 안절부절못했는지 알 수 있었다. 한 남자가 오솔길에서 몇 미터 떨어진 커다란 바위 절벽 끄트머리에 쓰러져 있었다.

폴리애나가 나뭇가지를 밟는 바람에 딱 소리가 나자 남자는 고개를 들었다. 폴리애나는 화들짝 놀라 남자 곁으로 달려갔다.

"펜들턴 씨! 다치셨나요?"

"다쳤냐고? 아니, 그럴 리가. 햇빛 아래에서 일광욕을 즐기고 있었지." 남자가 짜증을 내며 비꼬았다. "도대체 네가 뭘 알기는 해? 날 도울 재주는 있어? 머리는 제대로 돌아가니?"

폴리애나는 자기도 모르게 깜짝 놀라 숨을 흡 들이마셨다. 하지만 곧 평소처럼 각각의 질문을 있는 그대로 받아들이고 답했다.

"저기, 펜들턴 씨, 제가 모르는 건 많지만, 도울 방법이 있을 거예요. 그리고 로손 부인을 제외하고는 부녀회 아주머니들 대부분이 제 머리가 꽤 잘 돌아간다고 말했어요. 언젠가 그렇게 말하는 걸 들었어요. 제가 듣고 있는 줄 모르고 한 소리였죠."

그 남자는 어색하게 웃었다.

"그래, 됐다. 내가 말이 심했구나. 내 다리가 말썽을 부렸을 뿐

이야. 부탁 하나만 하자."

남자는 말을 멈추고는 손을 힘겹게 바지 주머니에 넣어 열쇠 꾸러미를 꺼내더니 그중 하나를 들어 보였다. "저 길로 5분 정도 똑바로 가면 내 집이 나올 거야. 이 열쇠로 마차 출입구 쪽에 난 옆문으로 들어가렴. 마차 출입구가 뭔지 아니?"

"네, 알아요. 이모 집에도 있어요. 그 위에는 일광욕실이 있고요. 그 지붕에서 제가 잠을 잤어요. 그런데 잠들지는 못했어요. 들켰거든요."

"뭐? 어쨌든 집에 들어가면 전실과 복도를 가로질러 끝에 있는 문으로 곧장 가거라. 그 방 한가운데 놓인 널찍한 책상 위에 전화기가 있을 거야. 전화기는 쓸 줄 아니?"

"네, 그럼요! 게다가 한번은 이모가…."

"이모 이야기는 이따가 하렴." 그 남자가 어떻게든 움직이려고 애쓰며 나무라듯 말을 잘랐다. "거기 어딘가에 의사인 토머스 칠턴 선생의 전화번호가 적힌 전화번호부가 있을 거야. 그걸 찾아. 책상 옆에 걸려 있어야 하지만, 없을 수도 있어. 너 전화번호부가 어떻게 생겼는지는 아니?"

"네, 그럼요! 폴리 이모의 전화번호부는 정말 멋져요! 아주 이상한 이름이 많거든요, 그리고…."

"칠턴 선생에게 존 펜들턴이 펜들턴 숲 작은독수리 바위 아래에 다리가 부러진 채 쓰러져 있다고 전해라. 당장 남자 둘과 들것을 가지고 오라고. 그 정도만 말해도 알아들을 거야. 집 옆 오솔길로 오라고 하면 돼."

"다리가 부러졌다고요? 펜들턴 씨, 정말 아프겠어요!" 폴리애나가 몸을 부르르 떨었다. "하지만 제가 와서 정말 기뻐요! 제가…."

"그래, 하지만 너는 지금 아무것도 안 하고 있구나! 제발 말은 그만하고 가서 내가 시킨 대로 해." 남자가 신음을 내뱉으며 말했다. 폴리애나는 조금 울먹거리며 떠났다.

폴리애나는 햇빛을 받아 초록으로 빛나는 나무꼭대기 사이로 파란 하늘을 올려다보려고 멈추지 않았다. 서두르느라 막대기나 돌에 걸려 넘어지지 않도록 땅만 열심히 쳐다보며 걸었다.

곧 집이 보였다. 폴리애나는 전에도 그 집을 본 적이 있었다. 다만 이렇게 가까이 와본 적은 없었다. 지금 이렇게 수많은 회색 돌로 쌓아올린 커다란 집 앞에서 돌기둥으로 세운 베란다와 위압적인 출입구를 마주하니 겁이 조금 났다. 하지만 잠시 뒤 오랜 세월 동안 손질하지 않은 잔디를 가로질러 집 옆으로 돌아가 마차 출입구 쪽에 난 옆문 앞에 섰다. 열쇠를 하도 꼭 쥐어서 빳빳하게 굳은 손가락으로는 아무리 서둘러도 문이 잘 열리지 않았다. 하지만 마침내 화려하게 장식된 무거운 문이 끼익 소리를 내며 천천히 열렸다.

폴리애나는 숨이 턱 막혔다. 마음은 급했지만 잠시 멈춰 서서 전실을 통해 어두운 복도를 두려운 눈으로 살펴보는 동안 머릿속이 어지러워졌다. 여기가 존 펜들턴의 집이다. 수수께끼투성이 집. 주인 외에는 아무도 드나들지 않는 집. 어딘가에 해골이 감춰진 집. 하지만 폴리애나는 이 공포스러운 방들 옆을 홀로 지나가 의사에게 전화를 걸어야만 한다. 이 집 주인이 지금 쓰러져 있다는 사실을 알려야 한다.

폴리애나는 외마디 비명을 지르고는 오직 앞만 보면서 복도를 날아가다시피 달려가 복도 끝 문을 열었다.

그 방은 무척 넓었고 복도와 마찬가지로 짙은 색 마루와 벽 장식으로 채워져 있어 어두워 보였다. 하지만 서쪽 창문으로 해가 들어와 마루에 길쭉한 황금빛 막대 모양을 그리면서 벽난로의 녹슨 구리와 철 장식을 희미하게 비췄다. 그 빛은 방 한가운데에 있는 커다란 책상 위에 놓인 전화기의 양은장식에까지 닿아 있었다. 폴리애나는 발뒤꿈치를 들고 그 책상으로 서둘러 갔다.

전화번호부는 책상 옆에 걸려 있지 않았다. 마룻바닥에 놓여 있었다. 어쨌든 폴리애나는 전화번호부를 찾았고 떨리는 손으로 'C'를 찾은 뒤 '칠턴'의 전화번호를 발견했다. 폴리애나는 곧 전화선 너머에 있는 칠턴과 연락이 닿았고 떨리는 목소리로 메시지를 전한 뒤 굳은 목소리로 꼬치꼬치 캐묻는 의사의 질문에 모두 답했다. 통화를 마치자 폴리애나는 수화기를 내려놓고 긴 안도의 한숨을 내쉬었다.

소녀는 아주 잠깐 주변을 둘러보았다. 짙은 자줏빛 커튼, 책으로 가득 채워진 벽, 너저분한 바닥, 정리되지 않은 책상, 굳게 닫힌 무수히 많은 문(그중 하나 뒤에 해골이 감춰져 있을지도 모른다)을 혼란에 빠진 눈에 담고는 온통 먼지, 먼지, 먼지투성이인 복도를 허둥지둥 가로질러 화려하게 장식된 거대한 문의 밖으로 나왔다. 폴리애나의 등 뒤로 문이 여전히 반쯤 열려 있었다.

존 펜들턴은 자신이 부상당했으니 시간이 더디 가는 것처럼 느낄 거라고 생각했는데 폴리애나가 금세 돌아온 것 같아서 당황했다.

"왜 그러지, 뭐가 문제야? 집에 들어가지 못했니?" 펜들턴이 물었다.

폴리애나는 눈을 동그랗게 떴다.

"아니에요, 물론 들어갔어요! 그래서 여기 온 거잖아요." 폴리애나가 답했다. "집에 못 들어갔으면 어떻게 여기 올 수 있었겠어요! 그리고 의사 선생님이 가능한 한 빨리 남자들과 들것을 챙겨서 온다고 했어요. 아저씨가 어디 있는지 안다고 하셔서 의사 선생님이 오시는 걸 기다리지 않았어요. 아저씨 곁에 있고 싶었거든요."

"그렇단 말이지?" 그 남자가 멋쩍게 웃었다. "글쎄다, 네 취향에 문제가 있는 것 같은데. 함께 있기에 나는 별로 유쾌한 사람이 못 되니까."

"그러니까, 아저씨가, 아저씨가 성질이 고약하니까요?"

"솔직하게 말해주다니 고맙구나."

폴리애나가 작게 웃었다.

"하지만 아저씨는 겉으로만 고약하잖아요. 속은 전혀 달라요!"

"그렇구나… 그건 어떻게 알았지?" 남자가 몸을 움직이지 않은 채 머리의 위치를 바꾸려고 애쓰면서 물었다.

"여러 가지로 알 수 있죠. 그러니까, 아저씨가 개를 대하는 것도 그렇고요." 폴리애나가 곁에 앉은 개의 길쭉한 머리 위에 얹힌 남자의 날렵한 손을 가리키면서 덧붙였다. "개와 고양이가 사람보다 더 사람 속을 잘 안다는 게 신기하지 않나요? 자, 제가 아저씨 머리를 받칠게요." 폴리애나가 서둘러 말했다.

폴리애나의 손이 닿으면서 머리가 움직이자 남자는 몇 번 얼굴을 찡그리면서 낮은 신음을 냈다. 하지만 이전에 머리가 놓여 있던 뾰족뾰족한 바위틈보다는 폴리애나의 무릎이 훨씬 더 편하다는 것을 인정해야 했다.

"그래, 더 낫구나." 남자가 희미한 목소리로 중얼거렸다.

펜들턴은 한동안 입을 열지 않았다. 폴리애나는 그의 얼굴을 보며 혹시 잠든 것은 아닌지 궁금해졌다. 잠든 것처럼 보이지는 않았다. 아마도 신음 소리가 새어 나오지 않도록 입술을 굳게 다문 듯했다. 폴리애나는 남자의 커다랗고 튼튼해 보이는 몸이 그렇게 무기력하게 누워 있는 걸 보면서 자기도 모르게 소리를 지를 뻔했다. 남자는 멀리 뻗은 한 손으로는 주먹을 꽉 쥐고 있었다. 다른 한 손은 개의 머리 위에 힘없이 얹고 있었다. 개는 애처로운 눈길로 주인의 얼굴을 바라보면서 꼼짝하지 않고 앉아 있었다.

시간이 아주 천천히 흘러갔다. 해가 서쪽으로 조금 더 내려왔고 나무 그림자가 점차 길어졌다. 폴리애나는 숨도 거의 쉬지 않고 가만히 있었다. 새 한 마리가 잡힐 듯한 거리에 내려앉았고 나뭇가지를 타고 내려온 다람쥐의 꼬리가 폴리애나의 코 밑에 닿을락 말락했다. 다람쥐의 반짝이는 작은 눈은 계속 꼼짝 않고 앉아 있는 개를 향해 있었다.

마침내 개가 귀를 쫑긋거리면서 낮은 소리로 낑낑대다가 곧 짧고 날카로운 소리로 짖었다. 다음 순간 폴리애나의 귀에 사람 목소리가 들렸고 목소리의 주인공이 금세 모습을 드러냈다. 남자 셋이 들것과 이런저런 물품을 들고 나타났다.

키가 가장 큰 남자, 깔끔하게 면도하고 자상한 눈을 지닌 남자가 성큼성큼 다가왔다. 폴리애나가 몇 번 본 적이 있는 칠턴 의사였다.

"꼬마 아가씨, 간호사 놀이를 하나요?"

"아, 그럴 리가요." 폴리애나가 방긋 웃었다. "그냥 이 아저씨의 머리를 받치고 있는 것뿐이에요. 환자에게 줄 약도 전혀 없는걸요. 하지만 제가 여기 있어서 기뻐요."

"나도 그렇단다." 의사가 고개를 끄덕이고는 돌아서서 상처를 입은 남자에게 집중했다.

14장

그냥 족편일 뿐인데

폴리애나는 그날 존 펜들턴 때문에 저녁 식사 시간에 조금 늦었지만 다행히 혼나지 않았다.

낸시가 문 앞까지 마중을 나왔다.

"오, 제 두 눈으로 아가씨를 보는 게 이렇게 기쁠 줄이야." 긴장이 눈에 띄게 풀어진 낸시는 한숨을 내쉬었다. "벌써 여섯 시 반이라고요!"

"알아요." 폴리애나가 걱정하며 답했다. "하지만 제 탓이 아니에요. 진짜예요. 그리고 폴리 이모도 제 탓이 아니라고 할 거예요."

"그럴 일은 없어요." 낸시가 싱글싱글 웃으며 말했다. "가버렸거든요."

"가버렸다고요?" 폴리애나가 놀라 말했다. "저 때문에 떠나신 거예요?" 그 순간 원치 않은 소년, 고양이, 개에 관한 기억들이, 그리고 깜빡 잊고 자기도 모르게 튀어나오는, 이모가 듣기 싫어하는 '기쁘다'와 금지어인 '아빠'가 차례차례 폴리애나의 머릿속을 스쳐지나갔다. "제가 이모를 쫓아낸 건 아니겠죠?"

"아가씨가 그럴 힘이나 있나요?" 낸시가 코웃음을 쳤다. "마님 사촌이 갑자기 돌아가셨대요. 그래서 보스턴에 가셨어요. 아가씨가 오후에 나간 뒤에 그 전보라는 것이 왔어요. 사흘 동안은 집에 안 계실 거예요. 그러니 기뻐해도 좋을 것 같아요. 이 집이 우리 차지가 되었으니까요. 그동안에는 아가씨와 저뿐이에요. 잘됐죠?"

폴리애나는 충격을 받은 듯했다.

"기쁘다고요? 낸시, 사람이 죽었는데요?"

"하지만 저는 사람이 죽은 걸 기뻐한 게 아니에요, 폴리애나 아가씨. 저는…." 낸시가 갑자기 말을 멈췄다. 낸시의 눈이 짓궂게 반짝거렸다. "하, 폴리애나 아가씨. 이 게임에서는 아가씨가 저를 이끌어 주기로 하지 않았던가요?" 낸시가 짐짓 심각한 목소리로 말했다.

폴리애나는 난처해하며 이마를 찡그렸다.

"낸시, 어쩔 수가 없어요." 폴리애나가 고개를 절레절레 흔들며 반박했다. "이 게임을 해서는 안 되는 경우도 있지 않을까요? 분명 사람이 죽은 일도 그중 하나일 거예요. 사람이 죽었는데 기뻐할 것이 있겠어요?"

"우리가 아는 사람이 죽지 않은 걸 기뻐하면 되죠." 낸시가 나지막하게 말했다. 하지만 폴리애나는 그 소리를 듣지 못했다. 존 펜들턴 씨 사건을 말하기 시작했기 때문이다. 낸시는 어느새 입을 떡 벌리고 폴리애나의 이야기를 듣고 있었다.

다음 날 오후 폴리애나는 전날 지미 빈에게 약속한 대로 그 장소에 갔다. 부녀회가 자기보다는 인도의 아이들을 돕는 데 더 관심이 많았다는 말을 들은 지미 빈은 적잖이 실망했다.

"그게 당연한지도 모르지." 소년이 한숨을 내쉬었다. "물론 자기가 모르는 것이 언제나 더 좋게 느껴지니까. 남의 접시에 놓인 감자가 늘 더 커 보이는 것처럼. 하지만 나도 멀리 있는 누군가에게 그렇게 느껴지면 좋겠다. 인도에 있는 누군가가 마찬가지로 나를 원한다면 얼마나 좋을까?"

폴리애나가 손뼉을 쳤다.

"아, 그래! 바로 그거야, 지미! 내가 고향에 있는 내 부녀회에 너를 소개하는 편지를 쓸게. 인도는 아니고 서부지만, 그래도 여전히 아주, 아주 멀리 있으니까. 너도 나처럼 그곳에서 여기까지 왔다면 얼마나 먼지 알 거야."

지미의 얼굴이 환해졌다.

"정말, 정말로, 누군가가 나를 받아줄까?"

"물론이지! 인도에서 아이를 데려와서 키우기도 하잖아. 그렇다면 이번에는 네가 인도에서 온 아이 역할을 하면 되지. 너도 충분히 멀리서 오는 셈일 테니까 보고서에 실을 수 있지 않을까? 조금만 기다려줘. 내가 편지를 쓸 테니까. 화이트 부인에게 보내야지. 아니다, 존스 부인에게 보내야겠다. 화이트 부인이 돈은 가장 많지만 존스 부인이 기부를 더 많이 하거든. 그런데 그런 걸 보면 참 이상하다는 생각이 들지 않니? 하지만 어쨌든 부녀회에 너를 받아줄 사람이 있을 거야."

"좋아. 하지만 내 밥값을 할 정도로 일할 수 있다는 점을 잊지 말고 꼭 적어, 알았지?" 지미가 강조했다. "나는 거지가 아니야. 그리고 거래는 거래니까. 부녀회라고 해도 그래야 한다고 생각해." 지미는 잠시 머뭇거리더니 이렇게 덧붙였다. "그리고 그동안에는 잠시나마 원래 있던 곳에서 지내야겠다. 네가 답장을 받기 전까지는."

"좋아." 폴리애나가 고개를 크게 끄덕였다.

"그래야 내가 너를 찾기 쉬울 테니까. 그리고 분명히 받아줄 사람이 나타날 거야. 그럴 정도로 아주 멀리 있으니까. 폴리 이모도…. 그렇구나!" 폴리애나가 갑자기 말을 멈췄다. "나도 폴리 이모에게는 인도에서 온 여자애인 셈이었구나, 맞지?"

"글쎄, 어쨌든 내가 만난 아이들 중에서 네가 제일 이상한 것만은 확실해." 지미는 씩 웃더니 돌아서서 갔다.

펜들턴 숲 사건이 있고 약 일주일이 지난 어느 날 아침, 폴리애나가 이모에게 부탁했다.

"폴리 이모, 이번 주에는 스노 부인에게 보내던 족편을 다른 사람에게 주면 안 될까요? 스노 부인도 개의치 않을 거예요. 이번 한 번만이니까."

"폴리애나, 이번에는 도대체 무슨 일을 벌이려는 거지?" 폴리가 한숨을 내쉬었다. "너는 정말로 별난 아이구나!"

폴리애나가 조금 긴장한 듯 이마를 찡그렸다.

"폴리 이모, 별나다는 게 무슨 뜻이죠? 별나면 평범할 수는 없는 건가요?"

"당연하지."

"아, 그래도 괜찮아요. 저는 제가 별난 게 기뻐요." 폴리애나가 한숨을 내쉬면서 얼굴을 폈다.

"그게, 화이트 부인이 로슨 부인이야말로 지극히 평범한 여자라고 말하곤 했거든요. 화이트 부인은 로슨 부인을 정말 싫어했어요. 둘은 늘 다퉜죠. 아빠 말에 따르면, 아니, 그러니까, 우리는 부녀회의 다른 누구보다도 그 두 사람 사이에 평화를 유지하는 게 가장 힘들었어요." 폴리애나가 고쳐 말했다. 과거에 아버지가 입 밖으로 내서는 안 된다고 명한 교회 내 다툼이라는 괴물과 현재 이모의 금지어인 '아빠'라는 괴물 사이를 요리조리 피해 다니느라 호흡이 다소 가빠져 있었다.

"그래, 그래. 그런 건 아무래도 좋다." 폴리가 폴리애나의 말을 잘랐다. "너는 정말 말이 많구나, 폴리애나. 그리고 무슨 말을 하건 부녀회 이야기를 꺼내는구나."

"그렇네요." 폴리애나가 밝게 웃었다. "그런 것 같아요. 하지만 그분들이 저를 키워주셨잖아요. 게다가…."

"그만하면 됐다, 폴리애나" 폴리가 단호하게 말했다. "족편 이야기를 해보렴."

"폴리 이모가 반대하실 만한 일은 전혀 아니에요. 진짜예요. 스노 부인에게 보내는 걸 보면 그 아저씨에게도 기꺼이 보낼 거라고 생각해요. 그것도 지금 당장요. 왜냐하면 다리가 부러졌다고 평생 침대에서 지내는 건 아니니까요. 그러니까 그 아저씨는 스노 부인과는 달리 곧 다시 다리를 쓰게 될 거잖아요. 그리고 스노 부인에게는 이번 한두 번만 빼고 앞으로 계속 가져다드릴 수 있으니까요."

"'그 아저씨'라니? 누구를 말하는 거지? 게다가 다리가 부러졌다고? 무슨 말을 하는 거니, 폴리애나?" 폴리애나가 잠시 멍한 표정을 짓고 있다가 금세 정신을 차렸다.

"아, 그렇네요. 잊고 있었어요. 이모는 모르시죠. 그게, 이모가 안 계실 때 일어난 일이니까요. 그 아저씨를 숲에서 발견한 날 이모가 보스턴에 가셨잖아요. 제가 그 아저씨 집 문을 열고 들어가서 의사 선생님께 전화를 걸어 사람들을 불렀거든요. 그리고 머리를 받치고 있기도 했죠. 물론 그런 다음 저는 집에 왔으니까 그 후로는 그 아저씨를 못 봤어요. 하지만 낸시가 이번 주에 스노 부인에게 보낼 족편을 만드는 것을 보면서 스노 부인 대신 그 아저씨에게 가져다 드리면 좋겠다는 생각을 했어요. 이번 한 번은요. 폴리 이모, 그래도 될까요?"

"그래, 그래. 괜찮겠지." 폴리가 다소 지친 듯 허락했다. "그 아저씨가 누구라고?"

"그러니까 존 펜들턴 씨요."

폴리는 의자에서 튀어 오를 뻔했다.

"존 펜들턴이라고!"

"네, 낸시가 그분 이름을 알려줬어요. 이모도 아는 사람인가요?"

폴리는 대답 대신 이렇게 물었다.

"너는 그 사람을 아니?"

폴리애나가 고개를 끄덕였다.

"그럼요. 언제나 제게 말을 걸고 웃으세요. 지금은요. 그분은 겉으로만 심술을 부리거든요. 그럼 가서 족편을 가져올게요. 낸시가 요리를 거의 끝낼 무렵에 이모한테 왔거든요." 폴리애나는 이미 문 근처까지 가 있었다.

"폴리애나, 기다려라!" 폴리의 목소리가 갑자기 싸늘해졌다. "마음을 바꿨다. 오늘은 평소처럼 스노 부인에게 가져다드려라. 그렇게 해. 이제 가도 좋다."

폴리애나의 표정이 어두워졌다.

"아, 폴리 이모. 스노 부인의 다리는 앞으로도 죽 그런 상태일 거예요. 아주머니는 늘 병자일 테니까 계속 족편을 가져다드릴 수 있잖아요. 하지만 그 아저씨의 다리는 부러진 것뿐이라서, 계속 그 상태로 있지는 않을 거예요. 그러니까 멀쩡해질 거라고요. 이미 일주일이나 지났는걸요."

"그래, 기억이 나는구나. 존 펜들턴 씨가 사고를 당했다는 소식을 들었다." 폴리는 다소 퉁명스럽게 말했다. "하지만 존 펜들턴에게 그 요리를 보내고 싶지 않구나, 폴리애나."

"알아요, 겉으로 보기에는 성질이 고약한 사람 같으니까요." 폴리애나가 슬픈 목소리로 수긍했다. "그래서 그분을 싫어하시는 거죠? 하지만 이모가 보냈다고 말하지 않을게요. 제가 가져다드리는 걸로 할게요. 저는 그 아저씨를 좋아하니까요. 저는 그분에게 족편을 드리고 싶어요."

폴리는 고개를 절레절레 흔들기 시작했다. 그러다 문득 폴리애나를 바라보며 호기심 어린 목소리로 조용하게 물었다.

"그 사람은 네가 누군지 아니, 폴리애나?"

어린 소녀는 한숨을 내쉬었다.

"모를 수도 있어요. 제 이름을 말씀드리기는 했지만, 제 이름을 부른 적이 없거든요. 단 한 번도요."

"네가 어디에… 사는지는 아니?"

"아니요, 그건 말한 적 없어요."

"그렇다면 네가 내… 조카인 건 아니?"

"글쎄요, 모르지 않을까요?"

잠시 침묵이 흘렀다. 폴리는 폴리애나를 보고 있었지만, 폴리애나를 보고 있지 않는 것 같았다. 어린 소녀는 이 발에서 저 발로, 무게 중심을 옮겨가며 불안한 듯 한숨을 쉬었다. 갑자기 폴리가 일어섰다.

"알았다, 폴리애나." 마침내 폴리가 입을 열었다. 하지만 평소와는 다른 기묘한 목소리가 나왔다. "좋다, 펜들턴 씨에게 네가 주는 선물이라고 하고서 그 음식을 가지고 가도 좋아. 하지만 명심해. 내가 보낸 게 아니야. 그 사람이 내가 보낸 거라고 생각하지 않도록 조심하렴!"

"네, 명심할게요. 고마워요, 폴리 이모." 폴리애나가 환호성을 지르며 문밖으로 달려나갔다.

15장
칠턴 의사

폴리애나가 두 번째로 존 펜들턴의 집을 방문했을 때는 회색 돌덩이로 쌓은 거대한 저택이 아주 달라 보였다. 창문이 전부 활짝 열려 있었고, 중년 여성이 뒤뜰에서 빨래를 널고 있었으며, 의사의 이륜마차가 마차 출입구에 매어져 있었다.

폴리애나는 이전처럼 옆문으로 갔다. 이번에는 종을 울렸다. 그날은 앞서와 달리 열쇠 꾸러미를 꼭 쥐느라 손가락이 뻣뻣하게 굳어 있지 않았다.

낯익은 작은 개가 계단을 뛰어 올라와 폴리애나를 반겼다. 하지만 뒤뜰에서 빨래를 너는 여자가 문까지 오는 데는 다소 시간이 걸렸다.

"안녕하세요. 펜들턴 씨에게 드릴 족편을 가져왔는데요." 폴리애나가 방긋 웃으며 말했다.

"고맙구나." 여자는 어린 소녀가 든 접시를 받아들며 말했다. "누가 보냈다고 전할까? 그런데 족편이라고?"

마침 복도로 나온 의사가 여자의 말에 실망한 폴리애나의 표정을 보았다. 그는 재빨리 다가왔다.

"아! 족편인가?" 의사가 쾌활하게 물었다. "아주 잘됐구나! 환자를 만나고 싶겠지?"

"앗, 네, 부탁드려요." 폴리애나가 활짝 웃었다. 의사가 고개를 끄덕이자 여자는 순순히 폴리애나를 복도 쪽으로 안내했다. 하지만 놀란 표정을 감추지는 못했다.

의사의 등 뒤에서 젊은 남자가 당황하면서 말했다. 그는 근처 도시에서 온 간호사였다.

"하지만, 선생님, 펜들턴 씨는 조용히 있고 싶다고 말했잖아요. 아무도 들이지 말라고요."

"그래, 그랬지." 의사는 침착하게 고개를 끄덕였다. "하지만 내 환자니까, 내가 결정해." 그는 다소 장난기 어린 목소리로 말했다. "자네는 물론 알 리가 없겠지. 저 어린 소녀는 그 어떤 약보다도 더 훌륭한 치료제라는 걸. 오늘 오후에 펜들턴 씨의 짜증을 풀어줄 사람이 있다면 그건 바로 저 아이야. 그래서 들여보냈지."

"저 아이가 누군데요?"

의사는 잠시 머뭇거렸다.

"이 마을에서 누구나 아는 주민의 조카야. 저 아이의 이름은 폴리애나 휘티어지. 나는… 나는 저 아이와 아직은 개인적인 친분은 없네만… 내 환자들 중 여럿이 저 아이를 잘 알고 있지. 감사하게도 말이야!"

간호사가 빙그레 웃었다.

"그래요? 저 아이가 제공하는 기적의 약에는 무슨 특별한 비법 재료라도 들어가나요?"

의사는 고개를 저었다.

"나도 몰라. 내가 들은 바에 따르면 모든 일에, 혹은 앞으로 닥칠 모든 일에 끊임없이, 넘치도록 기뻐하는 거라더군. 어쨌거나 저 아이에 관한 신기한 이야기를 자주 전해 듣는데, 적어도 내가 이해하기로는 '그냥 기뻐하기'가 핵심인 것 같아. 어쨌든…." 의사가 포치로 나가면서 또다시 익살스러운 표정을 지으면서 덧붙였다. "저 아이를 처방할 수 있거나 구입할 수 있다면 좋을 텐데. 약처럼 말이야. 하긴 세상에 저런 아이가 아주 많아지면 자네나 나나 의사 노릇이나 간호사 노릇으로는 생계를 꾸릴 수 없게 될 테니 리본을 팔거나 땅을 파야 할지도 모르겠군." 의사가 너털웃음을 터뜨리고는 이륜마차에 올라타 말에게 채찍질을 했다.

그동안 폴리애나는 의사의 지시대로 존 펜들턴의 방으로 안내되었다.

폴리애나가 도착한 곳은 복도 끝에 위치한 커다란 서재였다. 서재를 서둘러 가로지르기는 했지만 폴리애나는 방 분위기가 확 바뀌었음을 금방 알아차렸다. 책으로 가득한 벽과 진한 붉은색 커튼은 그대로였다. 하지만 바닥이 말끔하게 치워져 있었고 책상도 잘 정리되어 있었으며, 먼지라고는 티끌만큼도 보이지 않았다. 전화번호부는 제자리에 걸려 있었고 놋쇠 장작 받침대도 반들반들 윤이 났다. 서재의 여러 수수께끼 문 중 하나가 열려 있었고 가정부는 폴리애나를 그 문으로 안내했다. 곧 아주 화려하게 꾸며진 침실이 나타났다.

가정부는 걱정 어린 목소리로 말했다.

"실례합니다. 여기… 여기 어린 소녀가 음식을 가져왔어요. 의사가 이 아이를… 들여보내라고 해서요."

다음 순간 폴리애나는 침대에 푹 파묻힌, 기분이 아주 안 좋아 보이는 남자와 단둘이 남게 되었다.

"이봐, 내가 말했잖아. 나는…." 침대 쪽에서 성난 목소리가 들려왔다. "아, 아저씨군요!" 폴리애나가 서둘러 침대로 다가가 큰 소리로 말했다.

"안녕하세요, 아저씨." 폴리애나가 빙긋 웃었다. "그분들이 저를 들여보내 주셔서 정말 기뻐요! 그게, 처음에는 그 아주머니가 족편만 받아 가려고 했거든요. 그래서 아저씨를 못 보고 가는 게 아닌가 걱정했어요. 의사 선생님이 나와서는 아저씨를 만나도 좋다고 했어요. 저를 들여보내 주시다니 정말 좋은 분이죠?"

남자는 자기도 모르게 입술이 씰룩거리면서 웃고 싶어졌다. 하지만 대신 이렇게 말했다. "허!"

"그리고 족편도 가져왔어요." 폴리애나가 말을 이어나갔다. "우족으로 만든 족편이에요. 아저씨가 마음에 들어 하시면 좋겠어요." 폴리애나의 목소리가 점점 높아졌다.

"한 번도 먹어본 적이 없어." 입가에 머물던 미소가 사라지고 남자의 얼굴이 다시 일그러졌다.

폴리애나의 얼굴에 아주 잠깐 실망한 표정이 스쳐 지나갔다. 하지만 음식 그릇을 놓는 폴리애나의 얼굴이 다시 밝아졌다.

"아, 그러세요? 그렇다면 안 좋아한다고는 말씀하실 수 없겠네요, 그렇죠? 그러니 아저씨가 먹어본 적이 없어서 기뻐요. 그런데 만약 아저씨가…."

"그래, 그래. 그래도 내가 확실히 말할 수 있는 게 하나 있기는 하지. 그것은 내가 지금 이 순간 꼼짝 못 하고 여기 누워 있다는 거야. 그리고 앞으로도 계속 이렇게 누워 있어야겠지. 최후의 심판이 내리는 그날까지."

폴리애나는 충격을 받은 듯 보였다.

"아, 그럴 리가요! 최후의 심판 날까지는 아닐 거예요. 왜냐하면 천사 가브리엘이 트럼펫을 불면, 그러니까 우리가 생각하는 것보다 더 빨리 다가올 수도 있겠지만, 아, 물론 성경에서 이미 우리가 생각하는 것보다 더 빨리 올 거라고 말씀하고 있는 것 알아요, 하지만 정말로 그렇지는 않을 거라고 생각해요. 물론 저는 성경을 믿어요. 하지만 제 말은 지금 당장 최후의 심판 날이 다가올 정도로, 그렇게 빨리 오지는 않을 거라는 뜻이에요. 그리고…."

존 펜들턴이 갑자기 웃음을 터뜨렸다. 그것도 아주 큰 소리로 웃었다. 막 방에 들어서던 간호사는 그 웃음소리를 듣고는 얼른 (하지만 조용히) 물러갔다. 마치 걱정 많은 요리사 같았다. 아직 다 구워지지 않은 케이크가 찬 공기에 노출될까 봐 얼른 오븐을 닫는 것 같았다.

"지금 조금 횡설수설하고 있는 것 같은데?" 존 펜들턴이 폴리애나에게 물었다.

어린 소녀도 웃었다.

"그런 것 같아요. 하지만 아저씨 다리가 계속 그 상태로 있지는 않을 거라는 말을 하려는 거예요. 그러니까, 부러진 거잖아요. 스노 부인처럼 평생 침대에서 지내야 하는 건 아니죠. 그러니 아저씨의 다리는 최후의 심판이 내리는 그날까지 그대로이지는 않을 거란 뜻이에요. 그 사실이 기쁘지 않으세요?"

"물론이야." 남자가 침통하게 말했다.

"게다가 한쪽 다리만 부러졌잖아요. 두 다리가 다 부러지지 않은 게 기쁘지 않으세요?" 폴리애나가 점점 더 주어진 과제에 몰두하기 시작했다.

"물론이야! 정말 운이 좋았지." 남자가 눈을 치켜뜨며 코웃음 쳤다. "그러고 보니 내가 지네가 아닌 걸 기뻐해야겠구나. 그러면 다리가 한 50개는 부러졌으려나!"

폴리애나가 깔깔 웃었다.

"그거 정말 좋은데요." 폴리애나가 감탄했다. "지네가 뭔지 알아요. 다리가 정말 많이 달렸죠. 그리고 이것도 있어요, 뭐냐면…."

"그래, 그렇겠지." 남자가 싸늘한 목소리로 끼어들었다. 예전의 비통함이 전부 되돌아오고 있었다. "그래 그 나머지 것들에 대해서도 다 기뻐해야겠지. 간호사도, 의사도, 부엌에 있는 저 멍청한 여인네도!"

"어머, 그럼요. 만약 그런 사람들이 없다면 어떨지 생각해보세요!"

"그래, 나는…. 뭐라고?"

"그러니까 그 사람들이 없으면 얼마나 힘들지 생각해보세요. 무엇보다 이렇게 누워 있으니까요!"

"그게 바로 모든 문제의 근원이야." 남자가 매섭게 말했다. "내가 이렇게 누워 있는 것! 그런데 나더러 기뻐하라고? 저 바보 같은 여자가 '정리한다'면서 집 전체를 휘젓고 다니질 않나, 또 남자 하나가 나타나서 저 여자를 치켜세우고 도우면서 그걸 '간호한다'고 부르질 않나. 그 두 사람 모두를 부추기는 그 의사에 대해서는 말도 꺼내기 싫다. 게다가 저들에게 돈까지 줘야 해. 그것도 아주 많이!"

폴리애나는 이해한다는 듯이 이마를 찡그렸다.

"네, 그렇죠. 그건 안됐네요. 돈에 대한 건요. 게다가 지금까지 그렇게 힘들게 모은 돈인데."

"두고 봐, 내가…. 뭐?"

"절약하면서 모으고 계셨잖아요. 콩하고 어묵을 먹으면서요. 그런데 콩을 좋아하기는 하세요? 아니면 칠면조 고기를 더 좋아하세요? 60센트나 하지만요."

"저기, 얘야, 무슨 소리를 하는 거냐?"

폴리애나가 활짝 웃었다.

"아저씨 돈 이야기잖아요. 그동안 이교도에게 선교하기 위해 이것저것 참으면서 돈을 아끼고 모으고 계셨잖아요. 그게, 저는 다 알고 있어요. 그래서 아저씨가 심성까지 고약하지는 않다는 걸 알게 되었는걸요. 낸시가 말해줬어요."

남자의 입이 떡 벌어졌다.

"낸시가 내가 돈을 아끼고…. 도대체 그 낸시는 누구니?"

"우리 집 낸시요. 폴리 이모 집에서 일하는."

"폴리 이모라니! 폴리 이모는 또 누구니?"

"폴리 해링턴이요. 저는 그분 조카예요."

남자가 갑자기 움찔했다.

"폴리, 해링턴이라고!" 남자의 호흡이 가빠졌다. "네가 그 여자와 산다고?"

"네. 제 이모예요. 저를 키워주고 계세요. 그러니까 우리 엄마 대신이요." 폴리애나가 떨리는 목소리로 작게 말했다. "엄마의 동생이거든요. 아빠가… 엄마랑 다른 가족이 있는 천국으로 떠난 뒤에 이 세상에는 저를 돌봐줄 사람이 부녀회밖에 없었거든요. 그래서 이모가 저를 받아줬어요."

남자는 아무 말도 하지 않았다. 베개에 머리를 기대고 눈을 감은 남자의 얼굴에는 핏기가 하나도 없었다. 너무 창백해서 폴리애나는 겁이 났다. 폴리애나가 불안한 마음에 일어섰다.

"이제 가야 할까 봐요." 폴리애나가 말했다. "부디, 부디 족편 요리가 마음에 들면 좋겠어요."

남자가 갑자기 눈을 뜨고 폴리애나를 바라봤다. 남자의 검은 눈동자에 어딘지 모르게 갈망하는 듯한 그림자가 얼핏 서렸다. 그 눈동자와 마주친 폴리애나는 깜짝 놀랐다.

"그러니까, 네가… 폴리 해링턴의 조카구나." 남자가 부드러운 목소리로 말했다.

"네, 그래요."

남자의 어두운 눈동자가 여전히 폴리애나의 얼굴에서 떨어질 줄을 몰랐다. 폴리애나는 어쩐지 긴장되어 중얼거렸다.

"아무래도… 이모를 아시는 것 같네요."

존 펜들턴의 입꼬리가 이상한 모양을 그리며 올라갔다.

"그래, 물론 알지." 그는 망설이다가 계속 말을 이어갔다. 여전히 기묘한 미소를 짓고 있었다. "하지만, 그렇다면…. 그렇다면 폴리 해링턴이 이 족편 요리를 보냈단 말이니? 내게?" 펜들턴이 천천히 물었다.

폴리애나는 난처한 표정을 지었다.

"아니에요. 이모가 보낸 게 아니에요. 이모가 자기가 보냈다고 생각하게 해서는 절대로 안 된다고 했어요. 하지만 저는…."

"그래, 그럴 거라고 생각했다." 남자가 짤막하게 대꾸하고 고개를 돌려버렸다. 폴리애나는 마음이 더 불안해져서 발꿈치를 들고 살금살금 방을 빠져나왔다.

마차 출입구로 나가니 의사가 이륜마차에 탄 채 기다리고 있었다. 간호사는 계단에 서 있었다.

"폴리애나. 집에 데려다줘도 될까?" 의사가 웃으며 물었다. "조금 전에 출발하려다가 너를 기다리기로 했지."

"감사합니다. 기다려주셔서 기뻐요. 저는 마차 타는 걸 좋아하거든요." 폴리애나가 활짝 웃으면서 의사가 내민 손을 잡았다.

"그래?" 의사가 미소를 지으면서 계단에 서 있는 젊은 남자에게 고개를 끄덕이며 인사했다. "너는 '좋아하는' 것이 아주 많다고 들었는데, 정말이니?" 의사가 마차를 몰면서 물었다.

"글쎄요, 잘 모르겠어요. 그럴지도요." 폴리애나가 인정했다. "살아 있는 것에 해당하는 거라면 거의 모두 좋아해요. 다른 것들은 별로 좋아하지 않지만요. 바느질 수업이라든지, 큰 소리로 책 읽기 수업 같은 거요. 그런 것들은 살아 있는 것에 해당하지 않으니까요."

"아니라고? 그럼 그런 것들은 뭐에 해당하는데?"

"폴리 이모는 그런 것들을 '살아가는 법을 배우는 것'이라고 말해요." 폴리애나가 침울한 미소를 지으며 한숨을 내쉬었다.

그러자 의사가 웃었다. 웃음소리가 다소 기묘했다.

"그래? 왠지 그렇게 말했을 것 같았다. 예상한 대로구나."

"네." 폴리애나가 답했다. "하지만 저는 그렇게 생각하지 않아요. 살아가는 법을 왜 배워야 하는지 이해가 안 돼요. 적어도 저는 배우지 않고도 아는걸요."

의사가 깊은 한숨을 토해냈다.

"그래, 안타깝지만 우리 중에는 배워야 하는 사람도 있단다, 얘야." 이렇게 말한 뒤 의사는 한동안 침묵했다. 그의 얼굴을 흘깃 쳐다본 폴리애나는 그가 왠지 안쓰럽게 느껴졌다. 무척 슬퍼 보였기 때문이다. 폴리애나는 마음이 불편해지면서 '뭐든 해야겠다'는 생각이 들었다. 아마도 그래서였을 것이다. 폴리애나가 작은 목소리로 말했다.

"칠턴 선생님, 저는 의사야말로 세상에서 기뻐할 일이 가장 많은 직업이라고 생각해요."

의사가 깜짝 놀라며 폴리애나를 바라봤다.

"기뻐할 일이 '가장' 많다니! 나는 어딜 가나 고통에 찬 사람들만 만나는데도?"

폴리애나가 고개를 끄덕였다.

"알아요. 하지만 그런 사람들을 도울 수 있잖아요. 그리고 물론 도울 수 있다는 건 기뻐할 만한 일이고요. 그러니까 선생님이야말로 우리 중 가장 기쁜 사람이에요. 언제나요."

갑자기 의사의 눈에 뜨거운 눈물이 고였다. 이 의사의 삶은 유독 고독했다. 그는 아내도 없었고 세를 얻어 사는 방 두 개짜리 진료소가 바로 집이었다. 의사라는 직업은 그에게 매우 소중했다. 지금 폴리애나의 반짝이는 눈을 보면서 그는 문득 사랑으로 가득한 손이 자신의 머리를 매만지며 축복해주는 것처럼 느꼈다. 또한 앞으로는 일이 아무리 힘들어도, 밤에 잠을 못 이루고 고민할 때도 폴리애나의 눈을 통해 새롭게 얻은 환희가 늘 함께하리라는 확신이 들었다.

"꼬마 아가씨, 네게 하느님의 축복이 함께하길!" 의사가 떨리는 목소리로 말했다. 그리고 그의 환자들이 매우 좋아하는 특유의 환한 미소를 지으며 이렇게 덧붙였다. "그러고 보니 의사도 자신이 치료하는 환자만큼이나 그 약이 필요했던 것 같구나!" 폴리애나는 칠턴이 무슨 말을 하는지 도무지 이해가 되지 않았다. 그러다 다람쥐가 튀어나와 길을 건너는 모습에 정신이 팔려 어떤 대화를 나누고 있었는지 까맣게 잊어버렸다.

의사는 폴리애나를 집 현관까지 데려다주고는 앞 포치에서 비질을 하는 낸시에게 미소로 인사했다. 그러고는 서둘러 떠났다.

"의사 선생님과 아주 즐겁게 왔어요." 폴리애나가 계단을 신나게 뛰어 올라갔다. "정말 좋은 분이에요, 낸시!"

"그래요?"

"네. 그리고 의사야말로 세상에서 기뻐할 일이 가장 많은 직업이라고 생각한다고 말했어요."

"뭐라고요? 아픈 사람만 만나고, 아니면 적어도 자기가 아프다고 생각하는 사람만 만나는데 가장 불행한 직업 아닌가요?" 낸시는 절대 동의할 수 없다는 표정을 지었다.

폴리애나는 명랑하게 웃었다.

"네. 그 선생님도 비슷한 말을 했어요. 하지만 그래도 여전히 기뻐할 만한 것이 있답니다. 맞혀보세요!"

낸시가 이마를 찡그리며 곰곰이 생각했다. 낸시는 '기뻐하기' 게임에 제법 익숙해져서 이제는 자신이 게임을 꽤 잘한다고 생각하고 있었다. 폴리애나가 던지는 수수께끼를 푸는 것도 상당히 즐겼다. 어린 소녀의 질문을 낸시는 수수께끼라고 불렀다.

"그렇군요." 낸시가 키득키득 웃었다. "스노 부인에게 말한 것과 반대로 생각하면 되는군요."

"반대로요?" 폴리애나가 어리둥절해 하며 물었다.

"네. 스노 부인에게는 다른 사람이 자신 같지 않다는 걸 기뻐하면 된다고 했잖아요. 다른 사람이 자기처럼 아프지 않은 걸요."

"네." 폴리애나가 고개를 끄덕였다.

"그럼 그 의사도 기뻐하면 되잖아요. 자기가 그 사람들 같지 않다는 걸요. 그러니까 자기가 치료하는 환자들처럼 아프지 않다는 걸요." 낸시가 의기양양하게 말을 마쳤다.

이번에는 폴리애나가 이마를 찡그렸다.

"음, 그렇기도 하네요. 물론 그것도 한 가지 방법이지만. 제가 찾은 것과는 달라요. 그리고 어쩐지 그런 답은 마음에 들지 않아요. 의사가 자기 환자들이 아픈 걸 기뻐하면 된다는 의미는 아니겠지만.

그래도 낸시는 때때로 게임을 이상하게 해요." 폴리애나가 한숨을 쉬면서 집으로 들어갔다.

폴리는 거실에 있었다.

"그 남자… 너를 데려다준 그 남자는 누구지, 폴리애나?" 질문을 하는 이모의 목소리가 다소 날카로웠다.

"어머, 폴리 이모, 그 사람은 의사인 칠턴 선생님이에요. 모르세요?"

"칠턴! 그 사람이 왜, 왜 여기에?"

"저를 데려다줬죠. 아, 그리고 족편은 펜들턴 씨에게 전했어요. 그리고…."

폴리는 얼른 고개를 들었다.

"폴리애나, 펜들턴 씨가 내가 보낸 거라고 생각하지는 않았겠지?"

"그럼요, 폴리 이모. 이모가 보낸 게 아니라고 말했어요."

폴리의 얼굴이 갑자기 빨개졌다.

"내가 보내지 않았다고 말했다고?"

폴리애나는 이모의 목소리에서 책망하는 듯한 분위기를 느끼고는 눈을 동그랗게 떴다.

"그게, 폴리 이모가 그렇게 하라고 했으니까요!"

폴리가 한숨을 쉬었다.

"폴리애나, 나는 내가 보내는 것이 아니라고 말했어. 그래서 펜들턴 씨가 내가 보냈다고 생각하지 않도록 주의하라고 한 거야! 그건 펜들턴 씨에게 내가 보낸 것이 아니라고 말하는 것과는 전혀 다른 거란다." 폴리가 화를 내며 등을 돌렸다.

"저런! 그래도 저는 그 두 개가 어떻게 다른지 잘 모르겠어요." 폴리애나가 한숨을 쉬면서 모자를 벗어 고리에 걸었다. 폴리가 집안에서 그 모자를 두어도 되는 유일한 장소로 지정한 고리였다.

16장

빨간 장미와 레이스 숄

폴리애나가 존 펜들턴을 방문한 지 일주일이 지난 어느 비 내리는 날이었다. 폴리는 티머시가 모는 마차를 타고 이른 오후에 부녀회 모임에 갔다. 오후 세 시에 돌아온 폴리의 뺨은 붉게 타오르고 있었고 머리는 축축한 바람에 휘날린 터라 핀이 느슨해진 곳에서 머리카락이 흘러나와 곱슬곱슬하게 흐트러져 있었다.

폴리애나는 이모의 이런 모습을 처음 보았다.

"아아! 어머나, 폴리 이모, 이모도 그렇네요." 폴리애나가 들뜬 목소리로 외치고는 거실로 들어서는 폴리 주위를 빙글빙글 돌면서 춤을 췄다.

"뭐가 그렇다는 거니, 별난 아이야?"

폴리애나는 여전히 이모 주위를 돌고 있었다.

"이모도 그런 줄은 전혀 몰랐어요! 자기는 모르지만 그런 경우도 있을 수 있나요? 저도 그렇게 될까요? 그러니까, 천국에 가기 전에요." 폴리애나는 기대에 차 자신의 곧은 머리를 열심히 앞으로 잡아당겼다. “하지만 그래도 여전히 검은 머리는 아니겠죠. 검은 머리인 걸 모른 채로 지낼 수는 없을 테니까요.”

“폴리애나, 도대체 무슨 말을 하는 거니?” 폴리 이모가 서둘러 모자를 벗고 흐트러진 머리를 정갈하게 모으면서 물었다.

“아, 안 돼요, 폴리 이모!” 폴리애나의 환희에 찬 목소리가 곧 절박한 애원으로 변했다. “그렇게 단단하게 잡아당기지 마세요! 그걸 말하는 거예요. 그 아름답게 돌돌 말린 검은 머리요. 아, 폴리 이모. 정말 예뻐요!”

“어리석은 소리 말아라! 폴리애나 지난번에 부녀회에 가서 꼬마 거지에 관한 터무니없는 소리를 했다는데 어떻게 된 거니?”

“하지만 어리석은 소리가 아니에요.” 폴리애나는 이모의 첫 번째 질문에만 신경을 쓰면서 강하게 부정했다. “머리가 그렇게 흘러내리니까 얼마나 예쁜지 몰라요! 아, 폴리 이모. 스노 부인 머리를 매만진 것처럼 이모 머리도 손질하면 안 될까요? 꽃도 꽂고요. 정말 그렇게 하고 싶어요! 그렇게 하면 스노 부인보다도 더 예뻐 보일 거예요!”

“폴리애나!” 폴리는 일부러 더 차갑게 말했다. 폴리애나의 이야기에 이상하게도 마음이 설레었기 때문이다. 누군가에게 자신이, 또는 자신의 머리 모양이 어떻게 보이는지 신경 쓴 일이 있었던가? 누군가가 자신이 ‘예뻐 보이는 것’을 그렇게까지 ‘좋아한’ 적은 있었을까? “폴리애나, 내 질문에 답하렴. 왜 부녀회 모임에서 그렇게 터무니없는 짓을 한 거지?”

“네, 알아요. 하지만 그게 터무니없는 짓인지 그때는 몰랐어요.

부녀회에서 지미보다는 보고서에 더 신경 쓴다는 것을 알기 전이었으니까요. 그래서 고향에 있는 제 부녀회에 편지를 썼어요. 왜냐하면 그 부녀회 아주머니들에게는 지미가 멀리 있는 소년이니까요. 그러니까 지미를 인도에 있는 어린 소년처럼 여길 거라고 생각해요. 폴리 이모. 저도 이모에게 인도에 있는 어린 여자애 같은 존재인가요? 그리고 폴리 이모 제발 이모 머리를 손질할 수 있게 해주세요, 네?"

폴리는 손을 들어 목에 댔다. 익숙한 무기력감이 또다시 밀려들고 있었다.

"하지만 폴리애나, 오늘 오후에 부녀회 모임에서 네 이야기를 들었을 때 나는 정말 부끄러웠단다! 나는…."

폴리애나는 갑자기 발끝으로 팔짝팔짝 뛰며 춤추기 시작했다.

"아, 반대하지 않으셨어요! 제가 머리를 매만지면 안 된다고 말씀하지 않으셨네요." 폴리애나는 의기양양하게 말했다. "그러니까 그 반대인 거죠. 어느 정도는요. 그러니까 지난번에 펜들턴 씨 댁에 이모가 족편을 보내지 않았지만, 이모가 보내지 않았다는 말을 펜들턴 씨에게 하지 않길 바란 것처럼요. 그러니까 거기 꼼짝 말고 계세요. 빗을 가져올게요."

"하지만, 폴리애나, 폴리애나." 폴리가 어린 소녀를 좇아 계단을 오르며 황급히 불렀다.

"이모도 올라오셨어요?" 폴리애나가 방문 앞으로 나와 폴리를 맞이했다. "그럼 더 좋죠! 빗을 찾았어요. 이제 여기 앉으세요. 바로 여기요. 머리를 매만지게 허락해주셔서 정말 기뻐요!"

"하지만 폴리애나, 나는, 나는…."

폴리는 말을 끝맺지 못했다. 폴리는 자기도 모르는 사이에 화장대 앞에 놓인 나지막한 의자에 앉아 있었다. 이미 아주 열심인, 매우 부드러운 열 개의 손가락이 폴리의 머리카락을 풀어 치렁치렁하게 늘어뜨리고 있었다.

"어머나! 정말 예쁜 머리카락이에요." 폴리애나가 흥분해서 떠들었다. "게다가 스노 부인보다 더 풍성해요! 하지만 물론 폴리 이모가 머리숱이 더 많은 게 당연하죠. 이모는 건강하고 다른 사람 앞에 나서기도 해야 하니까. 아! 사람들이 이모 머리를 제대로 보면 기뻐할 거예요. 놀라기도 하겠죠. 그동안 꼭꼭 숨겨두고 있었으니까요. 폴리 이모. 머리를 이렇게 하면 아주 예뻐서 사람들이 이모를 보면서 정말 즐거워할 거예요!"

"폴리애나!" 흐트러진 머리카락 사이로 낮지만 놀란 목소리가 새어 나왔다. "나, 나는 왜 네가 이런 바보 같은 일을 하게 내버려 두는지 모르겠구나."

"어머, 폴리 이모. 사람들이 쳐다보면 기쁘지 않을까요? 이모도 예쁜 걸 보면 기분이 좋아지지 않나요? 저는 예쁜 사람들을 보면 기분이 한결 좋아져요. 안 예쁜 사람들을 보면 불쌍한 마음이 들고요."

"하지만, 하지만…."

"그리고 저는 사람들 머리를 꾸미는 게 정말 좋아요." 폴리애나가 뿌듯한 마음에 재잘거렸다. "부인회 아주머니들 머리도 많이 손질해봤어요. 하지만 이모 머리카락만큼 예쁘지는 않았어요. 화이트 부인의 머리카락이 꽤 괜찮기는 했지만요. 제가 손질한 날에는 아주 사랑스러웠답니다. 폴리 이모, 좋은 생각이 떠올랐어요. 하지만 비밀이니까 말할 수 없어요. 이제 이모 머리를 거의 다 꾸몄으니까 잠깐 1분 정도 나갔다 올게요. 그런데 약속해주세요. 절대, 절대, 절대 움직이거나, 몰래 거울을 들여다보거나 하지 않겠다고요. 제가 다시 올 때까지요. 잊으면 안 돼요!" 말을 마친 폴리애나가 방을 뛰쳐나갔다.

폴리는 소리 내어 말하지는 않았다. 속으로는 물론 조카의 손이 손질한 이 바보 같은 머리를 당장 풀어서 다시 제대로 올려야 한다고 생각하고 있었다. '몰래 거울을 들여다보는 것'에 대해서는…, 궁금하지도 않았을 뿐 아니라….

그 순간, 왜 그랬는지 설명할 수는 없지만 폴리는 화장대 거울에 비친 자기 모습을 흘깃 쳐다보았다. 거울에 비친 자기 뺨이 발갛게 물든 것을 보자 폴리의 뺨이 한층 더 달아올랐다.

폴리의 눈에 비친 얼굴은 물론 젊지 않았다. 그저 놀라서 들뜬 얼굴일 뿐이었다. 뺨은 예쁜 선홍빛으로 물들어 있었다. 눈은 반짝거렸다. 검은 머리카락은 여전히 바깥바람에 촉촉이 젖어 이마 앞에서 굽실거리면서 아주 아름다운 선을 그리고는 귀 뒤로 넘어간 뒤 여기저기 작게 돌돌 말려 있었다.

폴리는 너무나 놀란 나머지 거울에 비친 자기 모습에 집중하느라 머리를 다시 해야겠다는 생각을 까맣게 잊었다. 그리고 방으로 돌아온 폴리애나가 내는 소리에 정신을 차리기도 전에 천이 두 눈을 가렸다.

"폴리애나, 폴리애나! 뭘 하는 거니?"

폴리애나가 키득키득 웃었다.

"바로 그걸 모르게 하려는 거예요, 폴리 이모. 아무래도 이모가 거울을 들여다보지 않고는 못 배길 것 같아서 손수건으로 가렸어요. 자, 가만히 계세요. 1분도 안 걸려요. 다 하면 풀어드릴게요."

"하지만, 폴리애나." 폴리가 어떻게든 일어나려고 애쓰며 말했다. "어서 이걸 풀어! 너는… 얘야, 얘야! 도대체 뭘 하는 거니?" 폴리의 호흡이 가빠지려는데 부드러운 무언가가 어깨에 걸쳐지는 것이 느껴졌다.

폴리애나는 그저 더 즐겁게 웃을 뿐이었다. 떨리는 손으로 폴리의 어깨에 구름처럼 가볍고 아름다운 레이스 숄을 얹었다. 오랜 시간 넣어두고는 꺼내 쓰질 않아 누렇게 바랜 숄에는 라벤더 향이 진하게 배어 있었다. 일주일 전 낸시가 다락을 정리할 때 폴리애나가 발견한 숄이었다. 이날 폴리애나는 어쩐지 고향의 화이트 부인처럼 이모도 '치장'해주고 싶다는 생각이 들었다.

작업을 끝낸 폴리애나는 자신의 작품을 만족한 눈으로 훑어보았다. 그런데 한 가지 부족한 것이 있었다. 폴리애나는 곧장 이모의 손을 잡고 일광욕실로 끌고 갔다. 뒤늦게 핀 빨간 장미 한 송이가 손에 닿을 만한 위치에 피어 있었다.

"폴리애나, 나를 어디로 끌고 가는 거야?" 폴리가 몸을 뒤로 빼고 버텨봤지만 소용없었다. "폴리애나, 나는…."

"그냥 일광욕실에 가는 거예요. 다 되어가요! 눈 깜짝할 사이에 끝날 거예요." 폴리애나가 숨을 헐떡이며 손을 뻗어 가까스로 장미를 꺾은 뒤 폴리의 왼쪽 귀 위쪽의 부드러운 머리카락에 꽂았다. "됐어요!" 폴리애나가 환호성을 터뜨리며 손수건의 매듭을 풀어 던져버렸다. "폴리 이모. 제가 치장해드린 게 기쁘죠?"

잠시 혼란에 빠진 폴리는 한껏 꾸며진 자신의 모습과 주변을 둘러보다가 낮은 탄성을 지르고는 방으로 달려 들어갔다. 폴리애나는 이모가 마지막으로 절망적인 시선을 보낸 방향을 따라 일광욕실의 열린 창문 쪽을 바라봤다. 저택 대문으로 들어서는 말과 이륜마차가 눈에 들어왔다. 고삐를 쥐고 있는 남자는 반가운 사람이었다.

폴리애나는 기뻐하며 창밖으로 몸을 내밀었다.

"칠턴 선생님, 칠턴 선생님! 저를 보러 오셨나요? 저는 여기 있어요."

"그래." 의사가 다소 의기소침한 미소를 지었다. "밖으로 나와다오."

방으로 간 폴리애나는 얼굴이 벌겋게 달아올라 성난 눈빛으로 레이스 숄을 고정한 핀을 뽑고 있는 이모를 발견했다.

"폴리애나, 어떻게 이런 짓을…!" 폴리가 낮은 소리로 중얼거렸다. "나를 이렇게 꾸미고, 그런 식으로 보이게 하다니!"

폴리애나가 실망하며 멈춰 섰다.

"하지만 정말 사랑스러운걸요. 아주 아름다워요, 폴리 이모. 그리고…."

"사랑스럽다고?" 싸늘하게 내뱉은 폴리가 숄을 휙 던져버리고는 떨리는 손으로 머리를 마구 풀어헤쳤다.

"아, 폴리 이모, 제발, 제발 머리를 그대로 두세요!"

"그대로 둬? 이렇게? 절대 그럴 수 없지!" 폴리가 머리를 어찌나 단단히 동여맸는지 마지막으로 꽉 편 한 가닥이 뽑혀 나왔다.

"저런! 정말 예뻤는데." 폴리애나가 울먹이면서 비틀비틀 방을 나섰다. 아래층으로 내려가니 의사는 이륜마차를 탄 채로 폴리애나를 기다리고 있었다.

"내 환자 한 명에게 너를 처방했더니 처방한 약을 가져다달라는구나." 의사가 큰 소리로 말했다. "가주겠니?"

"그러니까, 심부름인가요? 약국에 가면 되나요?" 폴리애나가 이해가 잘 안 된다는 듯 물었다. "예전에는 자주 갔어요. 부녀회 아주머니들 심부름으로요."

의사가 웃으며 고개를 저었다.

"그건 아니야. 존 펜들턴 씨 이야기란다. 오늘 너를 봤으면 하더구나. 네가 그럴 마음이 있다면 말이야. 비가 그쳐서 너를 데리러 왔단다. 같이 가주겠니? 여섯 시 전에 다시 집에 데려다주마."

"좋아요!" 폴리애나가 즐겁게 답했다. "폴리 이모에게 가도 되는지 여쭤보고 올게요."

몇 분도 채 지나지 않아 폴리애나가 모자를 손에 들고 돌아왔다. 다만 표정이 조금 어두웠다.

"이모가 가도 좋다고 허락한 거 맞지?" 의사가 마차를 몰면서 조심스럽게 물었다.

"네." 폴리애나가 한숨을 쉬었다. "그게, 제가 가는 걸 지나치게 좋아하셔서요. 그게 마음에 걸려요."

"지나치게 좋아했다고?"

폴리애나가 또다시 한숨을 쉬었다.

"네, 그건 아마도 제가 가지 않기를 바란다는 의미였을 테니까요. 그게, 이모가 '그래, 그래. 어서 가거라. 가, 당장! 벌써 한참 전에 갔으면 좋았을 것을'이라고 했어요."

의사는 애써 웃었지만 움직인 것은 입술뿐이었다. 눈빛은 아주 어두웠다. 한동안 침묵하던 의사가 주저하다가 물었다.

"저기, 몇 분 전에 너와 함께 있던 사람이 네 이모니? 아까 일광욕실 창문으로 본 것 같은데."

폴리애나가 숨을 크게 들이마셨다.

"네. 아무래도 그게 문제였던 것 같아요. 그게, 다락에서 발견한 아주 아름다운 숄을 걸쳐드리고 이모 머리를 손질하고 장미도 한 송이 꽂아드렸거든요. 정말 예뻤어요. 선생님도 이모가 아주 예쁘다고 생각하셨죠?"

의사는 금방 대답하지 않았다. 마침내 대답했을 때도 그 소리가 너무 작아서 폴리애나는 몇몇 단어만 드문드문 들었을 뿐이다.

"그래, 폴리애나…. 나도… 그렇다고 생각했어. …아주 예뻤어."

"그렇죠? 기뻐요! 이모에게 전해야겠어요." 어린 소녀가 뿌듯해하며 고개를 끄덕였다.

그런데 의사가 갑자기 큰 소리로 반대하는 바람에 깜짝 놀랐다.

"안 돼! 폴리애나, 미안하지만 그런 말은 하지 말아 달라고 부탁해야겠구나. 절대로 안 돼."

"왜요, 선생님! 왜 하면 안 되죠? 제가 그 말을 전하면 선생님도 기쁠 거…."

"하지만 네 이모는 그렇지 않을 거야." 의사가 폴리애나의 말을 끊었다.

폴리애나는 잠시 생각에 잠겼다.

"그럴지도 모르겠네요. 아마도 그렇겠죠." 폴리애나가 한숨을 쉬었다. "이제 생각났어요. 이모가 뛰어가 버린 건 선생님이 봤기 때문이에요. 그리고 이모가… 이모가 그런 모습을 선생님이 본 것에 대해 한마디 했어요."

"그럴 거라고 생각했다." 의사가 중얼거렸다.

"하지만 이모가 왜 그랬는지 여전히 이해가 안 돼요." 폴리애나가 불평했다. "게다가 정말 예뻤거든요!"

의사는 아무 말도 하지 않았다. 그리고 존 펜들턴이 다리가 부러진 채 누워 있는 커다란 회색 저택에 도착할 때까지 내내 입을 다물고 있었다.

17장
'마치 한 편의 소설처럼'

존 펜들턴은 웃는 얼굴로 폴리애나를 맞이했다.

"오, 폴리애나구나. 아주 마음이 넓은 아가씨로구나. 그렇지 않았다면 오늘 나를 보러 오지 않았을 테니까."

"어머, 펜들턴 씨, 당연히 오고 싶었어요. 그렇지 않을 이유가 없잖아요."

"그래, 어쨌든 내가 요전날 크게 화를 냈잖니. 지난번에는 고맙게도 음식까지 들고 왔는데도 말이다. 그전에 다리가 부러져 쓰러진 나를 발견해준 날도 그랬고. 그래서 말인데, 네게 제대로 고맙다는 인사를 하지 않은 것 같구나. 이렇게 고마운 줄 모르는 나를 찾아왔으니 네가 마음이 아주 넓다고 말할 수밖에!"

폴리애나는 다소 어색한 듯 움찔했다.

"아저씨를 발견해서 기뻤어요. 아, 하지만 아저씨가 다리가 부러져서 기쁜 건 아니었어요."

존 펜들턴이 빙그레 웃었다.

"안다. 때로는 네 입이 너무 앞서나가는가 보다. 어쨌든 고맙다. 그리고 그날 너는 아주 용감했어. 족편도 고마웠단다." 한결 가벼워진 목소리로 그는 덧붙였다.

"마음에 들었나요?" 폴리애나가 궁금해서 물었다.

"맛이 아주 좋았어. 오늘은 폴리 이모가 보내지 않은 족편이 없는 것 맞지?" 그는 다소 기묘한 미소를 지으며 물었다.

폴리애나는 어쩔 줄 몰라 하며 당황했다.

"아, 아니요." 얼굴이 빨개진 폴리애나가 쭈뼛거리며 말했다. "펜들턴 씨. 지난번에는 폴리 이모가 족편을 보내지 않았다는 실례되는 말을 해서 죄송해요."

존 펜들턴은 아무 말도 하지 않았다. 웃음기가 사라진 그는 눈앞에 있는 것들이 보이지 않는 듯 먼 곳을 바라보고 있었다. 시간이 얼마나 흘렀을까. 그가 깊은 한숨을 내쉬며 폴리애나를 쳐다봤다. 다시 입을 연 그의 목소리는 긴장한 듯 예전처럼 짜증이 섞여 있었다.

"자, 자, 자, 자. 이래서는 안 되지! 너를 기껏 불러서 우울한 모습을 보여주려던 게 아니었단다. 얘야, 서재로 나가면, 전화기가 있는 커다란 방을 말하는 거야, 그곳에 가면 벽난로 근처 모퉁이에 유리문이 달린 큰 장식장이 있단다. 그 장식장 아래쪽 선반에 무늬가 새겨진 나무상자가 있어. 적어도 그 부산스러운 여자가 '정리'하지 않았다면 거기 있을 거야. 그 상자를 가져와다오. 조금 무겁기는 해도 네가 들 수 없을 정도는 아닐 거야."

"네, 저는 보기보다 힘이 세거든요." 폴리애나가 씩씩하게 말하면서 벌떡 일어나더니 1분도 지나지 않아 상자를 들고 돌아왔다.

그 뒤로 30분 동안 폴리애나는 행복한 시간을 보냈다. 상자 안은 보물로 가득했다. 존 펜들턴이 수년간 여행하면서 발견한 특이한 수집품들로, 중국에서 가져온 정교하게 깎은 체스 말부터 인도에서 가져온 옥으로 만든 우상까지 각각의 수집품마다 재미있는 일화가 있었다. 옥으로 된 우상에 얽힌 일화를 들은 뒤에 폴리애나는 아쉽다는 듯 중얼거렸다.

"그러니까, 인도의 아이를 돌보는 것이 더 낫긴 하겠네요. 그런 우상에서 하느님을 찾는 불쌍한 아이들이니까요. 지미 빈처럼 하느님이 천국에 계시다는 걸 아는 아이보다는요. 그래도 부녀회가 인도의 아이들뿐 아니라 지미 빈도 돌봐주고 싶어 했다면 더 좋았을 거라는 생각을 떨칠 수가 없어요."

존 펜들턴은 폴리애나의 말이 들리지 않는 듯했다. 또다시 그는 저 멀리 어딘가를 멍하니 바라보고 있었다. 하지만 그는 곧 정신을 차리고 또 다른 수집품을 집어 들고 이야기를 들려주기 시작했다.

이번 방문은 확실히 즐거웠지만 어쩐지 아름다운 상자 안에 든 멋진 것들이 아닌 다른 것들에 관해 더 많은 이야기를 하고 있었다. 폴리애나 자신의 이야기, 낸시 이야기, 폴리 이모 이야기, 그리고 자신의 일상 이야기. 어쩌다 보니 머나먼 서부에 있는 고향과 그곳에서의 삶에 관해서도 이야기하고 있었다.

폴리애나가 돌아갈 시간이 다 되어서야 존 펜들턴은 이전의 퉁명스러운 말투와는 전혀 다른 말투로 이렇게 말했다.

"꼬마 아가씨, 앞으로 더 자주 놀러와 주지 않으련? 외로운 나에게는 네가 필요해. 그런데 또 다른 이유가 있단다. 이제 그 이유를 말해줄게. 처음에는… 지난번에 네가 누구인지 알게 되었을 때는 네가 더는 오지 않기를 바랐다. 너를 보면 내가 오랫동안 잊으려고 애쓴… 무언가가 생각났거든. 그래서 다시는 널 보지 않겠다고 결심했지. 그래서 매일매일 의사가 너를 초대하자고 말해도 싫다고 했지. 하지만 시간이 지나자 네가 아주 많이 보고 싶어졌단다. 너를 보지 않으니까 오히려 내가 잊고 싶어 하는 것들이 더 생생하게 되살아났어. 그러니까 이제는 네가 왔으면 해. 그렇게 해주겠니, 꼬마 아가씨?"

"어머, 그럼요, 펜들턴 씨." 자기 앞에 슬픈 표정으로 누워 있는 남자를 안쓰럽게 여긴 폴리애나가 말했다. "저도 오고 싶어요!"

"고맙구나." 존 펜들턴이 부드럽게 말했다.

그날 저녁 식사 후 폴리애나는 뒤 포치에 앉아 낸시에게 존 펜들턴의 멋진 나무상자와 그 안에 담긴 더 멋진 수집품에 관해 이야기했다.

"그런데, 그런 것들을 아가씨에게 직접 보여주면서 그런 이야기를 들려주었다니. 그것도 누구와도, 그 누구와도 말을 섞지 않는 고약한 사람이!"

"아, 하지만 펜들턴 씨는 고약하지 않아요. 겉으로만 그렇게 보이는 거예요." 폴리애나가 펜들턴을 편들며 말했다. "왜 다들 펜들턴 씨를 나쁘게 생각하는지 모르겠어요. 만약 펜들턴 씨를 더 잘 알게 되면 생각이 달라질 텐데. 폴리 이모조차도 그 사람을 별로 좋아하지 않는 것 같아요. 족편도 못 보내게 했다니까요. 자기가 보냈다고 생각하는 게 싫다고 했어요!"

“그 사람은 자신의 의무가 아니라고 생각하나 보죠.” 낸시가 어깨를 으쓱했다. “하지만 왜 그렇게까지 아가씨를 마음에 들어 하는지 모르겠어요. 폴리애나 아가씨를 깎아내리는 게 아니라, 그런 사람은 아이들을 별로 안 좋아하거든요. 아무리 봐도 안 좋아할 것 같은데.”

폴리애나가 뿌듯한 미소를 지었다.

“하지만 마음에 들어 했잖아요, 낸시. 그런데 늘 그랬던 건 아닌 것 같아요. 왜냐하면 오늘 만났을 때 한동안은 저를 절대로 다시는 보고 싶지 않다고 생각했다는 말을 했어요. 자기가 잊고 싶은 무언가를 떠올리게 한다고요. 하지만 그 뒤로….”

“뭐라고요?” 낸시가 흥분해서 끼어들었다. “아가씨가 그 사람이 잊고 싶은 무언가를 떠올리게 한다고요?”

“네, 하지만 그 뒤로….”

“그 무언가가 뭔가요?” 낸시가 계속 물었다.

“말하지 않았어요. 그냥 무언가라고만 했어요.”

“미스터리군요!” 낸시가 믿을 수 없다는 듯 내뱉었다. “그래서 처음부터 아가씨를 마음에 들어 한 거예요. 오, 폴리애나 아가씨! 이건 마치 한 편의 소설 같아요. 그런 소설을 많이 봤어요. 《모드 공작부인의 비밀》《잃어버린 상속녀》《감춰진 비밀》 등등. 모두 미스터리가 있고 이런 상황이 펼쳐지죠. 맙소사! 이렇게 코앞에서 소설 같은 이야기가 펼쳐지고 있었다니! 그런데도 전혀 몰랐다니! 자, 하나도 빼놓지 말고 다 말해주세요. 그 사람이 한 말 전부요, 폴리애나 아가씨, 제발요! 그 사람이 아가씨를 마음에 들어 한 것도 당연해요. 암요, 당연하고말고요!"

"하지만 그게 아니에요." 폴리애나가 큰 소리로 말했다. "제가 먼저 그 아저씨에게 말을 걸었어요. 족편을 가져다드리기 전까지 그 아저씨는 제가 누군지도 몰랐고요. 폴리 이모가 그걸 보낸 게 아니라는 걸 이해시켜야만 했고…."

낸시는 벌떡 일어나더니 갑자기 두 손을 마주 잡았다.

"오, 폴리애나 아가씨, 알았어요, 알았어요, 알아냈다고요!" 낸시가 환호성을 지르고는 다시 폴리애나 옆에 앉았다. "자, 이제 잘 생각해보세요. 그리고 솔직하게 대답하세요." 낸시가 들뜬 목소리로 물었다. "마님의 조카라는 걸 안 뒤에 아가씨를 다시는 보고 싶지 않았다고 말한 거죠, 그렇죠?"

"네, 맞아요. 지난번에 만났을 때 알게 되었고, 오늘 그 이야기를 했어요."

"그럴 줄 알았어요." 낸시가 의기양양하게 말했다. "마님도 족편을 보내고 싶어 하지 않았고요, 그렇죠?"

"네."

"그리고 그 사람에게 마님이 보낸 게 아니라고 말했죠?"

"네, 그래요. 내가…."

"그리고 그 사람은 아가씨가 폴리 해링턴의 조카라는 걸 알게 되자 이상하게 굴면서 갑자기 비명을 질렀어요. 그렇죠, 맞죠?"

"네. 조금 이상하게 굴기는 했어요. 그 족편에 대해서요." 폴리애나가 인정하면서 이마를 찡그렸다.

낸시는 숨을 깊이 들이마셨다.

"그렇다면 확실해요! 들어보세요. 존 펜들턴 씨는 폴리 해링턴의 연인이었어요!" 낸시가 힘주어 말하면서도 뒤를 돌아보며 아무도 없는 것을 확인했다.

"어머, 낸시, 그럴 리가요! 폴리 이모는 그 사람을 좋아하지 않는다니까요." 폴리애나가 반박했다.

낸시가 나무라는 듯한 눈길을 보냈다.

"당연하죠! 다퉜으니까요!"

폴리애나는 믿을 수 없다는 표정이었다. 낸시가 깊은 한숨을 내쉬며 만족스러운 표정으로 설명했다.

"이렇게 된 거예요. 톰 아저씨 말씀이, 아가씨가 오기 전에 마님이 한때는 연애를 했대요. 믿을 수가 없었죠. 마님이 연애라니! 그런데 톰 아저씨는 연인이 정말로 있었다면서 그 상대가 지금도 이 마을에 산다는 거예요. 물론 이제는 알죠. 존 펜들턴이에요. 그래서 이상한 사람이 된 거예요. 저 커다란 저택에 홀로 살면서 아무와도 말하지 않잖아요. 아가씨가 마님의 조카라는 걸 알고는 이상하게 굴었고요. 이제는 아가씨가 잊고 싶은 무언가를 떠올리게 한다고 털어놓았고요. 누가 봐도 그 무언가는 폴리 해링턴이죠! 그리고 마님이 그 남자에게 음식을 보내기 싫다고 한 것도 그래요. 아니, 폴리애나 아가씨, 이것만큼 명백한 게 또 어디 있겠어요? 없어요, 없어!"

"아!" 폴리애나의 눈이 휘둥그레졌다. "하지만 낸시, 서로 사랑하는 사이였다면 이제쯤 화해하지 않았을까요? 그렇게 오랜 시간을 둘 다 홀로 보냈잖아요. 얼른 화해하고 기뻐했으면 좋았을 텐데!"

낸시가 코를 훌쩍거렸다.

“폴리애나 아가씨는 연인들의 사랑을 잘 몰라서 그래요. 아직 어리니까요. 하지만 세상에는 아가씨의 ‘기뻐하기 게임’이 먹히지 않는 사람들이 있는데, 다툰 연인이야말로 그런 사람들이죠. 그 사람은 막대기처럼 뻣뻣하잖아요? 마님도….”

낸시가 갑자기 말을 멈췄다. 자기가 누구 이야기를, 누구에게 하는지 깨달은 것이다. 하지만 곧 키득거렸다.

“이런 말 하면 안 되겠지만요, 폴리애나 아가씨, 하지만 아가씨가 그 둘에게 그 게임을 하게 만들 수만 있다면 정말 재미있을 거예요. 그러면 기뻐하며 화해하겠죠. 하지만 맙소사! 사람들이 정말 놀라 자빠지겠죠, 마님과 그 사람이라니! 하지만 그런 일이 일어날 리는 없으니까요!”

폴리애나는 말이 없었다. 잠시 뒤 집으로 들어가는 폴리애나는 깊은 생각에 잠겨 있었다.

18장

프리즘

더운 여름날이 지나가는 동안 폴리애나는 펜들턴 힐에 자리한 대저택에 자주 드나들었다. 하지만 그렇게 자주 들러도 보람은 별로 느끼지 못했다. 존 펜들턴이 폴리애나를 반기지 않은 것은 아니다. 오히려 폴리애나를 자주 초대했다. 다만 막상 폴리애나가 와도 그렇게까지 즐거워하는 것 같지 않았다. 적어도 폴리애나가 보기에는 그랬다.

펜들턴은 폴리애나와 이야기도 나눴고 책, 그림, 수집품 등 기이하고 아름다운 것들도 많이 보여줬다. 하지만 여전히 꼼짝 못하고 누워 있어야 하는 것에 불평을 늘어놓았고 다른 사람들이 자신의 집을 '정리'하고 자신에게 지시하는 것을 못마땅하게 여겼다. 그리고 실은 폴리애나의 이야기를 듣는 쪽을 더 좋아하는 것처럼 보였다. 폴리애나는 이야기하는 것을 좋아했지만 고개를 들었을 때 침대에 누워 있는 펜들턴의 창백한 얼굴이 상처 입은 표정을 하고 있지는 않을까 불안했다. 게다가 자신이 어떤 이야기를 해서 그런 표정을 하는 건지 알 수 없다는 점이 괴로웠다. ‘기뻐하기 게임’을 함께하자는 말은 아직 꺼내지도 못했다. 펜들턴에게 그 말을 해도 좋을 정도로 그의 기분이 좋아 보이는 때가 없었다. 두 번 정도 말을 꺼내려고 했지만 아버지가 한 이야기를 들려주다 말았다. 두 번 다 존 펜들턴이 갑자기 화제를 돌렸기 때문이다.

이제 폴리애나는 존 펜들턴이 한때는 폴리 이모의 연인이었다고 확신하고 있었다. 그리고 가슴 한가득 사랑과 충성심이 차오르는 것을 느끼며 어떻게든 이 두 사람의 마음에 행복을 심어주고 싶었다. 둘 다 엄청나게 외로운 영혼들이었으니까.

하지만 어떻게 해야 할지 도저히 감이 오질 않았다. 폴리애나는 펜들턴에게 자신의 이모 이야기를 했다. 펜들턴은 잠자코 들을 때도 있었고 짜증을 낼 때도 있었다. 대개는 굳게 다문 입술에 알 수 없는 미소가 어려 있었다. 폴리애나는 이모에게 펜들턴 이야기를 했다. 적어도 이야기하려고 노력했다. 하지만 폴리가 귀담아듣는 일이 거의 없었다. 게다가 오래 듣고 있지도 않았다. 언제나 다른 이야기를 꺼냈기 때문이다. 폴리애나가 펜들턴 저택에 드나드는 다른 사람들, 이를테면 칠턴 이야기를 할 때 특히 그랬다. 폴리애나는 이모가 일광욕실에서 머리에 장미를 꽂고 레이스 숄을 걸치고 있는 것을 그가 봤기 때문이라고 생각했다. 폴리는 유독 칠턴을 싫어하는 것 같았다. 지독한 감기에 걸려 종일 집에 있던 날 이 사실을 알게 되었다.

“오늘 저녁까지 차도가 없으면 의사를 불러야겠다.” 폴리가 말했다.

“그래요? 그럼 감기가 더 심해지면 좋겠어요.” 폴리애나가 흥분하며 말했다. "칠턴 선생님이 오시면 얼마나 좋을까요!"

그런데 그 말을 들은 이모의 표정이 이상해졌다.

"폴리애나, 칠턴 씨를 부를 생각은 없다." 폴리가 차갑게 말했다. "칠턴 씨는 우리 주치의가 아니야. 네 상태가 나빠지면 워런 선생을 부를 거야."

하지만 폴리애나의 상태가 나아졌기 때문에 워런 의사를 부를 일은 생기지 않았다.

"그래서 아주 기뻐요." 폴리애나는 그날 저녁 이모에게 말했다. "물론 저는 워런 선생님도 좋아요. 하지만 칠턴 선생님이 더 좋아요. 게다가 칠턴 선생님을 부르지 않으면 선생님이 섭섭해하실 거예요. 그리고 그날 이모가 치장해서 예뻐진 모습을 본 건 칠턴 선생님 탓이 아니잖아요." 폴리애나가 애원하듯 말했다.

"그만 됐다, 폴리애나. 칠턴 선생에 관한 이야기는 듣고 싶지 않아. 그 사람의 감정에 관해서는 더더욱." 폴리가 단호하게 말했다.

폴리애나는 서글프지만 호기심 어린 눈으로 이모를 지긋이 바라보다가 곧 한숨을 쉬었다.

"이모 뺨이 그렇게 붉게 물드는 걸 보는 건 정말 좋아요. 하지만 이모 머리도 매만질 수 있으면 좋을 텐데. 그러면…. 어머, 폴리 이모!" 폴리는 이미 방을 나가고 없었다.

8월이 끝나가는 어느 날 아침 폴리애나는 존 펜들턴을 찾아갔다. 양쪽에 빨간색과 보라색 선을 두고 파란색, 황금색, 초록색으로 이루어진 빛의 띠가 그의 베개에 펼쳐져 있었다. 폴리애나는 감탄하며 그 자리에서 멈춰 섰다.

"어머나, 펜들턴 씨, 아기 무지개잖아요. 진짜 무지개가 아저씨를 찾아왔어요!" 폴리애나가 손뼉을 치며 소리쳤다. "우아, 정말 예뻐요! 하지만 과연 어떻게 들어왔을까요?"

존 펜들턴은 다소 서글프게 웃었다. 오늘 아침은 특히나 기분이 가라앉아 있었다.

"글쎄다, 아마도 저 창문에 끼워진 유리 온도계의 가장자리를 타고 '들어온' 것 같구나." 그가 지친 목소리로 말했다. "햇빛이 닿으면 안 되는데, 오늘 아침에는 그렇게 됐구나."

"하지만 정말 예쁜걸요, 펜들턴 씨! 그리고 햇빛이 그렇게 한 거라고요? 어머나! 제게 저런 온도계가 있다면 온종일 햇빛을 받게 하겠어요!"

"그러면 온도계로서는 제 기능을 못 할 텐데." 펜들턴이 웃었다. "온도계를 하루 종일 햇빛을 받게 하면 얼마나 더운지, 또는 얼마나 추운지 알 도리가 없잖니?"

"상관없어요." 폴리애나가 베개에 펼쳐진 화려한 색색의 띠에서 눈을 떼지 못하면서 말했다. "아무도 상관 안 할걸요. 이런 무지개를 만날 수 있으니까요!"

펜들턴이 또다시 웃었다. 그는 반짝반짝 빛나는 폴리애나의 얼굴을 다소 흥미롭다는 듯 바라봤다. 갑자기 어떤 아이디어가 떠올랐다. 그가 침대 옆에 놓인 벨을 눌렀다.

"노라." 가정부가 문가에 나타나자 그가 말했다. "앞 거실 벽난로 위에 놓인 커다란 놋쇠 촛대를 가져다주겠나."

"네." 가정부는 약간 혼란스러운 표정으로 낮게 답했다. 곧 호기심에 찬 표정으로 돌아온 가정부가 침대 쪽으로 다가서자 뭔가가 부딪히는 소리가 음악처럼 잔잔히 울려 퍼졌다. 손에 들고 있는 고풍스러운 촛대를 빙 둘러싸고 있는 프리즘 장식이 내는 소리였다.

"고맙네. 여기 탁자 위에 놓아주게." 남자가 지시했다. "이제 끈을 가져다가 저쪽 창문의 커튼 봉에 걸어주게. 커튼을 커튼 봉에서 내리고 끈을 커튼 봉의 양쪽 끝에 걸면 돼. 고맙네." 가정부는 펜들턴이 지시한 대로 했다.

가정부가 방을 나가자 그는 궁금증으로 가득한 폴리애나의 눈에 미소로 답했다.

"이제 촛대를 가져다주렴, 폴리애나."

폴리애나는 두 손으로 촛대를 들고 왔다. 펜들턴은 곧 장식을 하나하나 빼서 전부 열두 개의 장식을 침대 위에 펼쳐 놓았다.

"자, 이제 이것들을 들고 가서 노라가 창문에 건 끈에 매달도록 해라. 그렇게까지 무지개 속에서 살고 싶다면. 나로서는 이해가 안 된다만, 네가 들어가 살 수 있는 무지개를 만들어야만 할 것 같구나."

폴리애나가 햇빛이 쏟아져 들어오는 창문에 장식을 세 개 정도 달았을 때 이미 앞으로 어떤 일이 벌어질지 짐작할 수 있었다. 폴리애나는 흥분한 나머지 손이 떨려서 장식을 마저 다는 데 애를 먹었다. 하지만 마침내 작업을 마치고 뒤로 물러서면서 기쁨에 못 이겨 낮은 탄성을 질렀다.

마치 요정의 나라 같았다. 화려하지만 우울한 방이 더는 아니었다. 곳곳에 빨간색과 초록색, 보라색과 주황색, 황금색과 파란색 조각들이 춤추고 있었다. 벽, 마룻바닥, 가구, 그리고 침대까지도 반짝거리는 색의 조각들로 불타오르고 있었다.

"우와아, 정말 아름다워요!" 폴리애나가 탄성을 지르더니 갑자기 웃음을 터뜨렸다. "이제 보니 해님도 그 게임을 하려는 것처럼 보이네요, 그렇죠?" 폴리애나는 잠시 펜들턴이 게임에 대해 모른다는 사실을 잊고 큰 소리로 말했다. "제게도 이런 것들이 잔뜩 있으면 좋겠어요! 폴리 이모에게도, 스노 부인에게도, 다른 많은 사람들에게도 나눠주고 싶어요. 그러면 모두 기뻐할 수밖에 없을 테니까요! 그게, 폴리 이모도 너무 기쁜 나머지 문을 쾅쾅 열어젖힐 수밖에 없을걸요. 이런 무지개 속에서 산다면요. 안 그래요?"

펜들턴도 웃음을 터뜨렸다.

"글쎄다, 폴리애나, 내가 기억하는 네 이모는 햇빛에 비친 프리즘 몇 개로는 기뻐할 사람이 아닌데. 게다가 기뻐서 문을 쾅쾅 열어젖힌다고? 그러고 보니, 그건 무슨 소리냐?"

폴리애나가 잠시 멍한 표정을 짓더니 숨을 깊이 들이마셨다.

"잊고 있었어요. 아저씨는 게임에 대해 모르시죠. 이제 생각나네요."

"그럼 한번 설명해보렴."

이번에는 끝까지 다 이야기할 수 있었다. 인형 대신 목발이 온 그 첫날 일부터 전부 다 이야기했다. 폴리애나는 이런 이야기를 하는 동안 펜들턴을 보지 않았다. 밝게 빛나는 폴리애나의 시선은 햇빛이 비치는 창문 앞에서 흔들리는 프리즘이 내뿜는 색의 조각들이 춤추는 모습에 고정되어 있었다.

"그게 다예요." 말을 마친 폴리애나가 한숨을 내쉬었다. "그리고 이제 제가 왜 해님이 그 게임을 한다고 말했는지 아시겠죠?"

방 안에는 잠시 침묵이 흘렀다. 침대 쪽에서 떨리는 목소리가 나지막하게 들려왔다.

"그렇구나. 하지만 나는 폴리애나 너야말로 가장 아름다운 프리즘이라고 생각한단다."

"하지만 저는 햇빛을 받아도 아름다운 빨간색과 초록색과 보라색 빛을 뿜어내지 않는걸요!"

"아니라고?" 펜들턴이 빙그레 웃었다. 그 얼굴을 보는 폴리애나는 왜 펜들턴의 눈에 눈물이 고여 있는지 궁금했다.

"네, 아니에요." 폴리애나가 답했다. 잠시 뒤 폴리애나는 우울하게 덧붙였다. "게다가 저는 햇빛을 받으면 주근깨만 생기는걸요, 아저씨. 폴리 이모가 햇빛이 만들어내는 거라고 했어요."

펜들턴이 소리 내어 웃는 바람에 폴리애나는 또다시 그를 쳐다봤다. 흡사 울음소리처럼 들리는 웃음소리였다.

19장

다소 놀라운 일

9월이 되자 폴리애나는 학교에 다니기 시작했다. 학력 수준을 검사하는 시험에서 폴리애나는 또래보다 훨씬 더 높은 점수를 받았고 곧 또래들이 있는 반에 들어갔다.

학교는 어떤 의미로는 폴리애나에게 놀라운 곳이었고 폴리애나 또한 여러 가지 의미로 학교에서 놀라운 존재였다. 곧 동급생들과 아주 친해진 폴리애나는 학교에 가는 것은 살아 있는 것에 해당한다고 폴리 이모에게 털어놓았다. 이전에는 그렇지 않을 거라고 생각했다는 말과 함께.

폴리애나는 새로운 일상에 만족했지만 옛 친구들도 잊지 않고 챙겼다. 물론 예전만큼 자주 만날 수는 없었지만 시간이 날 때마다 만나려고 노력했다. 그런 친구들 중에서 존 펜들턴이 가장 불만인 듯했다.

어느 토요일 오후 펜들턴은 폴리애나에게 그런 불만을 내비쳤다.

"얘야, 폴리애나. 이 집에서 나와 함께 살면 어떻겠니?" 그가 다소 초조한 말투로 물었다. "요즘은 네 얼굴을 통 볼 수가 없구나."

폴리애나는 웃음을 터뜨렸다. 펜들턴 씨는 정말 재미있는 사람이었다!

"아저씨는 사람들이 들락거리는 게 싫다면서요."

펜들턴이 못마땅한 표정을 지었다.

"하지만 그건 네가 그 멋진 게임을 알려주기 전이었으니까. 지금은 사람들이 나를 성심성의껏 돌봐주는 것이 기쁘단다. 어차피 곧 두 발로 걸을 수 있을 테고. 그러면 도대체 누가 드나드는지 내 눈으로 볼 수 있겠지." 그는 말을 마치고는 한쪽에 놓인 목발 하나를 집어서 어린 소녀를 향해 장난스럽게 흔들어댔다. 둘은 이날 서재에 앉아 있었다.

"하지만 실은 전혀 기뻐하고 있지 않아요. 말로만 기쁘다고 하고." 폴리애나가 벽난로 앞에서 꾸벅꾸벅 조는 개를 보면서 툴툴거렸다. "아저씨는 단 한 번도 게임을 제대로 하지 않았어요. 아저씨도 알고 있죠?"

펜들턴의 얼굴이 갑자기 어두워졌다.

"그래서 네가 필요한 거야, 꼬마 아가씨. 내가 게임을 제대로 할 수 있게, 내게 오지 않으련?"

폴리애나는 깜짝 놀랐다.

"설마… 진심은 아니시죠?"

"진심인데. 너와 이 집에서 함께 살고 싶어. 어때?"

폴리애나가 난처한 표정을 지었다.

"하지만 펜들턴 씨, 안 되는 거 아시잖아요. 그럴 수 없어요. 그게, 저는 폴리 이모의 아이니까요!"

폴리애나가 이해할 수 없는 어떤 표정이 펜들턴의 얼굴을 스치고 지나갔다. 펜들턴은 마치 화라도 내려는 듯 고개를 들었다.

"너는 네 이모의 아이이기 이전에…. 폴리 이모가 그래도 좋다고 허락할지도 모르잖니." 펜들턴은 다소 누그러진 목소리로 말했다. "만약 이모가 허락한다면 나와 살겠니?"

폴리애나는 이마를 찌푸리며 생각에 잠겼다.

"하지만 폴리 이모는 제게 정말로 아주 많이 잘해주시는걸요." 폴리애나가 천천히 말했다. "그리고 제게 부녀회 말고는 아무도 없을 때 저를 받아주셨고요. 게다가…."

펜들턴의 얼굴 위로 또다시 뭔가가 경련을 일으키듯이 지나갔다. 다시 입을 연 그의 목소리는 매우 작고 매우 슬펐다.

"폴리애나, 아주 오래전 나는 누군가를 무척 사랑했단다. 나는 그녀를 언젠가 이 집에 데리고 오고 싶었어. 이 집에서 우리가 오래오래 얼마나 행복하게 살지 상상하곤 했지."

"네." 폴리애나가 안타까운 눈길을 보냈다.

"하지만 그녀를 데리고 오지 못했어. 이유는 중요하지 않다. 그냥 못했지. 그게 다야. 그리고 그 뒤로는 이 거대한 회색 돌덩어리는 그냥 집일 뿐이었어. 가정이 되지 못했지. 가정을 꾸리려면 여성의 손길과 마음이, 아니면 그 집만의 아이가 필요하단다, 폴리애나. 그리고 내게는 그 어느 것도 없어. 그러니 내게 와주지 않겠니?"

폴리애나가 벌떡 일어났다. 얼굴이 반짝반짝 빛나고 있었다.

"펜들턴 씨, 그건… 그런 말이죠? 그동안 내내 여자의 손길과 마음을 그리워했다는 거죠?"

"그, 그래, 폴리애나."

"정말 기뻐요! 잘됐어요." 어린 소녀가 한숨을 내쉬었다. "이제 우리 둘 다 받아주시면 되잖아요. 그러니까 다 잘됐어요."

"둘 다 받아준다고?" 펜들턴 씨가 혼란에 빠져 중얼거렸다.

폴리애나가 살짝 불안한 표정을 지었다.

"네, 그럼요. 폴리 이모는 아직 설득하지 못했지만, 하지만 아저씨가 제게 한 말을 이모에게 그대로 하면 분명히 이해할 거예요. 그리고 우리 둘 다 오는 거죠."

펜들턴의 두 눈이 공포에 사로잡혔다.

"폴리 이모가 온다고, 여기에?"

폴리애나의 눈이 커졌다.

"그럼 우리 집으로 오고 싶으신가요? 물론 우리 집은 이 집만큼 예쁘지는 않지만, 마을에서 더 가깝고…."

"폴리애나, 그건 또 무슨 소리니?" 펜들턴이 아주 작은 목소리로 물었다.

"그게, 그러니까 우리가 어디서 살지 이야기하고 있죠." 폴리애나가 놀라며 답했다.

"처음에는 이 집에서 살자고 하시는 거라고 생각했어요. 그동안 폴리 이모의 손길과 마음이 이 집을 가정으로 만들어주기를 바랐다고 말했잖아요. 그래서…."

펜들턴의 목구멍에서 이상한 소리가 새어 나왔다. 그는 한 손을 들어 보이고는 입을 열었다. 하지만 다음 순간 기운이 빠진 듯 손을 내렸다.

"의사 선생님이 왔어요." 가정부가 문가에서 말했다.

폴리애나가 서둘러 일어났다.

존 펜들턴은 다급한 표정으로 폴리애나를 쳐다봤다.

"폴리애나, 제발… 내가 네게 한 말을 아무에게도 하지 말아라. 아직은." 그가 낮은 목소리로 애원했다.

폴리애나가 싱긋 웃었다.

"당연하죠! 직접 하고 싶으실 거라는 것쯤은 저도 알아요!" 폴리애나가 방을 나가면서 밝은 목소리로 말했다.

존 펜들턴은 힘없이 의자에 주저앉았다.

"아니, 무슨 일이 있었던 겁니까?" 잠시 뒤 의사가 환자의 맥박을 짚으며 물었다.

존 펜들턴의 입가에 슬픈 미소가 머물렀다.

"자네가 처방한 약을 너무 많이 먹었나 봐." 의사가 저택 대문을 빠져나가는 폴리애나의 작은 몸을 지켜보는 것을 알아차린 그가 웃으며 말했다.

20장

그보다 더 놀라운 일

폴리애나는 일요일 아침에는 대개 교회와 교회 학교에 나갔다. 오후에는 낸시와 산책하곤 했다. 존 펜들턴 씨를 방문한 날은 토요일 오후였는데, 그다음 날인 일요일에도 폴리애나는 오후에 낸시와 산책할 생각이었다. 그런데 교회 학교에서 집으로 돌아오는 길에 이륜마차를 타고 가는 칠턴을 만났다. 칠턴은 폴리애나를 발견하고 마차를 세웠다.

"폴리애나, 집에 데려다줘도 될까? 잠깐 이야기를 하고 싶구나. 지금 너를 보러 해링턴 저택에 가는 길이었다." 폴리애나가 옆에 앉자 의사는 말을 이어나갔다. "펜들턴 씨가 오늘 저녁에 와달라고 신신당부했단다. 아주 중요한 이야기를 해야 한다는구나."

폴리애나가 기쁜 듯 고개를 끄덕였다.

"네, 그럴 거예요. 알고 있어요. 갈게요."

칠턴은 다소 놀란 기색이었다.

"하지만 내가 막아야 하는 건 아닌지 모르겠구나." 그가 눈을 반짝이며 말했다. "어제는 내 환자를 위로하기는커녕 언짢게 한 것 같았으니까, 꼬마 아가씨."

폴리애나가 웃었다.

"저 때문이 아니에요, 정말이에요. 그러니까 아닌 것 같아요. 폴리 이모 때문일걸요."

의사가 갑자기 돌아봤다.

"네… 이모 때문이라고?"

폴리애나는 흥분해서 제자리에서 들썩거렸다.

"네. 그리고 정말 즐겁고 아름다운 일이에요. 소설처럼요. 선생님께도… 이야기해드릴게요." 폴리애나가 갑자기 결심한 듯 말했다. "말하지 말라고 했지만 선생님에게는 말해도 괜찮을 거예요. 이모에게 말하지 말라는 걸 테니까요."

"이모에게?"

"네, 폴리 이모요. 그리고 당연해요. 제가 말하는 것보다는 직접 말하고 싶을 테니까요. 둘은 연인 사이거든요!"

"연인!" 칠턴이 그 단어를 내뱉는 순간 말이 놀라서 앞발을 치켜들며 울었다. 그의 손이 고삐를 갑자기 세게 잡아당긴 탓이었다.

"네." 폴리애나가 기쁜 표정으로 고개를 끄덕였다. "그게 바로 소설 같은 이유예요. 낸시가 말해줘서 알았어요. 낸시 말이 폴리 이모가 오래전에 연애를 했대요. 그런데 애인이랑 다퉜나 봐요. 그 애인이 누구인지는 몰랐대요. 그런데 우리가 알아냈어요. 펜들턴 씨예요."

칠턴이 갑자기 기운 빠진 듯 축 늘어졌다. 고삐를 쥔 손이 힘없이 무릎 위에 털썩 떨어졌다.

"아! 그래, 나는… 몰랐구나." 의사가 중얼거렸다.

폴리애나가 서둘러 말을 이었다. 해링턴 저택에 거의 다 왔기 때문이었다.

"네. 지금 저는 아주 기뻐요. 모든 일이 정말 잘 풀렸으니까요. 펜들턴 씨가 제게 자기 집에 와서 함께 살자고 했거든요. 하지만 물론 저는 폴리 이모를 두고 갈 수는 없어요. 제게 그렇게 잘해주셨는걸요. 그런데 펜들턴 씨가 원래는 여자의 손길과 마음을 원했다고 하더라고요. 알고 보니 지금도 원하고 있는 거였어요. 그래서 정말 기뻤어요! 왜냐하면 화해하고 싶어 한다는 걸 알았으니까 이제 잘 해결될 거잖아요. 폴리 이모와 제가 둘 다 펜들턴 씨 댁에 가서 살면 되고요. 아니면 펜들턴 씨가 우리 집에 와서 살아도 되고요. 물론 폴리 이모는 아직 몰라요. 그리고 아직 일이 다 해결된 건 아니지만요. 아마도 그래서 오늘 오후에 와달라고 했을 거예요, 확실해요."

칠턴이 갑자기 등을 꼿꼿이 세우더니 묘한 미소를 지었다.

"그래. 펜들턴 씨가 확실히… 너를 만나고 싶어 할 만하구나, 폴리애나." 의사는 고개를 끄덕이며 해링턴 저택 대문 앞에서 마차를 세웠다.

"창문에 폴리 이모가 서 있어요." 폴리애나가 큰 소리로 말했다. 하지만 다음 순간 실망한 표정으로 말했다. "어머, 아니네요. 이모가 없어요. 하지만 분명히 보였는데!"

"아니, 없어. 지금은." 의사의 얼굴에서 미소가 사라졌다.

그날 오후 폴리애나가 존 펜들턴을 찾아갔을 때 그는 매우 불안해 보였다.

“폴리애나.” 펜들턴이 곧장 말을 꺼냈다. “어젯밤 내내 네가 무슨 이야기를 한 걸까 곰곰이 생각해봤다. 어제 네가 한 이야기 말이다. 내가 오랜 시간 네 이모의 손길과 마음을 원했다는 그 이야기. 그게 무슨 뜻이지?”

“어머, 그야 물론 두 분이 연인 사이였으니까요, 예전에는요. 그래서 아저씨가 여전히 그런 생각을 한다는 게 무척 기뻤어요.”

“연인 사이! 네 이모와 내가?”

펜들턴이 충격을 받았다는 것이 명백했기 때문에 폴리애나는 두 눈을 동그랗게 떴다.

“어머, 펜들턴 씨, 낸시가 그렇다고 말했어요!”

펜들턴은 피식 웃었다.

“그랬구나. 음, 그런데 낸시가… 틀렸다.”

“그럼, 두 분이… 연인 사이가 아니었나요?” 폴리애나의 목소리가 절망으로 가득했다.

“그런 일은 없었어.”

“그러니까 소설 같지 않은 거예요?”

펜들턴은 답하지 않았다. 그는 우울한 눈빛으로 창문 쪽을 물끄러미 보고 있었다.

“아, 저런! 정말 모든 것이 완벽했는데.” 폴리애나가 울먹거렸다. “이곳에 오게 된 것이 정말 기뻤거든요. 폴리 이모와 함께니까.”

“그럼 오지 않겠다는 거니?” 펜들턴은 여전히 돌아보지 않고 계속 창문 쪽을 바라보며 물었다.

“당연하죠! 저는 폴리 이모의 아이니까요.”

펜들턴이 돌아보면서 거칠게 말했다.

“너는 폴리 해링턴의 아이이기 전에, 너는… 네 어머니의 아이였어. 그리고… 내가 오래전에 원한 것은 네 어머니의 손길과 마음이었지.”

“우리 엄마요?”

“그래. 네게 말할 생각은 없었지만, 이렇게 된 이상 지금이라도 말하는 편이 나을지도 모르지.” 존 펜들턴의 얼굴에서 핏기가 사라졌다. 그는 아주 괴로워하며 말을 이어나갔다. 폴리애나는 두려움이 깃든 커다란 눈으로 입을 살짝 벌린 채 그를 바라봤다. “나는 네 어머니를 사랑했어. 하지만 그녀는… 나를 사랑하지 않았지. 그리고 얼마 뒤 네 아버지를 따라 떠나버렸어. 그전까지만 해도 몰랐다. 내가 그녀를 얼마나 사랑하고 있었는지…. 갑자기 세상이 캄캄해진 것 같았어. 그리고… 그런 건 아무래도 상관없지. 그 후로 나는 성미가 고약하고, 비딱하고, 사랑할 수 없는, 사랑을 모르는 노인이 되었다. 난 아직 예순도 안 됐는데 말이야. 그러던 어느 날, 네가 그토록 좋아하는 프리즘처럼 한 꼬마 아가씨가 춤추면서 내 삶에 들어왔어. 네 명랑한 목소리가 보라색, 황금색, 빨간색 빛을 내며 내 우울하고 낡아빠진 세상을 밝혔지. 그러다 나는 네가 누군지 알게 됐어. 다시는 너를 보고 싶지 않다고 생각했지. 네 어머니를… 다시 떠올리는 게 싫었으니까. 하지만… 그다음 이야기는 너도 이미 알고 있지. 나는 너를 보지 않을 수 없었어. 그리고 늘 너와 함께하고 싶단다. 폴리애나, 그러니 내게 오지 않으련?”

"하지만 펜들턴 씨, 저는… 폴리 이모는 어쩌고요!" 폴리애나의 눈에 눈물이 가득 고였다.

펜들턴은 못 견디겠다는 듯 손을 휘둘렀다.

"나는 어쩌고? 내가 어떻게 '기쁘다'고 말할 수 있겠니? 네가 없는데! 폴리애나, 너를 만나고 나서야 나는 내가 살아 있다는 것을 조금이라도 기뻐할 수 있게 되었단다. 하지만 네가 내 아이가 되어준다면, 나는 모든 것에 기뻐할 수 있을 거야. 그리고 너를 기쁘게 하는 일이라면 뭐든 할 거야. 네가 원하는 것은 무엇이든 들어주마. 내가 가진 재산은 모두, 동전 한 닢까지도 너를 기쁘게 하는 데 쓰겠어."

폴리애나는 깜짝 놀랐다.

"어머, 펜들턴 씨. 제게 그 돈을 다 쓰게 할 리가 없잖아요. 선교를 위해서 모아둔 돈일 텐데!"

얼굴이 조금 빨개진 펜들턴이 입을 열었다. 하지만 폴리애나는 말을 멈추지 않았다.

"게다가 아저씨처럼 돈이 많은 사람이 제가 있어야만 기뻐할 수 있을 리도 없고요. 다른 사람에게 베풀어서 기뻐할 만한 일을 만들어주는 것만으로도 기쁠 테니까요! 생각해보세요. 스노 부인과 제게 준 프리즘도 그렇고, 낸시에게 생일 선물로 준 황금 장신구도 그렇고, 그리고…"

"그래, 그래. 하지만 그런 건 아무래도 좋다." 펜들턴이 폴리애나의 말을 가로막았다. 그의 얼굴은 이제 아주, 아주 시뻘겋게 달아올라 있었다. 그게 당연한지도 몰랐다. 과거의 존 펜들턴은 '베푸는 것'으로 유명하지는 않았으니까. "그건 다 아무것도 아니었어. 대단

한 것도 아니고. 하지만 어쨌든 그것도 다 네가 한 거였어. 그래, 네가 한 거다. 나는 아무것도 안 했어. 네가 한 거야." 믿지 못하는 폴리애나의 얼굴을 보면서 펜들턴은 강조했다. "그리고 바로 그래서 내게 꼬마 아가씨 네가 필요한 거란다." 펜들턴은 한결 누그러진 목소리로 호소하듯 말했다. "내가 '기뻐하기 게임'을 하려면 폴리애나 네가 나와 살면서 함께 해줘야 해."

어린 소녀의 얼굴에는 수심이 가득했다.

"이모가 제게 정말 잘해주시는걸요."

"당연히 네게 잘해주겠지! 하지만 그렇다고 너를 원하는 건 아니지. 절대로 나만큼 너를 원하지 않을 게다."

폴리애나가 입을 열었지만 펜들턴은 폴리애나의 말을 매섭게 끊었다. 예전의 불만과 짜증이 한꺼번에 몰려왔다. 예전부터 거절을 허용하지 않는 급한 성격이었기 때문에 이제 와서 인내심을 발휘하기란 어려웠다.

"어머나, 펜들턴 씨. 하지만 이모는 기뻐하고 있어요. 그러니까, 저를…."

"기뻐한다고?" 펜들턴이 이성을 잃고 소리를 질렀다. "폴리는 그 어떤 것에도 기뻐할 줄 모르는 사람이야. 내 장담하지! 아, 물론 자기의 의무는 다하겠지. 알고 있어. 의무를 성실하게 이행하는 여자지. 나도 그녀의 '의무'였던 적이 있으니까. 15년인가 20년인가 그동안 그녀와 별로 교류가 없었던 건 인정해. 하지만 예전에는 잘 알았어. 그리고 누구나 아는 사실이란다. 그녀가 '기뻐하는' 부류의 사람이 아니란 걸. 폴리애나, 폴리 해링턴은 기뻐하는 게 뭔지도 몰라. 네가 나와 사는 문제는…. 나와 함께 살고 싶다고 이모에게 말해보렴. 막을 리가 없어. 게다가, 아, 꼬마 아가씨, 나는 정말로 네가 필요해!" 펜들턴이 울부짖었다.

폴리애나는 긴 한숨을 내뱉으며 일어났다.

"알았어요, 물어볼게요." 폴리애나가 슬프게 말했다. "물론 이곳에서 아저씨와 함께 사는 게 싫다는 건 아니에요. 단지…." 폴리애나는 말을 끝맺지 못했다. 잠시 뒤 이렇게 덧붙였다. "뭐, 어쨌거나 어제 이모에게 말하지 않은 게 기뻐요. 그때는 아저씨가 이모도 원하시는 줄 알았거든요."

존 펜들턴은 웃었지만 슬퍼 보였다.

"그래, 폴리애나. 네가 말하지 않은 게 다행이야. 어제는."

"네. 의사 선생님한테는 말했지만, 그건 상관없겠죠."

"의사!" 존 펜들턴이 깜짝 놀라며 말했다. "설마 칠턴… 선생에게?"

"네. 아저씨가 제게 오늘 와달라고 했다는 말씀을 전해주실 때요."

"그래, 하지만 하필이면…." 펜들턴은 의자에 털썩 앉으면서 중얼거렸다. 그러다 갑자기 흥미를 보이며 물었다. "그래, 칠턴이 뭐라고 하던?"

폴리애나는 생각에 잠겼다.

"음… 기억이 안 나요. 잘 모르겠어요. 아, 아저씨가 확실히 저를 만나고 싶어 할 만하다고 했어요."

"흠, 그래, 그랬단 말이지!"

존 펜들턴이 갑자기 기묘한 웃음소리를 냈기 때문에 폴리애나는 그 이유가 궁금해졌다.

21장

의문이 풀리다

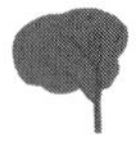

폴리애나가 존 펜들턴의 집에서 나와 언덕을 서둘러 내려올 즈음 폭우가 쏟아지려는 듯 하늘이 급격히 어두워지기 시작했다. 집까지 반쯤 왔을 때 우산을 든 낸시를 만났다. 그런데 이미 구름이 방향을 바꾼 터라 비가 올 것 같지는 않았다.

“아마 북쪽으로 가려나 봐요.” 낸시가 하늘을 유심히 보면서 말했다. “그럴 거라고 생각은 했지만요. 마님이 보내셨어요. 아가씨를 걱정했거든요.”

“그랬어요?” 폴리애나가 구름을 바라보면서 멍하니 중얼거렸다.

낸시가 조금 훌쩍거렸다.

“제 말을 전혀 듣지 못한 것처럼 구네요.” 낸시가 실망한 듯 말했다. “아가씨 이모가 아가씨 걱정을 했다니까요!”

“아.” 곧 이모에게 해야 하는 질문이 문득 생각난 폴리애나가 한숨을 쉬었다. “죄송해요. 걱정하게 할 생각은 없었어요.”

“아니, 저는 기뻐요.” 낸시가 뜻밖의 말을 했다. “암요, 그렇고말고요.”

폴리애나가 낸시를 쳐다봤다.

“폴리 이모가 제 걱정을 한 게 기쁘다고요? 낸시, 이 게임은 그렇게 하는 게 아니에요. 그런 것에 기뻐하면 안 돼요!” 폴리애나가 우려 섞인 목소리로 말했다.

“지금은 게임을 하는 게 아니었어요.” 낸시가 거칠게 말했다. “그 생각은 조금도 안 했어요. 아가씨야말로 뭘 모르는 것 같아요. 마님이 아가씨 걱정을 했다고요!”

“그러니까, 걱정했다는 거잖아요. 걱정은, 걱정은 무척 나쁜 감정이라고요.” 폴리애나가 꿋꿋하게 말했다. “도대체 뭘 모른다는 거죠?” 낸시가 고개를 젓히며 하늘을 한 번 쳐다봤다.

“좋아요, 알려드리죠. 드디어 마님이 어느 정도는 사람 같아졌다는 거예요. 보통 사람 말이에요. 늘 의무만 다하지는 않게 된 거죠.”

“어머, 낸시. 폴리 이모는 언제나 자신의 의무를 다해요. 이모는, 이모는 의무를 성실히 이행하는 여자인걸요!” 폴리애나는 자기도 모르게 30분 전에 들었던 존 펜들턴의 말을 반복하고 있었다.

낸시가 깔깔 웃었다.

“그래요, 아가씨 말이 맞아요. 그렇네요. 하지만 뭔가 달라지긴 했어요. 아가씨가 온 뒤로요.”

폴리애나의 얼굴이 갑자기 어두워지면서 두 눈썹이 한데 모였다.

“그래요, 그걸 물어보고 싶었어요, 낸시.” 폴리애나가 한숨을 쉬었다. “폴리 이모가 제가 여기 있는 걸 좋아하는 것 같나요? 만약…

만약 제가 이 집에 없다면 허전해할까요?"

낸시는 어린 소녀의 심각한 얼굴을 흘깃 쳐다봤다. 처음부터 낸시는 언제고 이 질문을 받게 될 거라고 생각했다. 정말 답하고 싶지 않은 질문이었다. 어떻게 대답해야 하나 고민도 했다. 어떻게 하면 질문한 소녀의 마음이 다치지 않게, 그러면서도 정직하게 답할 수 있을까. 하지만 지금은, 오늘 오후에 우산 심부름을 계기로 그동안 조금씩 커지고 있던 의심이 확신으로 바뀐 지금은 기꺼이 질문에 답할 수 있었다. 오늘 낸시는 양심의 가책을 전혀 느끼지 않고 사랑에 굶주린 어린 소녀의 마음을 채워줄 수 있었다.

"아가씨가 여기 있는 걸 좋아하느냐고요? 아가씨가 없으면 허전해하겠느냐고요?" 낸시가 볼멘소리로 되물었다. "지금 제가 그 이야기를 하고 있는 거잖아요! 오늘 하늘에 구름이 조금 끼었다고 저에게 우산을 들려 보냈죠? 아가씨가 예쁜 방을 원한다고 저를 시켜 아가씨 물건을 옮기게도 했잖아요. 아니, 폴리애나 아가씨, 처음에 마님이 얼마나 질색했는지를…."

다행히 갑자기 목이 메어온 낸시는 기침을 하며 정신을 차렸다.

"이렇게 큰일만 두고 말하는 건 아니에요." 낸시가 서둘러 말을 이어나갔다. "작은 것들에서도 알 수 있죠. 아가씨가 마님의 마음을 조금씩 녹였어요. 고양이도, 개도 그렇고 마님이 제게 말하는 태도라든지…. 암튼 정말 많아요. 그러니까 폴리애나 아가씨, 아가씨가 여기 없으면 허전해하는 정도가 아닐걸요." 앞서 실수로 나온 말을 감추려고 낸시는 더 열정적으로 말했다. 하지만 막상 폴리애나의 얼굴이 갑자기 환해지고 눈이 기쁨으로 반짝거리는 것을 보면서 낸시는 뜻밖이라는 생각을 했다. 그렇게까지 좋아할 줄은 몰랐던 것이다.

"아, 낸시. 정말, 정말, 정말 기뻐요! 폴리 이모가 저를 원해서 제가 얼마나 기쁜지 낸시는 모를 거예요!"

"절대 이모를 두고 갈 수는 없어!" 조금 뒤 자기 방으로 올라가면서 폴리애나는 다짐했다. "나는 늘 폴리 이모와 살고 싶었어. 다만 폴리 이모가 나와 살고 싶어 하면 좋겠다는 마음이 이렇게 큰지는 몰랐어!"

존 펜들턴에게 자신의 결심을 말하는 게 쉽지 않으리라는 걸 폴리애나는 알았고, 그래서 하고 싶지 않았다. 폴리애나는 존 펜들턴이 무척 좋았고 또 그가 안쓰러웠다. 스스로를 불행하다고 여기는 것 같았기 때문이다. 폴리애나도 그가 그렇게 오랜 시간을 외롭게 살아온 것이 안됐다고 생각했다. 그리고 자기 어머니 때문에 그렇게 어두운 시간을 보냈다는 것 또한 마음이 쓰였다. 폴리애나는 주인의 다리가 다 나으면 커다란 회색 저택이 어떤 모습일지 상상해보았다. 방은 고요하고, 바닥에는 쓰레기가 나뒹굴고, 책상은 너저분할 것이다. 그리고 그가 다시 외롭게 지낼 거라는 생각에 폴리애나는 마음이 아팠다. 누군가가 있으면 좋을 텐데…. 그 순간 폴리애나는 어떤 생각이 떠올라 탄성을 지르며 벌떡 일어나 앉았다.

그 뒤 시간이 나자마자 폴리애나는 존 펜들턴의 집으로 달려갔고 곧 커다랗고 어두운 서재로 안내되었다. 존 펜들턴은 길쭉한 손을 의자 팔걸이에 걸친 채 앉아 있었고 그의 발치에는 작은 충견이 앉아 있었다.

"그래, 폴리애나. 나도 여생을 '기뻐하기 게임'을 하며 보낼 수 있게 된 거니?" 그가 부드럽게 물었다.

"그럼요." 폴리애나가 큰 소리로 답했다. "아저씨가 아주, 아주 기뻐할 만한 것이 떠올랐어요, 그리고…."

"너와 함께?" 존 펜들턴의 입매가 다소 굳었다.

"아, 아니요. 하지만…."

"폴리애나, 안 오겠다는 말은 아니겠지?" 감정이 북받친 목소리가 흘러나왔다.

"어쩔 수 없어요. 펜들턴 씨. 정말이에요. 폴리 이모가…."

"안 된다고 했니? 너를 보낼 수 없다고?"

"그게… 물어보지 않았어요." 어린 소녀가 괴로운 듯 더듬거렸다.

"폴리애나!"

폴리애나는 고개를 돌렸다. 친구의 상처 받은, 슬픔에 찬 눈을 마주할 수 없었기 때문이다.

"그러니까 물어보는 것조차 안 했다는 거니?"

"물어볼 수 없었어요. 정말이에요." 폴리애나가 떨리는 목소리로 말했다. "그게, 그러니까, 물어보지 않고도 알게 되었거든요. 폴리 이모는 저를 원해요. 그리고, 그리고 저도 이모랑 함께 있고 싶어요." 폴리애나가 용기를 내어 고백했다. "이모가 제게 얼마나 잘해줬는지 모르실 거예요. 그리고 제 생각에는… 이모도 조금씩 기뻐하기 시작한 것 같아요. 많은 것들에 대해서요. 그리고 아저씨도 이모가 어땠는지 알잖아요. 아저씨가 그렇게 말했잖아요. 아, 펜들턴 씨, 저는 폴리 이모를 두고 올 수 없어요. 지금은요!"

"그렇구나, 폴리애나. 알았다. 이모를 두고 올 수 없다는 거구나. 지금은. 앞으로는 묻지 않으마. 다시는." 마지막 단어는 들리지 않을 만큼 아주 작았지만 폴리애나의 귀에 닿았다.

"하지만 아직 제 말을 다 듣지 않으셨어요." 폴리애나가 기대에 차 말했다. "아저씨가 아주 기뻐할 만한 일이 아직 남아 있어요. 정말이에요!"

"나는 동의할 수 없구나, 폴리애나."

"아니에요, 아저씨가 한 말이잖아요. 여자의 손길과 마음 또는 그 집만의 아이가 있어야 가정이 된다고요. 그리고 제가 그걸 도와드릴 수 있어요. 아이가 있어요. 물론, 저는 아니지만 또 다른 아이요."

"네가 아닌 다른 아이는 필요 없어!" 펜들턴은 성난 목소리로 거절했다.

"하지만 원하실걸요. 이 아이에 대해 알게 되면요. 아저씨는 정말 친절하고 착하잖아요! 그러니까, 프리즘이랑 황금 장신구랑 선교를 위해 돈을 모은 거랑 그리고…."

"폴리애나!" 펜들턴이 폴리애나의 말을 가로막았다. "이제야말로 분명히 해두어야겠다, 그런 말도 안 되는 소리는 그만해라! 네게 이미 누누이 말했다. 나는 선교를 위해 돈을 모은 적이 없다. 선교에 동전 한 닢 보탠 적이 없어. 알았니?"

그는 턱을 치켜들고 꿋꿋하게 폴리애나의 반응을 기다렸다. 폴리애나의 눈이 슬픈 절망으로 물드는 것을. 그런데 놀랍게도 폴리애나의 눈에는 슬픔도 절망도 보이지 않았다. 단지 놀라서 기뻐하는 모습만 보였다.

"아, 그렇군요!" 폴리애나가 손뼉을 치며 말했다. "정말 기뻐요. 아니, 그러니까…." 당황한 폴리애나의 얼굴이 빨개졌다. "이교도가 도움을 받지 못하게 된 것이 기쁘다는 건 아니에요. 제가 기쁜 이유는 아저씨가 인도의 아이를 원하지 않을 것 같아서예요. 다른 사람들은 그렇거든요. 그리고 차라리 지미 빈을 원할 테니 기쁘다는 의미예요. 이제는 아저씨가 지미를 받아줄 분이라는 걸 아니까요!"

"받아줘? 누구를?"

"지미 빈이요. 아저씨의 '아이'가 되어줄 거예요. 그리고 그 아이도 기뻐할 거예요. 지난주에 서부에 있는 고향의 부녀회에도 지미를 받아줄 사람이 없다는 말을 전해야만 했거든요. 정말 실망하더라고요. 하지만 이제 이 소식을 들으면 정말 기뻐할 거예요!"

"그래? 하지만 나는 그럴 생각이 없는데." 펜들턴이 단호하게 말했다. "폴리애나, 그건 말도 안 된다!"

"설마… 지미를 받아줄 생각이 없단 말인가요?"

"그래, 그런 말이다."

"하지만 지미는 이 집에 꼭 맞는 아이가 되어줄 텐데." 폴리애나가 울먹였다. "그리고 아저씨는 외롭지 않을 거고요. 지미가 함께 있을 테니까."

"그럴지도 모르지. 하지만… 나는 차라리 외롭게 지내고 말겠다."

그때 폴리애나는 오래전에 낸시가 한 말이 생각났다. 폴리애나는 고개를 들고 매섭게 말했다.

"지미처럼 살아 있는 착한 남자아이가 아저씨가 어딘가에 감춰 둔 해골보다도 못하다는 말씀인가요? 절대 그럴 리가 없어요!"

"해골?"

"네, 아저씨가 어딘가 벽장에 감춰뒀다고 낸시가 말해줬어요."

"그게 무슨…." 펜들턴은 갑자기 고개를 젖히고 한바탕 웃음을 터뜨렸다. 너무 미친 듯이 웃는 바람에 폴리애나는 겁이 나 울기 시작했다. 그 모습에 다시 바로 앉은 펜들턴의 얼굴이 어두웠다.

"폴리애나, 네 말이 맞을지도 모르지. 네가 상상하는 것 이상으로." 펜들턴이 부드럽게 말했다. "실은 '살아 있는 착한 남자아이'가 훨씬 낫다는 걸 나도 안단다. 내… 벽장에 있는 해골보다. 하지만… 미련을 버리기가 쉽지 않아. 사람들은 자신의 해골을… 차마 버리지 못하고 꼭 붙들고 있기 마련이지, 폴리애나. 그래도 그 착한 남자아이 이야기를 조금 들어나 볼까?" 그래서 폴리애나는 지미의 이야기를 들려주었다.

아마도 시원하게 한바탕 웃은 덕분이었을 것이다. 아니면 폴리애나가 작은 입술로 열심히 들려주는 지미 빈의 슬픈 이야기가 어쩐지 조금은 녹아내린 그의 마음을 움직였는지도 모른다. 어쨌거나 그날 밤 폴리애나는 다음 토요일 오후에 지미 빈과 함께 오라는 초대를 받고 집으로 돌아갔다.

"그리고 정말 기뻐요. 지미가 분명 마음에 들 테니까요." 폴리애나가 작별 인사를 하면서 한숨을 내쉬었다. "지미 빈에게 집이 생기면 좋겠어요. 그것도 관심을 가지고 돌봐주는 어른이 있는 집이요."

22장

설교와 장작 통

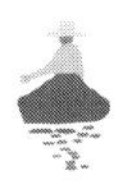

폴리애나가 존 펜들턴에게 지미 빈의 이야기를 꺼낸 그날 오후, 폴 포드 목사는 언덕을 올라 펜들턴 숲으로 갔다. 하느님의 자녀의 심란한 마음을 하느님이 빚은 자연의 차분한 아름다움이 달래주지 않을까 하는 기대를 품고 있었다.

폴 포드 목사는 마음이 병들어가고 있었다. 한 달, 그리고 또 한 달. 그렇게 시간이 차곡차곡 쌓여 어느새 1년이 지났다. 그런데 자신이 온 뒤로 교구의 분위기가 점점 더 나빠지고 있었다. 지금은 어느 쪽을 봐도 온통 반목과 험담과 시샘과 사건, 사고뿐이었다. 그는 설득도 해보고 애원도 해보고 훈계도 해보고 무시도 해봤다. 그리고 늘 기도했다. 온 마음을 다해, 희망을 품고서. 그런데 절망적이게도 상황이 나아지기는커녕 점점 더 나빠지고 있다는 사실을 인정해야만 했다.

그의 교회 장로 두 사람이 아주 하찮은 문제로 사이가 틀어져 서로에게 칼끝을 겨누고 있었다. 끊임없는 꼬투리 잡기만 아니었다면 정말 실소가 나올 만한 다툼이었다. 또한 가장 열성적인 회원 세 명이 부녀회에서 나가버렸다. 어떤 소문이 지칠 줄 모르는 혓바닥을 타고 부풀려져 치명적인 추문이 되었기 때문이다. 성가대는 실력이 더 뛰어난 성가대원에 대한 곡 배정을 두고 둘로 갈렸다. 청년회 모임조차 회원 두 명이 공개적으로 비난을 받는 바람에 분위기가 뒤숭숭했다. 교회 학교로 말하자면 총무와 교사 두 명이 사퇴했는데, 그동안 이런저런 일을 겪으면서 심신이 지친 목사는 이런 일까지 터지자 더는 견딜 수 없어서 기도드리고 묵상하려고 조용한 숲을 찾은 것이다.

나무들이 만든 초록빛 아치 밑에서 포드 목사는 현실을 직시하려고 애썼다. 그가 보기에 위기는 이미 닥쳤다. 무언가를 해야만 했다. 그것도 지금 당장. 교회의 업무는 모두 마비된 상태였다. 교회 학교, 주중 기도 모임, 선교 모임은 말할 것도 없고 구역 예배와 주일 오찬조차도 참석자 수가 줄고 있었다. 물론 성실한 일꾼 몇몇은 아직 남아 있었다. 하지만 그 일꾼들은 각자의 입장을 고집했고, 자신들에게 쏠린 곱지 않은 시선과 겉으로 드러난 상황만으로 말을 만들어내기 좋아하는 가벼운 혓바닥을 의식하느라 위축되어 있었다.

따라서 폴 포드 목사는 하느님의 종인 자신이, 교회가, 마을이, 그리고 기독교 자체가 고난에 빠졌다고 느꼈다. 그리고 앞으로도 고난은 계속될 것이다.

고난에서 벗어나려면 무엇이든 해야만 했다. 그것도 지금 당장. 하지만 과연 무엇을 할 수 있을까?

목사는 주머니에서 다음 일요일 예배 시간에 할 설교 내용을 적은 종이를 천천히 꺼냈다. 인상을 잔뜩 찌푸린 채 그는 자신이 쓴 글을 훑어보았다. 자신이 선택한 성경 말씀을 소리 내 또박또박 읽는 그의 입가에는 깊은 주름이 패었다.

"화 있을진저 외식하는 서기관들과 바리새인들이여, 너희는 천국 문을 사람들 앞에서 닫고 너희도 들어가지 않고 들어가려 하는 자도 들어가지 못하게 하는도다."

"화 있을진저 외식하는 서기관들과 바리새인들이여, 너희는 교인 한 사람을 얻기 위하여 바다와 육지를 두루 다니다가 생기면 너희보다 배나 더 지옥 자식이 되게 하는도다."

"화 있을진저 외식하는 서기관들과 바리새인들이여, 너희가 박하와 회향과 근채의 십일조는 드리되 율법의 더 중한바 정의와 긍휼과 믿음은 버렸도다. 그러나 이것도 행하고 저것도 버리지 말아야 할지니라."

그것은 아주 통렬한 비판의 말씀이었다. 숲속에 난 초록빛 복도 사이로 목사의 낮은 목소리가 매섭게 울려 퍼졌다. 새들과 다람쥐들조차 놀라 숨죽이는 듯했다. 목사는 자신이 다음 일요일 예배 시간에 경건하게 침묵을 지키는 자신의 신도들에게 이 말씀들이 어떤 효과를 낳을지 생생하게 느낄 수 있었다.

자신의 신도들! 그렇다. 그들은 자신의 신도들이었다. 과연 이 말씀을 그대로 전달할 수 있을까? 그렇게 할 용기가 자신에게 있을까? 그렇게 하지 않을 용기는 있을까? 이것은 무시무시한 비난의 말씀이었다. 그 뒤로 이어지는 자신의 설교 없이도, 이 자체만으로도 충분히 매서웠다. 그는 기도하고 또 기도했다. 그는 간절하게 도움을, 신호를 구했다. 지금 이 위기에 올바르게 대처하고 싶었다. 이루 말할 수 없이 간절히 빌었다. 그런데 과연 이것이… 올바른 대처 방법일까?

목사는 천천히 종이를 접어서 다시 주머니에 넣었다. 그러고는 신음에 가까운 한숨을 내뱉으면서 나무 밑동 위에 털썩 주저앉아 두 손으로 얼굴을 감쌌다.

바로 그때 펜들턴 저택에서 집으로 돌아가던 폴리애나가 지나갔다. 폴리애나는 작은 탄성을 내지르며 달려왔다.

"포드 목사님! 목사님도… 설마 목사님도 다리가 부러진 건 아니죠?"

목사는 손을 내리고 얼른 고개를 들었다. 그리고 애써 웃어 보였다.

"아니다, 얘야. 그런 건 아니야! 그냥… 쉬고 있었단다."

"아." 폴리애나가 한숨을 내쉬면서 조금 뒤로 물러섰다. "그렇다면 다행이에요. 펜들턴 씨를 만났을 때 펜들턴 씨는 다리가 부러져 있었거든요. 쓰러져 있기도 했어요. 그런데 목사님은 앉아 계시네요."

"그래, 나는 앉아 있지. 그리고 부러진 곳은 없어. 그래서 의사도 아무 소용이 없지."

마지막 문장은 매우 작은 소리로 말했지만 폴리애나의 귀에 닿았다. 폴리애나의 표정이 갑자기 바뀌었다. 두 눈에는 안타까움이 가득했다.

"무슨 말씀인지 알아요. 마음의 병인 거죠? 아빠도 그럴 때가 있었어요. 아주 많았죠. 아마도 목사님들은 다 그럴 거라고 생각해요. 아주 무거운 짐을 지고 있으니까요."

폴 포드 목사가 의아한 표정으로 물었다.

"네 아빠도 목사였니, 폴리애나?"

"네. 모르셨어요? 다들 아는 줄 알았어요. 폴리 이모의 언니와 결혼했어요. 폴리 이모의 언니가 우리 엄마였고요."

"그렇구나. 하지만 나는 여기 온 지 얼마 안 돼서 이 마을 사람들의 속사정을 자세히는 모른단다."

"그랬군요." 폴리애나가 목사의 얼굴을 바라보며 싱긋 웃었다.

잠시 침묵이 흘렀다. 목사는 여전히 나무 밑동 위에 앉아 있었다. 폴리애나의 존재를 잊은 듯했다. 그는 주머니에서 다시 종이를 꺼내 펼쳤지만 그 종이를 보고 있지는 않았다. 그는 조금 떨어진 땅에서 뒹구는 낙엽을 빤히 바라보고 있었다. 딱히 아름다운 잎도 아니었다. 말라비틀어지고 바랜 잎이었다. 목사를 바라보고 있던 폴리애나는 어쩐지 그가 불쌍하게 느껴졌다.

"오늘… 오늘 날씨가 참 좋죠?" 폴리애나가 일부러 더 밝게 말했다.

한동안 아무 답도 돌아오지 않았다. 그러다 목사가 움찔하며 고개를 들었다.

"뭐라고? 아! 그래, 날이 참 좋구나."

"게다가 춥지도 않아요. 10월인데도요." 폴리애나가 한층 더 밝은 목소리로 말했다. "펜들턴 씨 집에는 난로에 불을 피워두었지만 펜들턴 씨는 그럴 필요가 없는 날이라고 했어요. 단지 보기 좋아서

피워둔 거라면서요. 저는 난롯불을 보는 게 좋아요. 목사님도 좋아하시나요?”

이번에도 아무 답이 없었다. 폴리애나는 차분하게 기다렸다. 그런데도 목사가 아무 말이 없자 화제를 돌렸다.

“목사님으로 지내는 게 즐거우세요?”

이 질문에 폴 포드 목사가 고개를 번쩍 들었다.

“목사로 지내는 게… 즐겁냐고? 그것참 기이한 질문이구나! 왜 그걸 묻지, 얘야?”

“그냥요. 목사님 얼굴이… 돌아가신 아빠가 생각났어요. 아빠도 그런 얼굴일 때가 있었거든요. 가끔씩요.”

“그랬구나.” 목사가 맞장구를 쳤지만 시선은 다시 땅 위를 굴러다니는 말라비틀어진 낙엽을 향해 있었다.

“네, 그리고 저는 지금 목사님께 물었듯이 아빠한테도 물었어요. 목사로 지내는 게 즐겁냐고요.”

나무 밑동에 걸터앉아 있는 남자가 다소 서글픈 미소를 지었다.

“그래, 뭐라고 답하시든?”

“물론 늘 답은 즐겁다는 거였어요. 그런데 거의 언제나 이런 말을 덧붙었어요. 큰 기쁨의 말씀들이 없었다면 단 1분도 목사로 지낼 수 없었을 거라고요.”

“무슨 말씀들?” 폴 포드 목사가 낙엽에서 눈을 떼고는 환하게 빛나는 폴리애나의 얼굴을 알 수 없다는 표정으로 바라봤다.

“그러니까, 그건 아빠가 붙인 이름이에요.” 폴리애나가 큰 소리로 웃었다. “물론 성경에서는 그렇게 표현하지 않아요. 하지만 ‘주 안에서 기뻐하라' '크게 기뻐할지어다' '즐거운 노랫소리로 찬양할지어다'로 시작하는 구절들이 있잖아요. 그것도 아주 많이요. 그런 말씀들을 가리키는 거예요. 한번은 아빠가 너무, 너무 힘들어서 그런 구절이 몇 개인지 전부 세어보았대요. 그랬더니 무려 800개나 되었대요."

"800개!"

"네, 기뻐하라고 하고, 크게 기뻐하라고 하는 그런 말씀들이요. 그래서 아빠는 그런 구절들을 '큰 기쁨의 말씀들'이라고 불렀어요."

"아!" 목사가 묘한 표정을 지으면서 자기 손에 들린 종이의 첫 문장을 보았다. '화 있을진저 외식하는 서기관들과 바리새인들이여.' "그러니까 네 아버지는 그런 '큰 기쁨의 말씀들'을 좋아하셨단 말이지." 목사가 중얼거렸다.

"그럼요." 폴리애나가 힘주어 고개를 끄덕였다. "아빠는 금방 기운이 솟아났다고 했어요. 처음으로 그 말씀들을 세어본 그날에요. 아빠는 하느님이 우리에게 800번이나 기뻐하라고, 크게 기뻐하라고 굳이 말씀하신 걸 보면 틀림없이 우리가 그러기를 원하시는 거라고 했어요. 그것도 아주 많이요. 아빠는 더 많이 기뻐하지 않은 게 부끄럽다고 했어요. 그 후로 그 말씀들이 아빠에게 큰 위로가 되었어요. 그러니까 일이 잘 안 풀릴 때마다요. 부녀회에서 다툼이 일어났을 때도, 아니, 그러니까 부녀회 아주머니들이 서로 의견이 다를 때도요." 폴리애나가 재빨리 고쳐 말했다. "아, 그리고 그 말씀들 덕분에 아빠는 그 게임을 생각해냈다고 했어요. 저와 같이하게 된 건 목발을 받아서였고요. 하지만 게임의 처음은 큰 기쁨의 말씀들을 보면서 시작한 거라고 했어요."

"그 게임이라는 건 뭐지?" 목사가 물었다.

"그러니까, 모든 것에서 기뻐할 만한 무언가를 찾는 거예요. 저는 목발에서 시작했고요." 폴리애나는 다시 한번 자신의 이야기를 들려주었다. 이번에는 따뜻한 눈과 이해심 많은 귀를 지닌 남자가 듣고 있었다.

잠시 뒤 폴리애나와 목사는 손을 맞잡고 언덕을 내려왔다. 폴리애나의 얼굴에서는 빛이 났다. 폴리애나는 이야기하는 걸 좋아했고 꽤 오래 이야기했다. 목사는 게임, 폴리애나의 아버지와 고향에 관해 궁금한 점이 아주 많은 듯했다.

언덕 아래에서 길이 양쪽으로 갈라졌고 둘은 헤어져 서로 다른 길로 갔다.

그날 저녁 폴 포드 목사는 서재에 앉아 생각에 잠겼다. 앞에 놓인 책상에는 종이 몇 장이 흩어져 있었다. 그가 쓴 설교 원고였다. 손에 쥔 연필 밑으로는 아직 아무것도 적지 않은 빈 종이 몇 장이 놓여 있었다. 그가 쓸 설교 원고였다. 그런데 목사의 머릿속을 가득 채우고 있는 것은 그가 이미 쓴 설교 내용도, 앞으로 쓸 설교 내용도 아니었다. 그는 저 멀리 서부의 작은 마을에 있는 한 개척 교회의 목사를 떠올리고 있었다. 가난하고 병들고 이 세상에서 거의 혼자나 마찬가지인 그 목사를. 그런데도 그 목사는 성경에 코를 박고서 하느님이 '크게 기뻐하고, 또 기뻐하라'고 몇 번이나 일렀는지를 세고 있었다.

잠시 뒤 폴 포드 목사는 긴 한숨을 내뱉으면서 서부의 머나먼 마을에서 돌아와 손 밑에 놓인 종이를 만지작거렸다.

그는 '마태복음 23장 13-14절, 23절'이라고 적었다. 그러나 곧 참지 못하겠다는 듯 연필을 탁 내려놓고는 조금 전에 아내가 책상 위에 두고 간 잡지를 끌어다가 펼쳤다. 그의 피곤한 눈이 무심하게 페이지를 훑었다. 그러다 어떤 글이 그의 눈길을 사로잡았다.

"어느 날 아버지가 아들 톰에게 말했다. 톰은 그날 아침 반항심에 어머니의 장작 통을 채우지 않았다. '톰, 나는 네가 기쁜 마음으로 네 엄마를 위해 장작을 가져다 둘 거라고 믿는다.' 그러자 톰은 아무 말 없이 나가서 장작을 들고 왔다. 왜 그랬을까? 아버지가 아들이 옳은 일을 할 거라고 굳게 믿고 있다고 직접 말했기 때문이다. 만약 톰의 아버지가 이렇게 말했다면 어땠을까? '톰, 오늘 아침 네가 엄마에게 하는 말을 들었다. 네가 정말 부끄럽구나. 당장 가서 장작 통을 채워라!' 장담하건대 장작 통은 아직까지도 비어 있을 것이고 그게 당연하다고 톰은 생각했을 것이다!"

목사는 그 글을 계속 읽어 내려갔다. 여기저기 눈에 들어오는 구절, 문장, 단락들이 있었다.

"남녀를 불문하고 사람들에게는 격려가 필요하다. 사람들의 타고난 저항력을 꺾으려고 애쓰기보다는 오히려 키워주자. … 늘 어떤 사람의 결점을 비난하기보다는 그 사람의 장점을 말하라. 나쁜 습관에서 그 사람을 구해내고 그가 더 좋은 사람이 될 수 있다는 것을 그 사람에게 보여주자. 과감히 도전해서 쟁취하는 자신의 진짜 모습과 마주할 수 있도록! … 마음이 아름답고 친절하고 긍정적인 사람은 전염성이 있어서 마을 전체에 혁명을 일으킨다. … 사람들은 자신의 머리와 심장에 깃들어 있는 것을 내뿜는다. 마음이 따뜻하고 상냥한 사람이 있으면 그의 이웃들도 곧 같은 마음이 될 것이다. 만약 불평불만으로 가득하고 비난을 일삼는 사람이 있으면 그의 이웃도 마찬가지로 불평불만을 늘어놓을 뿐 아니라 더 큰 목소리로 비난할 것이다! … 나쁜 면을 기대하면서 나쁜 면만 찾으면 당연히 나쁜 면만 눈에 띈다. 좋은 면이 있다고 생각하면, 좋은 면이 보인다. … 당신의 아들 톰에게 그가 기쁜 마음으로 장작 통을 채우리라는 걸 안다고 말하라. 그러면 그가 관심을 보이고, 귀 기울일 것이다!"

목사가 잡지를 놓고 고개를 들었다. 그는 벌떡 일어나서 좁은 방을 끝에서 끝까지 왔다 갔다 했다. 잠시 뒤 그는 크게 숨을 들이마시고는 책상 앞에 다시 앉았다.

"하느님이 굽어살피시고 계시니, 나는 할 수 있어!" 그는 낮은 목소리로 내뱉었다. "내 톰들에게 나는 그들이 기쁜 마음으로 장작 통을 채우리라는 걸 안다고 말해주자. 할 일을 주고 그 일을 하는 것이 아주 즐거워서 그 일에 집중하느라 이웃의 장작 통을 들여다볼 틈이 없게 만들자!" 그는 자신이 쓴 설교를 집어 들고 반으로 찢어 던져버렸다. 그의 의자 한쪽으로 '화 있을진저'가, 다른 한쪽으로 '외식하는 서기관들과 바리새인들이여'가 내려앉았다. 그동안 목사 앞에 놓인 매끄러운 종이 위로 그의 연필이 물 흐르듯 글을 써내려갔다. 그 전에 '마태복음 23장 13-14절, 23절' 위로는 검은 줄이 그어졌다.

그다음 일요일에 폴 포드 목사의 설교는 그 말씀을 들은 남녀노소 모두에게서 가장 선한 면을 불러 모으는 진심 어린 나팔소리가 되었다. 그날의 성경 구절은 폴리애나가 사랑하는 반짝반짝 빛나는 800개의 말씀 중 하나였다.

"너희 의인들아 여호와를 기뻐하며 즐거워할지어다. 마음이 정직한 너희들아 다 즐거이 외칠지어다."

23장

사고

어느 날 폴리애나는 스노 부인의 부탁으로 칠턴의 진료소에 들렀다. 스노 부인 대신 약 이름을 물어보러 간 것이었다. 폴리애나는 칠턴의 진료소에 이날 처음 들어가 봤다.

"선생님 집에는 처음 와봐요! 여기가 선생님 집 맞죠?" 폴리애나가 주위를 흥미롭게 둘러보며 물었다.

의사는 조금 우울한 미소를 지었다.

"그래, 여기가 내 집이지." 그는 메모지에 무언가를 적으면서 답했다. "하지만 집이라고 부르기에는 너무 초라하지, 폴리애나. 방 두 개가 붙어 있을 뿐, 집이라고 하기엔 부족하단다."

폴리애나는 무슨 말인지 안다는 듯 고개를 끄덕이면서 의사를 동정 어린 눈으로 바라봤다.

"알아요. 여자의 손길과 마음이나 그 집만의 아이가 있어야 가정이 꾸려지죠."

"응?" 의사가 놀라 홱 돌아보았다.

"펜들턴 씨가 말해주었어요." 폴리애나가 또 한 번 고개를 끄덕이며 말했다. "여자의 손길과 마음이나 그 집만의 아이가 필요하다고요. 선생님은 왜 여자의 손길과 마음을 구하지 않으셨어요? 지미 빈이 오면 될지도 모르겠네요. 펜들턴 씨가 원하지 않는다면요."

칠턴이 어색하게 웃었다.

"펜들턴 씨가 가정을 꾸리려면 여자의 손길과 마음이 필요하다고 말했단 말이냐?" 칠턴은 폴리애나의 질문에 답하지 않았다.

"네. 자기 집도 그냥 집일 뿐이라면서요. 선생님은 왜 없는 거예요?"

"나는 왜… 없냐고?" 의사는 다시 책상 쪽으로 돌아앉았다.

"여자의 손길과 마음 말이에요. 아, 깜빡했다." 폴리애나의 얼굴이 갑자기 빨개졌다. "말씀드려야 할 게 있어요. 폴리 이모랑 펜들턴 씨가 예전에 서로 사랑한 사이가 아니었대요. 그래서 펜들턴 씨 댁에 함께 가서 살지도 않을 거고요. 지난번에 그럴 거라고 말씀드렸는데… 제가 잘못 안 거였어요. 선생님은 아무에게도 말하지 않았죠?" 폴리애나가 걱정스레 물었다.

"그래, 아무에게도 말하지 않았단다, 폴리애나." 의사가 다소 거북한 표정으로 말했다.

"아, 다행이에요." 폴리애나가 안도의 한숨을 내쉬었다. "선생님한테만 말했거든요. 그러고 보니 펜들턴 씨에게 선생님한테 말했다고 하니까 이상한 표정을 지었어요."

"그랬니?" 의사의 입술이 씰룩거렸다.

"네. 물론 사람들한테 알려지는 게 싫었겠죠. 무엇보다 사실이 아니었으니까요. 그런데 선생님은 왜 여자의 손길과 마음을 구하지 않으셨어요?"

잠시 침묵이 흘렀다. 의사는 아주 심각하게 말했다.

"누구나 얻을 수 있는 게 아니란다. 아무리 간절히 원해도 말이다."

폴리애나가 이마를 찡그리며 조심스럽게 말했다.

"하지만 의사 선생님은 원하기만 하면 얻을 수 있을 텐데요." 폴리애나가 반박했다. 칠턴을 좋아하는 마음이 분명하게 드러났다.

"고맙구나." 의사가 눈썹을 치켜뜨며 말했다. 하지만 곧 다시 심각한 얼굴로 말했다. "너보다 나이가 많은 여자들은 그렇게 생각하지 않는 것 같구나. 적어도 너처럼 그렇게… 나를… 좋게 생각하는 것 같지 않아."

폴리애나가 다시 이마를 찡그렸다. 그러더니 놀란 듯 눈이 휘둥그레졌다.

"어머, 그럼 설마 선생님도… 누군가의 손길과 마음을 원했는데, 펜들턴 씨처럼요, 그런데… 얻지 못했다는 건가요?"

그 순간 의사가 벌떡 일어났다.

"자, 자, 폴리애나. 그런 건 중요하지 않아. 다른 사람들 일로 그 작은 머리를 복잡하게 만들지 말려무나. 이제 스노 부인에게 돌아가야 하지 않겠니? 약 이름과 복용 방법을 적었다. 또 필요한 건 없니?"

폴리애나는 고개를 저었다.

"아니요. 감사합니다, 선생님." 폴리애나는 착 가라앉은 목소리로 중얼거리고는 문으로 향했다. 좁은 복도에서 폴리애나의 얼굴이 갑자기 환해지면서 큰 소리로 작별 인사를 건넸다. "어쨌거나, 선생님이 원했지만 얻지 못한 게 우리 엄마의 손길과 마음은 아니었을 테니까, 그건 기뻐요. 안녕히 계세요."

사고가 난 것은 10월의 마지막 날이었다. 학교가 끝난 뒤 서둘러 집으로 향하던 폴리애나가 길을 건너다가 차에 치였다. 차가 빠른 속도로 달려오기는 했지만 폴리애나는 아직 충분히 멀리 떨어져 있다고 생각했던 것 같다.

사고가 난 뒤 정확하게 무슨 일이 벌어졌는지 아무도 제대로 설명하지 못했다. 어떻게 그런 사고가 나게 됐는지, 누구 잘못인지 말해줄 목격자가 없었다. 어쨌든 그날 오후 다섯 시, 폴리애나는 의식을 잃고 축 늘어진 채 자신이 무척이나 아끼는 작은 방으로 옮겨졌다. 그곳에서 창백한 얼굴의 폴리와 눈물범벅인 낸시가 조심스러운 손길로 폴리애나의 옷을 갈아입히고 침대에 눕혔다. 전화를 받은 워런 의사가 자동차를 타고 최대한 빨리 달려왔다.

"마님의 얼굴만 봐도 알 수 있어요." 낸시는 의사를 쥐 죽은 듯이 조용한 방으로 안내한 뒤 정원으로 나가 톰 영감을 붙들고 눈물을 쏟아냈다. "마님의 얼굴만 봐도 알 수 있다고요. 마님을 괴롭히는 게 의무 따위가 아니란 것을요. 의무를 다하는 것뿐이라면 손을 그렇게 덜덜 떨지도 않을 거고, 죽음의 천사가 가까이 오지 못하게 눈을 부릅뜨고 있지도 않을 거예요, 톰 아저씨. 암요, 아니고말고요."

"아가씨의 상태가… 심각한가?" 노인의 목소리가 심하게 흔들렸다.

"그게, 모르겠어요." 낸시가 울먹였다. "마치 죽은 사람처럼 그렇게 핏기 하나 없는 얼굴로 누워 있는데, 죽은 건 아니라고 마님이 말했어요. 마님이 아니라면 아닌 거겠죠. 계속 아가씨의 심장 소리를 듣고 숨소리를 확인했어요!"

"사고를 일으킨 그 작자에게는 아무 말도 안 한 거야? 그놈의… 그 망할 놈의…." 톰 영감의 얼굴이 파르르 떨렸다.

낸시의 입매가 다소 누그러졌다.

"뭐라도 한바탕 퍼부어줬으면 좋겠어요. 그것도 아주 센 걸로요. 망할 것! 우리 가냘픈 아가씨를 쓰러뜨리다니! 저는 예전부터 그 악취를 뿜어내는 물건이 마음에 안 들었어요. 정말이에요!"

"그나저나 어디를 다친 거야?"

"저도 몰라요, 모르겠어요." 낸시가 웅얼거렸다. "아가씨의 사랑스러운 이마에 작은 상처가 나긴 했지만 그렇게 심각해 보이지는 않았어요. 적어도 마님이 그렇게 말했어요. 아무래도 몹쓸 뭔가에 걸린 것 같대요."

톰 영감의 눈이 잠시 반짝거렸다.

"몸속에 이상이 생겼다는 거겠지, 낸시." 톰 영감이 퉁명스럽게 말했다. "물론 몹쓸 짓을 당하기는 했지. 그놈의 차도 몹쓸 짓을 당했으면! 어쨌든 마님 말은 그게 아니었을 거야."

"뭐, 어쨌든 전 아무것도 모르겠어요." 낸시가 집으로 들어가면서 고개를 절레절레 흔들었다. "그냥 의사가 나올 때까지 거기 그렇게 멍하니 서 있을 수가 없었어요. 빨랫거리라도 있으면 좋으련만. 이제껏 해본 적 없는 그런 엄청난 양의 빨래나 실컷 하면 좋겠어요!" 낸시는 어쩔 줄 몰라 하며 두 손을 마주 잡고 이리저리 비틀었다.

하지만 의사의 진찰이 끝난 뒤에도 낸시가 톰 영감에게 해줄 수 있는 말은 별로 없었다. 뼈가 부러진 것 같지도 않았고, 이마의 상처도 깊지 않았다. 하지만 의사는 매우 심각한 얼굴로 고개를 천천히 가로저으면서 시간이 더 지나 봐야 알 수 있겠다고 말했다. 의사가 돌아간 뒤 폴리의 얼굴은 이전보다도 더 창백해졌다. 환자의 의식이 아직 완전히 돌아오지는 않았지만 그나마 편안하게 안정을 취하고 있는 것처럼 보였다. 간호사를 불렀고 그날 밤에 오기로 되어 있었다. 그게 전부였다. 그 말을 전한 뒤 낸시는 훌쩍거리며 다시 집으로 돌아가 부엌에 숨었다.

다음 날 오후 의식이 돌아온 폴리애나는 자신이 어디에 있는지 금세 알아챘다.

"어머, 폴리 이모, 이게 무슨 일이죠? 지금 한낮 아닌가요? 왜 일어날 수가 없는 거죠?" 폴리애나가 놀라서 물었다. "폴리 이모, 몸을 일으킬 수가 없어요." 폴리애나가 낑낑거리며 일어나려고 애쓰다가 다시 베개 위로 털썩 누웠다.

"오, 아가, 그렇게 일어나려고 애쓰지 않아도 돼. 아직은." 폴리가 아주 다정한 목소리로 달랬다.

"하지만 왜죠? 왜 일어날 수가 없을까요?"

폴리는 하얀 모자를 쓰고 창가에 서 있는 젊은 여성에게 근심에 찬 눈길을 보내며 말없이 도움을 구했다. 젊은 여성이 고개를 끄덕였다.

'말씀하세요.' 간호사가 소리 없이 입술만 움직여 말했다.

폴리는 헛기침을 하면서 목을 막고 있는 덩어리를 삼키려고 애썼다.

“아가, 너는 사고를 당했어. 어제 오후 자동차에 치였어. 하지만 그건 중요하지 않아. 휴식을 취해야 한다고 하니까 이모는 네가 좀 더 자는 게 어떨까 생각해.”

“사고요? 아, 맞다. 제가… 제가 뛰었어요.” 폴리애나는 혼란스러운 표정으로 손을 들어 이마를 짚었다. “어머, 붕대를 감았네요. 그리고… 아파요!”

“그래. 하지만 신경 쓰지 마. 그냥… 그냥 좀 쉬렴.”

“하지만 폴리 이모, 느낌이 이상해요. 그리고 아파요! 다리도 뭔가, 뭔가 이상해요. 그게, 아무것도 느껴지지가 않아요!”

폴리가 애원하는 표정으로 간호사의 얼굴을 보면서 힘겹게 일어선 뒤 돌아섰다. 간호사가 재빨리 다가왔다.

“내가 설명하는 게 좋겠구나.” 간호사가 쾌활하게 말했다. “게다가 내 소개도 해야 하고. 당분간 함께 지내게 되었거든. 나는 헌트라고 해. 네 이모를 도와 너를 간호할 거야. 그리고 내가 제일 먼저 할 일은 이 작고 하얀 알약을 삼키라고 네게 부탁하는 거야.”

폴리애나의 얼굴에 당황한 기색이 역력했다.

“하지만 간호 같은 거 받고 싶지 않아요. 적어도 오래 받고 싶지는 않아요! 어서 침대에서 나가고 싶어요. 저는 학교에도 가야 해요. 내일은 학교에 갈 수 있나요?”

폴리가 서 있는 창가에서 숨죽여 흐느끼는 소리가 들려왔다.

“내일?” 간호사가 환하게 웃었다. “글쎄, 그렇게 빨리 갈 수는 없을지도 몰라, 폴리애나. 하지만 일단 이 작은 알약을 좀 먹으렴. 이

알약이 효과가 있는지 한번 봐야 하니까."

"알았어요." 폴리애나가 조금 망설이며 답했다. "하지만 모레는 꼭 학교에 가야 해요. 시험을 쳐야 하거든요, 알았죠?"

잠시 뒤 폴리애나는 다시 입을 열고서 학교, 자동차, 두통에 대해 말했다. 하지만 목소리가 점점 작아지다가 작고 하얀 알약이 부린 마법에 조용히 잠들었다.

24장

존 펜들턴

폴리애나는 '내일'도 '모레'도 학교에 가지 못했다. 하지만 폴리애나는 이 사실을 몰랐다. 가끔씩, 아주 잠깐 의식이 돌아오면 끈질기게 묻기는 했다. 폴리애나는 그 후로 일주일 동안은 아무것도 알지 못했다. 열이 내리고 통증이 조금 가라앉고 의식을 완전히 회복한 뒤에는 무슨 일이 있었는지 처음부터 다시 들어야 했다.

"그러니까 저는 다친 거고, 병에 걸린 건 아니군요." 설명을 다 듣고 난 폴리애나가 한숨을 내쉬면서 말했다. "그건 기쁜 일이네요."

"기, 기쁘다고, 폴리애나?" 폴리는 침대 옆을 지키고 있었다.

"네. 스노 부인처럼 평생 침대에서 지내야 하는 병자보다는 펜들턴 씨처럼 다리가 부러진 부상자인 게 낫잖아요. 부러진 다리는 다시 멀쩡해지지만 스노 부인처럼 심각한 병에 걸리면 다시 좋아지지 않으니까요."

폴리애나의 다리에 대해서는 한마디도 하지 않은 폴리가 황급히 일어서서는 건너편에 놓인 작은 화장대로 갔다. 폴리는 그녀답지 않게 마음을 못 정하는 사람처럼 이것저것 집었다 놨다 했다. 하지만 폴리의 얼굴에 당황한 기색은 전혀 없었다. 단지 핏기 하나 없이 창백할 뿐이었다.

폴리애나는 침대에 누워서 창가에 걸린 프리즘을 통과해 천장에서 춤추는 색색의 띠를 올려다보았다.

"천연두가 아니라서 기뻐요." 폴리애나가 안도한 듯 중얼거렸다. "그건 주근깨보다 더 보기 싫은 흉터를 남기니까요. 백일해가 아닌 것도 기뻐요. 백일해에 걸려봤는데, 아주 끔찍했거든요. 맹장염이나 홍역이 아닌 것도 다행이에요. 옮는 병이잖아요. 그러니까, 홍역은요. 그런 병에 걸렸다면 이모가 여기 제 곁에 있을 수 없겠죠."

"너는… 아주 많은 것에… 기뻐하는 것 같구나." 폴리는 마치 목이 졸린 사람처럼 목에 손을 대고는 떨리는 목소리로 말했다.

폴리애나가 작은 소리로 웃었다.

"맞아요. 여러 가지를 생각해냈거든요. 저 천장에 생긴 무지개를 보면서요. 저는 무지개가 정말 좋아요. 프리즘을 준 펜들턴 씨가 정말 고마워요! 아직 제가 말하지 않은 것들에 대해서도 기뻐하고 있어요. 무엇보다 이렇게 다쳐서 기뻐요."

"폴리애나!"

폴리애나는 까르르 웃으면서 반짝반짝 빛나는 눈으로 폴리를 바라봤다.

"그게, 제가 다친 뒤로는 이모가 저를 '아가'라고 자주 불러주거든요. 전에는 그렇게 부른 적이 없었어요. '아가'라는 소리를 듣는 게 좋아요. 그러니까, 제 가족인 어른이 그렇게 불러주는 것이요. 부녀회에도 저를 그렇게 부르는 아주머니들이 있었고 그것도 좋았지만, 이모처럼 제 가족이 불러주는 것만큼 좋지는 않았어요. 아, 폴리 이모, 이모가 제 이모여서 정말 좋아요!"

폴리는 아무 말도 나오지 않아 다시 한번 손을 목에 댔다. 눈에는 눈물이 가득 고여 있었다. 폴리는 돌아서서 간호사가 막 들어온 문을 통해 서둘러 방을 빠져나갔다.

그날 오후 낸시가 다시 톰 영감을 찾아갔다. 그는 마구간에서 마구를 손질하고 있었다. 낸시의 눈이 휘둥그레져 있었다.

"톰 아저씨, 톰 아저씨, 무슨 일이 있었게요?" 낸시가 숨을 헐떡이며 말했다. "천년을 고민해도 답을 모르실걸요, 정말이에요!"

"그런 걸 왜 물어보는 거야?" 노인이 성가시다는 듯 되물었다. "어차피 내가 더 살아봐야 고작 10년일 텐데 그냥 말해, 낸시."

"듣고 보니 그렇네요. 지금 마님이 응접실에 누구와 함께 있게요? 누구인지 맞혀보세요."

톰 영감은 고개를 저었다.

"마님이 응접실에서 누구를 맞이하는 일은 없는데."

"왜 없어요. 지금 그러고 있는데. 존 펜들턴이에요!"

"설마, 그럴 리가! 농담이지?"

"아니요. 제가 응접실로 안내했는걸요. 그것도 목발을 짚고 왔더라고요. 게다가 지금 현관은 존 펜들턴이 데리고 온 사람들로 북적이고 있고요. 마치 늘 그렇게 사람들과 어울려 다녔다는 듯이 말이에요! 상상이나 되세요, 톰 아저씨? 그 남자가 마님을 찾아왔다고요!"

"흠… 뭐, 안 될 것도 없지 않나." 노인이 다소 퉁명스럽게 내뱉었다.

낸시가 톰 영감을 흘겨봤다.

"아저씨야말로 이게 왜 놀랄 일인지 잘 아시면서 그렇게 모른 척하기에요?" 낸시가 쏘아붙였다.

"뭐?"

"아니, 그렇게 순진한 척하지 마시라고요." 낸시는 짐짓 화가 난 척했다. "처음부터 저한테 제대로 알려주지도 않아서 헛다리 짚게 만들었잖아요!"

"그게 무슨 소리야?"

낸시는 마구간의 열린 문 사이로 집 쪽을 슬쩍 쳐다보고는 톰 영감에게 한 발 더 가까이 다가갔다.

"이것 보세요! 아저씨가 마님에게 연인이 있었다고 했잖아요. 제가 그 말을 들은 뒤에 벌어진 일을 가지고 2 더하기 2를 했더니 4가 아닌 5가 나왔다고요. 4가 아니었다니!"

톰 영감은 귀찮다는 듯 손을 흔들면서 다시 마구 손질에 눈을 돌렸다.

"나와 말할 때는 쉬운 말로 해." 다소 짜증이 난 목소리였다. "난 수에는 밝지 않으니까."

낸시가 웃음을 터뜨렸다.

"그럼 다시 말하죠. 그 뒤에 들은 이야기 때문에 마님의 연인이 펜들턴 씨라고 생각했어요."

"펜들턴 씨?" 톰 영감이 허리를 쭉 폈다.

"네, 알아요. 펜들턴 씨가 아니죠. 그 남자는 폴리애나 아가씨의 어머니를 사랑했으니까요. 그리고 그 때문에 폴리애나 아가씨를… 하지만 그건 중요하지 않아요." 낸시는 펜들턴 씨가 자기와 함께 살자고 말한 걸 아무에게도 말하지 말아 달라고 폴리애나가 부탁한 것이 생각나 허둥지둥 다음 이야기로 넘어갔다. "아무튼, 그래서 그 남자에 대해 마을 사람들에게 물어봤는데 마님과는 말을 섞지 않는다고 하더라고요. 마님도 그 남자를 아주 싫어하고요. 마님이 열여덟 살인가 스무 살일 때 그 둘을 엮는 말도 안 되는 소문 때문이라나 뭐라나."

"그래, 기억나." 톰 영감이 고개를 끄덕였다. "제니 아가씨가 펜들턴 씨의 청혼을 거절하고 다른 남자와 결혼해서 떠난 뒤였지. 이런 사정을 다 알고 있던 마님은 펜들턴 씨를 가엾게 여겼던 것 같아. 그런데 지나치게 잘해줬던 게지. 마님은 제니 아가씨와 결혼한 그 목사 양반을 미워했거든. 어쨌거나 누군가가 소문을 퍼뜨렸지. 폴리 해링턴이 펜들턴 씨와 결혼하려고 안달이 났다고."

"결혼하려고 안달이 났다고요? 마님이요?" 낸시가 끼어들었다.

"그래, 믿기지 않지. 하지만 그런 소문이 돌았어. 그리고 마님처럼 성미가 곧은 분이 그런 소문에 아무렇지 않았을 리가 없었지. 게다가 그 무렵 연애를 시작했는데 그 남자와도 오해가 생겼나 봐. 그 뒤로 마님은 한동안 조개처럼 꼭꼭 숨어서 사람을 전혀 만나지 않았어. 마음속 깊이 상처를 받은 것 같았어."

"네, 알아요. 그 이야기도 들었어요." 낸시가 다시 입을 열었다. "그래서 그 남자가 현관문 밖에 서 있는 것을 봤을 때는 기절할 뻔했어요. 몇 년이나 마님과 말을 섞지 않은 그 남자가 온 거예요! 하지만 응접실로 안내하고 마님에게 알렸죠."

"그래, 마님이 뭐라고 하시던가?" 톰 영감이 숨죽이고 물었다.

"아무 말도 안 했어요. 처음에는요. 꿈쩍도 안 하시기에 못 들으셨나 했어요. 그래서 다시 말하려는데 차분하게 말씀하시더라고요. '펜들턴 씨에게 내가 곧 내려간다고 전해.' 그래서 그렇게 전했죠. 그리고 곧장 아저씨에게 달려온 거예요." 낸시는 다시 집 쪽을 흘끔 쳐다보며 말을 끝맺었다.

"흠." 노인은 다시 마구 손질에 집중했다.

존 펜들턴이 해링턴 저택의 화려한 응접실에서 기다린 지 얼마 되지 않았을 때 폴리의 재빠른 발걸음 소리가 경고하듯 복도에 울려 퍼졌다. 펜들턴이 자리에서 일어나자 폴리는 손을 들어 제지했다. 하지만 손을 내밀지는 않았다. 폴리의 얼굴은 얼음처럼 차갑게 굳어 있었다.

"내가 여기 온 이유는… 폴리애나의 상태가 궁금했기 때문이오." 펜들턴은 뜸 들이지 않고 다소 딱딱하게 말했다.

"고맙습니다만, 새로운 소식은 없습니다."

"그 말은… 부디 어떤 상태인지 알려줘요." 이번에는 펜들턴의 목소리가 살짝 떨렸다.

폴리의 얼굴이 잠시 파르르 떨렸다.

"그럴 수가 없어요. 저도 알고 싶어요!"

"그러니까 당신도 모르는 것이오?"

"그래요."

"하지만… 의사는 뭐라고…?"

"워런 선생도 잘 모르겠다고 했어요. 지금 뉴욕의 전문의와 의논 중인 걸로 알고 있어요. 곧 그 전문의가 진찰하러 올 거예요."

"하지만… 하지만 당신이 보기에는 어떻소?"

"이마에 가벼운 상처가 났고 멍이 한두 군데 들었어요. 그리고… 그리고 척추를 다친 것 같아요. 그래서… 허리 아래로 움직이지 못하게 된 것 같다고 했어요."

펜들턴은 나지막한 신음을 흘렸다. 잠시 침묵이 흐른 뒤 펜들턴이 쉰 목소리로 물었다.

"그럼, 폴리애나는… 폴리애나는 이 일을 어떻게 받아들이고 있소?"

"그 애는 자기 상태가 어떤지 전혀 몰라요. 도저히 말할 수가 없었어요."

"하지만… 어느 정도는 짐작하고 있겠지요."

폴리가 목에 손을 댔다. 최근 들어서 더 자주 하는 손동작이었다.

"아, 그렇죠. 자기가 움직이지 못한다는 건 알아요. 하지만 그저… 다리가 부러진 거라고 믿고 있어요. 스노 부인처럼 '평생 침대에서 지내야 하는 병자'가 아니라, 다리가 부러져서 기쁘다고 했어요. 부러진 다리는 다시 멀쩡해지지만 스노 부인은… 그렇지 않을 테니까요. 그 말을 늘 해요. 그 말을 듣고 있자면… 미쳐버릴 것 같아요!"

펜들턴은 눈물이 앞을 가렸지만 마주 보고 있는 얼굴이 고통으로 뒤틀린 것을 알 수 있었다. 펜들턴은 문득 폴리애나에게 자기와 함께 살자고 마지막으로 부탁했을 때 폴리애나가 한 말이 생각났다. "폴리 이모를 두고 올 수 없어요. 지금은요!"

그 말을 떠올리며 펜들턴은 애써 목소리를 가다듬고 아주 조심스럽게 물었다.

"해링턴 양, 내가 폴리애나에게 나와 함께 살지 않겠느냐고 물었다는 사실을 아시오?"

"당신과요! 폴리애나에게?"

펜들턴은 폴리의 기세에 눌려 자기도 모르게 움찔했다. 하지만 침착하게 말을 이어나갔다.

"그래요. 폴리애나를 입양하고 싶었지. 물론 법적으로 말이오. 내 재산을 전부 물려줄 생각이었소."

반대편 의자에 앉아 있던 폴리는 긴장을 조금 풀었다. 그러면 폴리애나에게 밝은 미래가 보장될 거라는 생각이 들었다. 그녀는 폴리애나가 펜들턴의 돈과 지위에 유혹을 느낄 만큼 나이가 들었는지, 그리고 그럴 만큼 철이 들었는지 궁금해졌다.

"나는 폴리애나가 무척 마음에 들어요." 펜들턴은 계속 말했다. "폴리애나가 매우 사랑스러운 아이이기 때문이기도 하고, 그 아이의… 어머니 때문이기도 하지. 나는 폴리애나에게 25년간 쌓아두기만 했던 사랑을 아낌없이 주고 싶었소."

"사랑." 폴리는 문득 애초에 자신이 왜 폴리애나를 받아들였는지 떠올랐다. 그리고 그날 아침 폴리애나가 한 말도 함께 떠올랐다. "'아가'라는 소리를 듣는 게 좋아요. 그러니까, 제 가족인 어른이 그렇게 불러주는 것이요." 이렇게 사랑에 굶주린 아이에게 펜들턴은 25년간 쌓아둔 사랑을 주겠다고 약속한 것이다. 그리고 폴리애나는 그런 사랑에 유혹을 느낄 만한 나이였다! 폴리는 그 사실을 깨닫자 가슴이 덜컥 내려앉았다. 그리고 동시에 다른 사실도 깨달았다. 폴리애나가 없는 자신의 미래가 얼마나 암울할지가 생생하게 다가왔다.

"그런데요?" 폴리의 차가운 말투에 감춰진 초조한 마음을 느낀 펜들턴이 슬픈 미소를 지었다.

"오지 않겠다고 했어요."

"왜죠?"

"당신을 두고 올 수 없다고 했소. 당신이 자신에게 정말 잘해준다면서. 폴리애나는 당신과 함께 살고 싶어 했고, 당신도 자기와 함께 살고 싶어 한다고 확신했어요." 말을 마친 펜들턴이 자리에서 일어났다.

그는 폴리에게서 고개를 돌린 채 굳은 표정으로 응접실을 나섰다. 하지만 곧 잰걸음 소리가 뒤에서 들렸고 누군가가 곁에 섰다. 폴리가 떨리는 손으로 펜들턴의 손을 잡았다.

"전문의가 오면… 폴리애나의 상태에 대해… 뭐라도 알게 되면, 꼭 연락드릴게요." 폴리가 더듬거리며 말했다. "안녕히 가세요. 와주셔서 감사합니다. 폴리애나에게 말하면… 좋아할 거예요."

25장
기다리기 게임

존 펜들턴이 해링턴 저택을 방문한 그날 폴리는 마음을 단단히 먹고 폴리애나에게 전문의가 온다는 소식을 전했다.

"폴리애나, 아가." 폴리가 조심스럽게 입을 열었다. "워런 선생 말고 다른 의사에게도 진찰을 받아보기로 했단다. 그 의사는 뭔가 새로운 치료법을 알고 있다고 하더구나. 그럼 더 빨리 나을 수 있을 테니까."

폴리애나의 얼굴이 환해졌다.

"칠턴 선생님이 오시는 거예요? 아, 폴리 이모, 저는 칠턴 선생님이 정말 좋아요! 내내 칠턴 선생님을 부르고 싶었지만, 이모가 싫어할 거라고 생각했어요. 그러니까, 지난번 그 일광욕실 사건 때문에요. 하지만 칠턴 선생님이 온다니 정말 기뻐요!"

폴리의 얼굴이 하얘졌다가 빨게졌다가 다시 새하얘졌다. 폴리가 다시 입을 열었을 때는 아주 가볍고 유쾌하게 말하려고 애쓰고 있다는 것을 확실하게 느낄 수 있었다.

"오, 그건 아니야. 내가 부른 전문의는 칠턴이 아니야. 다른… 의사란다. 뉴욕에서 아주 유명한 의사지. 폴리애나… 너 같은 환자에 대해… 아주 잘 아는 의사 선생님이셔."

폴리애나가 실망한 기색이 역력했다.

"칠턴 선생님만큼은 모르실걸요."

"그렇지 않아. 아주 뛰어난 의사란다, 폴리애나."

"하지만 펜들턴 씨의 다리를 치료한 건 칠턴 선생님이잖아요, 폴리 이모. 저기, 이모만 괜찮다면 칠턴 선생님이 오시면 좋겠어요. 제발요!"

폴리는 난처한 표정을 지으면서 입을 다물었다. 잠시 뒤 폴리가 부드러운 목소리로, 하지만 여전히 예전 같은 단호한 말투로 말했다.

"하지만 괜찮지 않아, 폴리애나. 아주 많이 싫단다. 아가, 너를 위해서라면 뭐든 할 거야. 거의 뭐든지 할 수 있단다. 하지만… 지금 그 이유를 말해줄 수는 없지만 나는 칠턴은 부르지 않기로 했다. 적어도 지금은. 그리고 장담하는데 뉴욕에서 오는 이 전문의가 칠턴보다 네 상태에 대해 훨씬 더 잘 알 거야."

폴리애나는 고집을 꺾지 않았다.

"하지만, 폴리 이모, 이모가 칠턴 선생님을 아주 좋아했다면…."

"폴리애나, 그게 무슨 소리니?" 폴리의 목소리가 날카로워졌다. 뺨도 무척 빨갛게 달아올랐다.

"만약 이모가 칠턴 선생님을 아주 좋아했다면, 그리고 그 다른 의사를 그렇게까지 좋아하지 않았다면, 칠턴 선생님이 제게 해줄 수 있는 게 더 많았을 것 같아서요. 저는 칠턴 선생님이 아주 좋으니까요.”

그때 간호사가 들어왔기 때문에 폴리는 안도한 표정으로 얼른 자리에서 일어났다.

“미안하구나, 폴리애나.” 폴리가 다소 어색하게 말했다. “하지만 이번만큼은 내 판단을 믿어주렴. 그리고 뉴욕 전문의를 이미 부르기도 했고. 내일 도착할 거야.”

하지만 그다음 날 뉴욕 전문의는 오지 않았다. 대신 떠나기 직전 갑자기 병에 걸리는 바람에 올 수 없게 되었다는 전보가 왔다. 그러자 폴리애나가 칠턴을 불러달라고 조르기 시작했다. “그게 더 쉽기도 하잖아요.”

하지만 폴리는 고개를 저으며 “안 된다, 아가”라고 매우 단호하게 말했다. 그러면서도 자신이 사랑하는 폴리애나를 위해서는 뭐든지 할 수 있다고, 거의 무엇이든 할 수 있다고 거듭 주장했다.

하루하루가 기다림의 연속이었다. 그리고 폴리는 조카의 기분을 풀어주기 위해 (칠턴을 부르는 것 외에는) 무엇이든 다 하는 것처럼 보였다.

“예전 같으면 절대 믿지 않았을 거예요. 믿을 수가 없었겠죠.” 어느 날 아침 낸시가 톰 영감에게 말했다. “마님이 저 가엾은 어린 양을 위해 뭐라도 하려고 계속 그 방에서 서성거려요. 고양이가 들어와도 아무 소리도 안 해요. 일주일 전만 해도 억만금을 준대도 들여보내지 않았을 텐데, 이제는 고양이와 개가 폴리애나 아가씨 방에 들어가도 신경 쓰지 않으세요. 심지어 침대 위에서 뒹굴어도 아무 말씀 안 하세요. 폴리애나 아가씨가 좋아한다는 이유만으로요.”

"그러고도 시간이 남을 때면 폴리애나 아가씨가 '춤추는 무지개'라고 부르는 빛이 언제나 방을 가득 채우도록 작은 유리 장식을 이 창문에서 저 창문으로 옮기고 있죠. 팬지만으로도 모자라서 티머시를 콥 씨네 온실에 보내서 꽃을 세 번이나 받아왔고요. 요전 날에는 마님이 폴리애나 아가씨 침대맡에 앉아 있고 간호사가 마님 머리를 손질하는 것도 봤어요. 폴리애나 아가씨는 이런저런 지시를 내리고 있었고요. 폴리애나 아가씨의 눈이 얼마나 반짝이던지. 게다가 지금은 매일매일 그런 모양으로 머리를 올리고 있잖아요. 단지 그 가엾은 어린양이 좋아한다는 이유만으로요!"

톰 영감이 껄껄 웃었다.

"글쎄, 그래도 머리를 그렇게 하고 있다고 해서 마님이 손해 볼 것도 없지 않은가. 이마에 머리카락이 동그랗게 말리도록 놔두니까 더 보기 좋잖아." 톰 영감이 퉁명스럽게 말했다.

"물론 그렇죠." 낸시가 못마땅하다는 듯 받아쳤다. "이제야 좀 사람처럼 보이죠. 심지어…."

"생각을 바꾼 건가, 낸시?" 노인이 빙그레 웃으며 낸시의 말을 가로챘다. "내가 마님이 한때는 고왔다고 했을 때, 자네는 뭐라고 했더라?"

낸시가 어깨를 으쓱했다.

"아, 곱다고 생각하지 않는 건 변함없어요. 하지만 예전과는 다르다는 건 인정해요. 리본도 달았고 폴리애나 아가씨가 목에 두르게 하는 레이스 덕분이기도 하죠."

"내가 말했잖아." 노인이 고개를 끄덕였다. "마님은 나이가 많지 않아."

냅시가 웃음을 터뜨렸다.

"좋아요, 늙은이 흉내를 예전만큼 잘하지 못한다는 것도 인정할게요. 폴리애나 아가씨가 오기 전처럼은요. 그런데 톰 아저씨, 도대체 누가 마님의 연인이었어요? 아직도 알아내지 못했어요. 정말 모르겠어요!"

"그래?" 노인이 기묘한 표정으로 되물었다. "그래도 내 입으로 말할 수는 없어."

"제발요, 아저씨. 말해주세요." 낸시가 졸랐다. "제가 물어볼 수 있는 사람이 별로 없어서 그래요."

"그럴지도 모르지. 하지만 물어봐도 대답하지 않는 사람도 한 명 있다네." 톰 영감이 씩 웃었다. 하지만 눈에서 곧 빛이 사라졌다. "그나저나, 오늘은 좀 어떻던가? 폴리애나 아가씨 말이야."

낸시가 고개를 저었다. 그녀의 얼굴도 어두워졌다.

"그대로예요, 톰 아저씨. 제가 보기에도, 다른 사람들이 보기에도 달라진 게 없어요. 아가씨는 계속 침대에 누워서 자다가 이야기하다가 가끔 웃어 보이기도 하고, 해가 뜨거나 달이 뜨거나, 뭐 그런 걸 이유로 대면서 '기쁘다'고 말하고. 그걸 보는 사람의 가슴은 미어지고요."

"그래, 그 '게임'을 하시는군. 축복받을 거야!" 톰 영감이 눈을 깜빡이며 말했다.

"그럼 아저씨한테도 그 게임에 관해 이야기했군요?"

"암, 물론이지. 아주 오래전에 들었어." 노인이 머뭇거리더니 입술을 약간 씰룩거리며 말했다. "하루는 내가 이렇게 늙고 허리가 굽었다고 불평하니까 그 꼬마 아가씨가 뭐라고 했을 것 같나?"

"글쎄요, 저야 모르죠. 아무리 아가씨라도 그것에 관해 기뻐할 만한 건 생각해내지 못했을 거 같은데요?"

"그런데 생각해냈다네. 내가 잔디를 뽑을 때 일부러 허리를 굽히지 않아도 되는 걸 기뻐하라지 뭔가. 허리가 이미 충분히 굽어 있으니까 말이야."

낸시가 웃었다. 그 웃음소리에는 그리움이 묻어났다.

"그것참, 전혀 놀랍지 않네요. 어떻게든 뭔가를 찾아내니까요. 저는 아가씨를 처음 만난 직후부터 그 게임을 하고 있었어요. 아가씨가 게임을 같이할 사람이 없다고 했거든요. 원래는 마님과 하고 싶어 했어요."

"마님하고!"

낸시가 깔깔 웃었다.

"아저씨도 마님에 대한 생각이 저랑 별반 다르지 않은 것 같은데요." 낸시가 새초롬하게 말했다.

톰 영감의 얼굴이 굳었다.

"나는 그저… 그렇다면 놀라운 일일 거라고… 그런 생각을 한 것뿐이야." 톰 영감이 지지 않고 대꾸했다.

"그래요, 언젠가 그렇게 된다면 확실히 놀랄 만한 일이겠죠." 낸시가 받아쳤다. "지금은 그렇지 않으니까요. 하지만 이제 뭐든 믿을 수 있을 것 같아요. 마님이 그 게임을 하는 것조차도 상상할 수 있다니까요."

"그런데 꼬마 아가씨가 마님에게는 아직 그 게임 이야기를 하지 않은 건가? 다른 사람들은 다 아는 것 같던데. 아가씨가 다친 뒤로는, 어딜 가나 그 이야기만 듣는걸." 톰 영감이 말했다.

"그게… 마님에게는 말하지 못했더라고요." 낸시가 설명했다. "폴리애나 아가씨가 이모에게는 말할 수 없었다고 오래전에 털어놓았어요. 마님이 아가씨의 아버지 이야기는 듣고 싶지 않다고 했대요. 그런데 아버지가 가르쳐준 게임이라서 게임을 설명하려면 아버지 이야기를 안 할 수가 없잖아요. 그래서 말하지 못했대요."

"허, 그렇겠군, 그렇겠어." 노인이 고개를 천천히 끄덕였다. "늘 사이가 나빴지. 그 목사 양반하고 나머지 가족들 말이야. 제니 아가씨를 먼 곳으로 끌고 가버린 사람이니까 말이야. 그리고 마님은 그때 아직 어렸지만 그 양반을 끝끝내 용서하지 못했지. 제니 아가씨를 몹시 따랐거든. 그렇군, 그런 거였어. 풀기가 쉽지 않겠어." 톰 영감은 한숨을 쉬고는 다시 작업을 시작했다.

"네, 네, 그렇죠. 단단히 꼬여버렸어요." 낸시도 부엌으로 돌아가며 중얼거렸다.

기다리는 일은 모두에게 쉽지 않았다. 간호사는 분위기를 띄우려고 노력했지만 눈에는 근심이 가득했다. 의사는 척 보기에도 불안하고 초조해 보였다. 폴리는 말을 거의 하지 않았다. 돌돌 말린 머리가 얼굴선을 부드럽게 만들었고 목에는 아름다운 레이스도 둘렀지만 창백해지고 핼쑥해진 얼굴을 감출 수는 없었다. 폴리애나는… 폴리애나는 개를 쓰다듬고 고양이의 매끄러운 머리를 만지고, 꽃을 감상하고, 사람들이 보낸 음식과 과일을 먹었다. 그리고 자신에게 전달된 사람들의 애정 어린 안부 메시지에 즐거워하며 일일이 답장을 썼다. 하지만 폴리애나도 점점 안색이 파리해지고 여위어갔다. 그리고 작은 손과 팔이 신경질적으로 이리저리 움직일 때면, 한때는 그토록 기운 넘치던 작은 두 다리와 두 발이 지금은 이불 밑에서 안쓰러울 정도로 꼼짝 않고 가만히 있다는 사실이 강조되었다.

게임은… 폴리애나가 최근에는 앞으로 학교에 다시 다니고, 스노 부인을 다시 찾아가고, 펜들턴 씨를 다시 만나고, 칠턴의 마차를 다시 타게 되면 너무나도 기쁠 거라고 낸시에게 말하기 시작했다. 자신이 말하는 '기뻐할 만한 것'이 현재가 아닌 미래라는 사실을 깨닫지 못하는 듯했다. 하지만 낸시는 그 사실을 알고 있었고, 그래서 혼자가 되면 울음을 터뜨리곤 했다.

26장

열린 문

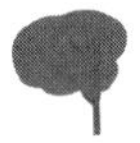

뉴욕의 전문의인 미드 의사는 원래 오기로 했던 날로부터 일주일이 지난 뒤 나타났다. 그는 자상한 회색빛 눈동자와 밝은 미소를 지닌, 키가 크고 어깨가 넓은 남자였다. 폴리애나는 미드를 보자마자 그가 마음에 들었고, 그 사실을 곧장 미드에게 말했다.

"그게, 제 의사 선생님하고 무척 닮았거든요." 폴리애나가 고백했다.

"네 의사?" 미드가 놀란 듯 조금 떨어진 곳에서 간호사와 이야기를 나누는 워런을 쳐다봤다. 워런은 눈동자가 갈색이었고, 뾰족한 갈색 턱수염을 기르고 있었으며, 키가 작았다.

"아, 저분은 제 의사가 아니에요." 폴리애나는 미드가 왜 놀랐는지 눈치채고는 싱긋 웃었다. "워런 선생님은 폴리 이모의 의사예요. 제 의사는 칠턴 선생님이세요."

"아하!" 미드가 다소 어색한 표정으로 폴리를 쳐다봤다. 폴리는 얼굴이 빨개져서는 황급히 돌아섰다.

"네." 폴리애나는 망설였지만 평소처럼 솔직하게 말했다. "네, 그게, 저는 계속 칠턴 선생님이 왔으면 좋겠다고 말했는데, 폴리 이모가 선생님을 불렀어요. 선생님이 칠턴 선생님보다 더 잘 아실 거라면서요. 제 다리를 치료하는 법에 관해서요. 그리고 물론 그게 사실이라면 기쁠 거예요. 사실인가요?"

어떤 표정이 의사의 얼굴을 스쳐 지나갔지만 폴리애나는 그것이 무엇을 의미하는지 알 수 없었다.

"시간이 더 지나 봐야 알 수 있답니다, 꼬마 아가씨." 그는 작은 소리로 답한 뒤 심각한 얼굴로 침대 쪽으로 온 워런을 돌아봤다.

그 일이 있고 나서 다들 고양이 탓을 했다. 지칠 줄 모르고 폴리애나의 방문을 밀어대는 플러피의 앞발과 코가 아니고는 문이 그렇게 소리 없이 열렸을 리가 없었다. 그리고 문이 열리지 않았다면 폴리애나는 폴리가 하는 말을 듣지 못했을 것이다.

의사 두 명과 간호사, 폴리가 복도에 모여서 이야기를 나누고 있었다. 폴리애나의 방에서는 플러피가 막 침대로 뛰어올라 즐겁다는 듯 '야옹' 하고 울었다. 그때 열린 문으로 폴리의 고뇌에 찬 목소리가 아주 또렷하게 흘러들어왔다.

"안 돼요! 그것만은 안 돼요, 선생님! 그 애가… 그 애가 다시는 걸을 수 없다니요!"

그 직후 모두가 혼란에 빠졌다. 가장 먼저 폴리애나의 방에서 겁에 질려 "폴리 이모, 폴리 이모!" 하고 부르는 소리가 들렸다. 폴리는 문이 열린 것을 보았고 자기가 방금 무슨 말을 했는지 깨닫고는 낮은 신음을 토해냈다. 그리고 태어나서 처음으로 의식을 잃고 그 자리에 쓰러졌다.

간호사는 열린 문을 향해 허둥지둥 달려가며 “아이가 들었어요!”라고 쉰 목소리로 말했다. 두 의사는 폴리를 돌봤다. 미드는 움직일 수가 없었다. 쓰러지는 폴리를 붙잡았기 때문이다. 워런은 너무 당황한 나머지 꼼짝도 하지 못했다. 폴리애나가 다시 날카롭게 울부짖고 간호사가 방 안에서 문을 닫은 뒤에야 두 의사는 절망스러운 눈빛을 교환할 수 있었다. 그리고 미드의 팔에 안긴 폴리가 불행한 현실 세계로 돌아오도록 필요한 조치를 곧장 취했다.

폴리애나의 방으로 간 간호사는 파랗게 질린 채 두 눈만 동그랗게 뜨고 있는 어린 소녀의 관심을 끌려고 침대에 앉아 울어대는 회색 고양이를 발견했다.

“헌트 양 제발요, 폴리 이모를 불러주세요. 지금 당장 이모가 필요해요, 당장이요!”

간호사는 문을 닫고 서둘러 폴리애나 곁으로 갔다. 간호사의 얼굴도 창백했다.

“해링턴 양은… 이모는 지금 올 수가 없단다. 아마도… 조금 기다려야 할 거야. 무슨 일이니? 내가… 내가 도와줄 수는 없을까?”

폴리애나가 고개를 흔들었다.

“아니요, 폴리 이모가 뭐라고 했는지 듣고 싶어요. 방금 한 말이요. 이모가 한 말 들었어요? 폴리 이모가 필요해요. 이모가 뭐라고 했단 말이에요. 지금 당장 그건 사실이 아니라고 이모가 말해줘야 해요. 사실이 아니라고!”

간호사는 입을 열었지만 아무 말도 할 수가 없었다. 간호사의 얼굴을 보면서 폴리애나의 두려움이 더 커졌다.

"헌트 양, 헌트 양도 이모 말을 들은 거죠, 그렇죠? 사실이군요! 아, 사실이 아니라고 말해주세요. 그럴 리가 없어요. 다시는… 다시는 걸을 수 없다니!"

"자, 자. 얘야, 이러지 마라. 이러면 안 돼!" 간호사는 목이 콱 막혔다. "의사 선생님도 잘 모를 수 있어. 의사도 실수한단다. 앞으로 어떻게 될지는 아무도 몰라."

"하지만 폴리 이모가 그 의사 선생님은 잘 안다고 했어요! 이모는 그 선생님이 다른 누구보다도 잘 안다고, 내 다리에 대해 잘 안다고…."

"그래, 그래, 그렇겠지. 하지만 그래도 모든 의사가 실수를 한단다. 지금은 그 생각은 하지 말자. 부탁할게, 얘야."

폴리애나는 두 팔을 마구 휘저었다.

"하지만 생각하지 않을 수가 없어요." 폴리애나가 울먹였다. "온통 그 생각뿐이에요. 아, 헌트 양. 학교는 어떻게 다니고, 펜들턴 씨나 스노 부인은 어떻게 찾아가죠? 이제는 그 어디에도 갈 수 없나요?" 폴리애나가 호흡을 멈추고 눈물을 쏟아냈다. 그러다 갑자기 울음을 뚝 그치고는 고개를 들었다. 두 눈에는 새로운 공포가 가득했다. "이제 걸을 수 없는데, 어떻게, 어떻게 기뻐할 만한 걸 찾죠? 그 무엇에도 기뻐할 수 없을 거예요!"

헌트는 '그 게임'을 몰랐다. 하지만 환자를 진정시켜야 한다는 것은 알았다. 그것도 지금 당장. 본인도 혼란스럽고 머리가 아팠지만 가만히 손 놓고 있지는 않았다. 간호사는 진정제를 들고 침대 옆으로 갔다.

“자, 자, 착하지. 일단 이 약을 먹으렴.” 간호사가 폴리애나를 달랬다. “어쨌거나 조금이라도 쉬고 나서 어떻게 할지 고민하자꾸나. 대개는 상황이 생각만큼 나쁘지 않단다.”

폴리애나는 순순히 약을 먹고 간호사가 건네는 물을 마셨다.

“네, 그렇죠. 아빠도 그런 말씀을 했던 것 같아요.” 폴리애나가 눈을 깜빡거리며 떨리는 목소리로 말했다. “아빠는 언제나 그보다 더 나쁜 상황이 아니라는 걸 다행으로 여긴다고 했어요. 하지만 다시는 걸을 수 없다는 이야기는 아빠도 들어본 적이 없을걸요. 그보다 더 나쁜 게 과연 있을까요? 저는 모르겠어요.”

헌트는 아무 말도 하지 않았다. 입을 여는 순간 울음이 터져 나올 것만 같았기 때문이다.

27장

방문객들

미드 의사의 진단 결과를 존 펜들턴에게 전달한 것은 낸시였다. 폴리는 결과를 직접 알리겠다고 한 약속을 잊지 않았다. 하지만 자신이 직접 말하거나 편지를 쓸 엄두가 도저히 나지 않았다. 그래서 낸시를 보내기로 했다.

예전의 낸시라면 수수께끼투성이 저택과 그 주인을 만날 이런 드문 기회에 아주 들떴을 것이다. 하지만 이날은 마음이 너무 무거워서 전혀 즐거워할 수 없었다. 낸시는 존 펜들턴의 집 안에서 그를 기다리는 동안에도 주변에 눈길조차 주지 않았다.

"저는 낸시입니다." 마침내 나타난 펜들턴이 말없이 의아한 눈빛을 보내자 낸시가 설명했다. "해링턴 주인마님이 보냈어요. 그게, 폴리애나 아가씨 소식을 전하라고…."

"그래서?"

펜들턴의 말투는 퉁명스러웠지만 낸시는 그 짤막한 질문 뒤에 감춰진 초조함을 느낄 수 있었다.

"의사의 진단 결과가 좋지 않아요, 펜들턴 씨." 낸시가 더듬거리며 말했다.

"설마…." 펜들턴은 말을 잇지 못했고, 낸시는 침울한 표정으로 고개를 끄덕였다.

침묵이 한동안 집 전체를 집어삼킨 듯했다. 펜들턴이 다시 입을 열었을 때는 감정이 북받친 듯 목소리가 떨렸다.

"불쌍한 것. 오, 불쌍한 것!"

낸시가 펜들턴을 흘깃 쳐다봤다가 곧장 고개를 떨구었다. 그토록 고약하고 무례하고 무뚝뚝한 존 펜들턴이 그런 표정을 지을 수 있으리라고는 상상도 못 했다. 잠시 뒤 펜들턴이 목소리를 조금 가다듬고 중얼거렸다.

"이렇게 잔인할 수가. 다시는 햇빛 속에서 춤출 수 없다니! 내 작은 프리즘 아가씨가!"

다시 침묵이 흘렀다. 갑자기 펜들턴이 물었다.

"폴리애나는 아직 모르는 거지? 당연히 모르겠지?"

"아니요, 알고 있어요." 낸시가 울먹였다. "그래서 더 힘들답니다. 아가씨가 알고 말았어요. 망할 놈의 고양이 같으니! 무례를 용서하세요." 낸시가 재빨리 사죄했다. "그게, 고양이가 폴리애나 아가씨 방문을 여는 바람에 아가씨가 어른들이 하는 이야기를 들었어요. 그 바람에… 알게 됐어요."

"불쌍한 것!" 펜들턴이 한숨을 푹 쉬었다.

"그렇죠. 아가씨를 보면 그 말이 안 나올 수가 없어요." 낸시가 훌쩍거렸다. "아가씨가 알게 된 후로는 두 번밖에 못 봤는데, 두 번다 울음을 터뜨리고 말았답니다. 그게, 아가씨한테는 이 상황이 너무 생생하다 보니 계속 자기가 할 수 없는 것들만 생각하고 있어요. 지금도요. 그리고 또 걱정을 한답니다. 기뻐할 만한 것이 전혀 떠오르지 않는다고요. 아가씨가 하는 게임에 대해 모르시겠지만요."

"'기뻐하기 게임' 말인가? 물론 알고 있어. 폴리애나에게 들었으니까."

"아, 그렇군요! 그럼 거의 모든 사람한테 말한 거네요. 하지만 그게… 이제는 아가씨가 그 게임을 못 하겠대요. 그래서 걱정하고 있어요. 아무것도 떠오르지 않는대요. 다시는 걸을 수 없다는 사실에 관해 기뻐할 만한 것이요."

"그런 게 있을 리가 없잖아!" 펜들턴이 거칠게 내뱉었다.

낸시는 어딘지 모르게 안절부절못하며 꼼지락거렸다.

"저도 그렇게 생각해요. 하지만 그렇기는 해도… 하지만 뭐라도 생각해내면 도움이 되지 않을까요? 그래서, 그래서 계속 이야기해드리고 있어요."

"이야기? 무슨 이야기?" 존 펜들턴은 인내심이 다한 듯 짜증을 냈다.

"그러니까, 아가씨가 어떻게 다른 사람들에게 그 게임을 가르쳤는지에 관해서요. 스노 부인하고, 또 다른 사람들에게요. 그리고 아가씨가 그 사람들에게 어떤 기뻐할 만한 것을 알려줬는지도요. 하지만 가엾은 어린양은 제 이야기를 듣고도 울기만 해요. 왠지 예전 같지 않다면서요. 평생 침대에서 지내야 하는 병자에게 무엇을 기뻐할 수 있는지 말해주기는 쉽지만, 막상 자기가 병자가 되니까 그게 안 된다는 거예요. 아가씨도 다른 사람들이 자기 같지 않다는 것을 기뻐해야 한다고 스스로에게 말하지만 입으로만 그렇게 말하고 머릿속은 온통 다시는 걸을 수 없다는 생각으로만 가득 차 있대요."

냰시가 잠시 말을 멈췄지만 펜들턴은 아무 말도 하지 않았다. 그는 두 손으로 얼굴을 가리고 있었다.

"그래서 예전에 게임이 더 재밌어진다고, 그러니까 상황이 나쁠수록 게임이 더 할 만하다고 하지 않았느냐고 말했어요." 낸시가 다시 멍하니 말을 이어나갔다. "하지만 그것도 이제는 달라졌다는 거예요. 진짜로 안 좋은 상황이니까요…. 그럼 이만 가보겠습니다." 낸시가 갑자기 일어섰다.

나가기 전에 낸시는 잠시 망설이더니 돌아서서 기어들어 가는 목소리로 물었다.

"폴리애나 아가씨에게 펜들턴 씨가 지미 빈을 다시 만났다는 말은 해줄 수 없겠죠?"

"그래. 다시 만나지 않았으니까." 펜들턴이 귀찮다는 듯 말했다. "왜 그런 걸 묻지?"

"아무것도 아니에요. 그저… 그게 폴리애나 아가씨가 걱정하는 것 중 하나라서요. 이제는 지미 빈을 데리고 이곳을 찾아올 수 없으니까요. 아가씨 말이 지미 빈을 한번 소개하긴 했는데, 그날 분위기가 안 좋았다면서, 아무래도 펜들턴 씨가 지미 빈이 이 집을 가정으로 바꿔줄 아이가 아니라고 생각했을 것 같다고 하면서 걱정했어요. 펜들턴 씨는 무슨 말인지 아시겠죠? 저는 도통 모르겠지만요."

"그래, 알아. 무슨 말인지."

"그렇군요. 그게, 그러니까 아가씨가 다시 지미 빈을 데리고 이곳에 오고 싶다고 말해서요. 지미가 이 집에 잘 어울리는 아이라는 걸 보여주고 싶다고 했어요. 그런데 이제는… 이제는 그럴 수가 없으니까요. 망할 놈의 자동차! 무례를 용서하세요. 안녕히 계세요." 말을 마친 낸시가 황급히 뛰쳐나갔다.

뉴욕에서 온 뛰어난 의사가 폴리애나 휘티어가 다시는 걷지 못할 거라고 선언했다는 소식이 벨딩스빌 전체에 금세 퍼졌다. 마을이 이렇게 온통 들썩인 것도 처음이었다. 지금은 눈이 마주칠 때마다 미소를 짓는 작고 귀여운 주근깨투성이 얼굴을 모르는 사람이 없었다. 그리고 거의 모든 사람이 폴리애나의 '게임'에 대해 알고 있었다. 그 환한 얼굴을 더는 거리에서 볼 수 없다니, 그 밝고 청아한 목소리가 그날 있었던 일에 뭔가 기뻐할 거리를 찾아 재잘대는 소리를 더는 들을 수 없다니! 아무도 그 사실을 받아들일 수 없었다. 믿을 수 없을 정도로 가혹한 일이었다.

부엌에서, 거실에서, 뒤뜰 울타리 너머로 여자들이 이야기를 나누고 눈물을 훔쳤다. 거리 모퉁이에서, 상점 휴게실에서 남자들도 이야기를 나누고, 여자들과는 달리 남몰래 눈물을 훔쳤다. 게다가 낸시가 최근에 전한 폴리애나의 소식도 마을 사람들의 안타까운 마음을 덜어주지 못했다. 폴리애나가 자신의 처지를 받아들였지만 더는 게임을 하지 못한다는 사실에 괴로워하고 있었다. 지금은 그 어떤 것에서도 기뻐할 만한 이유를 찾지 못하고 있다는 소식이었다.

그 소식에 폴리애나를 알고 있는 사람들은 다 비슷한 생각을 한 것 같았다. 어쨌거나 해링턴 저택의 여주인에게 거의 동시에 전화가 걸려오기 시작하는 바람에 그녀는 당황할 수밖에 없었다. 자신이 아는 사람, 자신이 모르는 사람, 남녀노소 할 것 없이 모두에게 전화가 걸려왔다. 자기 조카를 알 리가 없다고 생각했던 사람에게도 전화가 왔다.

직접 찾아와서 5분에서 10분간 어색하게 앉아 있다가 가는 사람들도 있었다. 포치 계단에서 모자나 손가방을 만지작거리며 엉거주춤 서 있는 이들도 있었다. 책이나 꽃다발을 가져오기도 했고, 입맛을 되살릴 맛있는 음식을 들고 오기도 했다. 어떤 이들은 대놓고 울었다. 등을 돌리고 힘껏 코를 푸는 이들도 있었다. 하지만 다들 사고를 당한 어린 소녀의 안부를 걱정스럽게 물었다. 그리고 하나같이 폴리애나에게 전언을 남기고 싶어 했다. 이런 전언들이 결국 폴리를 움직였다.

첫 타자는 존 펜들턴이었다. 이날은 목발 없이 찾아왔다.

“내가 얼마나 충격을 받았는지는 말하지 않아도 알 거요.” 그는 화를 내듯 말했다. “하지만… 뭔가 나아질 방법이 없답니까?”

“늘 뭔가를 ‘하고’ 있기는 해요. 미드 선생이 몇 가지 치료법과 약을 처방했고 워런 선생은 그 지시를 충실히 따르고 있어요. 하지만 미드 선생이 큰 기대는 하지 말라고 했어요.”

존 펜들턴은 얼마 머물지 않았음에도 벌떡 일어났다. 입술을 굳게 다문 그의 얼굴은 핏기가 하나도 없었다. 그를 보는 폴리는 왜 그가 더는 머물 수 없다고 느꼈는지 잘 알았다. 문을 나서기 전에 그가 돌아봤다.

“폴리애나에게 이 말을 전해주시오. 내가 지미 빈을 만났고…

앞으로 지미를 내 아이로 삼기로 했다고요. 이 말을 들으면 폴리애나가 기뻐할 거라고 생각했다고도…. 아마도 그 아이를 입양할 것 같소."

폴리는 어린 시절 받은 엄한 가정교육 덕분에 평소에는 능숙하게 실천하는 자기 절제력을 잠시나마 상실했다.

"지미 빈을 입양한다고요!" 폴리가 놀라며 말했다.

펜들턴이 턱을 살짝 치켜올렸다.

"그렇소. 폴리애나는 알아들을 거요. 이 말을 들으면 폴리애나가 기뻐할 거라고 생각했다는 말도 잊지 말고 전해주시오."

"네, 무, 물론이죠." 폴리가 더듬거렸다.

"고맙소." 존 펜들턴이 고개를 까딱하며 인사하고는 돌아서서 나갔다.

폴리는 너무 놀라 펜들턴이 사라진 문 쪽을 바라보며 응접실 한가운데서 꼼짝도 하지 못했다. 그녀는 여전히 자기 귀를 의심하고 있었다. 존 펜들턴이 지미 빈을 입양한다고? 부유하고 독립적이고 무뚝뚝하고 이기적이고, 구두쇠로 소문난 존 펜들턴이 아이를 입양한다고? 게다가 그런 남자아이를?

다소 얼빠진 얼굴을 한 채 폴리는 폴리애나의 방으로 올라갔다.

"폴리애나, 존 펜들턴 씨가 너에게 전해달라는구나. 방금 왔다 가셨단다. 지미 빈을 자기 아이로 삼기로 했다면서 이 말을 들으면 네가 기뻐할 거라고 생각했다고, 그렇게 전해달라고 했어."

폴리애나의 우울한 얼굴이 갑자기 기쁨으로 환하게 빛났다.

"기뻐할 거라고요? 그럼요, 당연히 기쁘죠! 아, 폴리 이모. 지미에게 지낼 곳을 꼭 찾아주고 싶었어요. 그리고 그 집은 정말 아름다운 곳이잖아요! 게다가 펜들턴 씨에게도 좋은 일이고요. 그게, 이제는 펜들턴 씨만의 아이가 생겼으니까요."

"펜들턴 씨만의… 아이?"

폴리애나의 얼굴이 빨개졌다. 펜들턴 씨가 자신을 입양하고 싶어 했다는 사실을 이모에게 말하지 않았다는 걸 잊고 있었다. 이제 와서 자신이 단 한 순간이라도 이모를, 무척 소중한 폴리 이모를 떠날 생각을 했다는 사실을 알리고 싶지 않았다.

"그러니까, 펜들턴 씨가 한번은 제게 집이 가정처럼 느껴지려면 여자의 손길과 마음이나 그 집만의 아이가 필요하다고 말했거든요. 그런데 이제 펜들턴 씨 집에도… 그 집만의 아이가 생겼잖아요."

"그래, 이해가 되는구나." 폴리가 따뜻하게 말했다. 그리고 폴리는 실제로도 이해했다. 폴리애나가 생각하는 것보다 더 많은 것을. 존 펜들턴이 그 커다란 회색 돌덩이 저택을 가정으로 만들 수 있도록 폴리애나에게 자신의 '아이'가 되어달라고 부탁했을 때 폴리애나가 얼마나 큰 압박감을 느꼈을지도 짐작할 수 있었다. "이해가 돼." 말을 마친 폴리의 눈이 따끔거렸다.

폴리애나는 이모가 더 곤란한 질문을 할까 봐 걱정한 나머지 황급히 펜들턴 저택과 그 집주인이 아닌 다른 화젯거리를 찾았다.

"칠턴 선생님도 그렇게 말했어요. 가정을 꾸리려면 여자의 손길과 마음 또는 그 집만의 아이가 있어야 한다고요."

폴리가 화들짝 놀라며 폴리애나를 바라봤다.

"칠턴이…! 네가 그걸 어떻게… 어떻게 아니?"

"직접 들었으니까요. 그래서 자신은 방에서 살 뿐 가정은 없다고 말했어요."

폴리는 아무 말도 하지 않았다. 시선은 창밖을 향하고 있었다.

"그래서 왜 안 구했냐고 물었죠. 왜 여자의 손길과 마음이나 아이를 구해서 가정을 꾸리지 않았느냐고요."

"폴리애나!" 폴리가 깜짝 놀라 폴리애나를 바라봤다. 두 뺨이 붉게 물들어 있었다.

"네, 그렇게 물었어요. 선생님이 아주, 아주 슬퍼 보였거든요."

폴리는 묻지 말라는 내면의 소리와 싸우고 있었다.

"뭐라고… 답하든?"

"잠시 아무 말도 없으셨어요. 그러다 아주 작은 목소리로, 구한다고 다 얻을 수 있는 게 아니라고 했어요."

아주 잠깐 침묵이 흘렀다. 폴리는 또다시 창밖을 바라보고 있었다. 두 뺨은 좀처럼 보기 힘든 발그레한 색을 띠고 있었다.

폴리애나가 한숨을 푹 쉬었다.

"선생님은 얻고 싶어 해요. 확실해요. 선생님이 가정을 만들면 좋겠어요."

"아니, 폴리애나. 왜 그렇게 생각하지?"

"왜냐하면 그 뒤에 다시 만났을 때 다른 말도 했거든요. 그때도 아주 작은 소리로 말했는데, 그래도 똑똑히 들었어요. 선생님은 한 여자의 손길과 마음을 얻을 수 있다면 뭐든 하겠다고 했어요. 어머, 폴리 이모, 왜 그러세요?" 폴리가 벌떡 일어나 갑자기 창가로 가버렸기 때문에 폴리애나는 칠턴에 관한 이야기를 중단할 수밖에 없었다.

"아무것도 아니란다, 아가. 이 프리즘 위치를 바꿀까 하고." 답하는 폴리의 얼굴이 한껏 달아올라 있었다.

28장
게임을 하는 사람들

존 펜들턴의 두 번째 방문으로부터 며칠 지나지 않은 어느 날 오후 밀리 스노가 해링턴 저택을 찾아왔다. 밀리는 지금까지 한 번도 해링턴 저택에 온 적이 없었다. 폴리가 응접실에 들어오자 밀리는 매우 수줍어하면서 뺨을 붉혔다.

"저기, 그, 그 아이가 어떻게 지내는지 보려고 왔어요." 밀리는 더듬거렸다.

"걱정해줘서 고마워. 별로 달라진 건 없어. 어머니는 좀 어때?" 폴리가 기운 없는 목소리로 물었다.

"그게, 그래서 온 거예요. 폴리애나에게 전해주려고요." 밀리는 숨도 쉬지 않고 서둘러 말했다. "우리는 정말 안됐다고 생각해요. 그 어린아이가 다시는 걷지 못한다는 게 너무 안 돼서⋯ 그리고 우리한테 정말 잘해줬거든요. 아시겠지만 폴리애나가 어머니에게 그 게임도 가르쳐줬고요. 폴리애나가 그 게임을 할 수 없게 되었다는 말을 들었을 때, 오 가엾은 것! 물론 당연히 할 수 있을 리가 없겠죠. 그렇게 됐는데! 하지만 그 아이가 우리에게 한 이야기를 하나하나 떠올리다가 그런 생각이 들었어요. 폴리애나가 우리를 위해 한 것들을 생각하면, 그래서 얼마나 고마워하는지를 알면, 도움이 되지 않을까 해서요. 그러니까, 게임을 하는 데요. 폴리애나도 기뻐할 수 있지 않을까, 조금이라도 기뻐할 수 있지 않을까⋯.” 밀리는 말을 끝맺지 못했다. 폴리가 무슨 말이라도 하기를 기다리는 표정이었다.

폴리는 밀리의 이야기를 얌전히 듣고 있었지만 두 눈에는 당혹감이 어려 있었다. 밀리가 한 말을 절반도 이해하지 못했기 때문이다. 폴리는 늘 밀리 스노가 특이하다고 생각했지만 제정신이 아닌 줄은 몰랐다. 하지만 그렇다면 이렇게 논리에 맞지 않는, 의미 없는 단어들을 늘어놓으며 횡설수설하는 것도 당연했다. 침묵이 길어지자 폴리가 입을 열었다.

“밀리, 내가 제대로 이해하지 못한 것 같구나. 내 조카에게 무슨 말을 전하고 싶은 거지?”

“아, 네. 그러니까, 폴리애나에게 이렇게 전해주세요.” 밀리가 열심히 설명했다. “폴리애나가 우리를 위해 얼마나 많은 것을 했는지 알려주세요. 물론 폴리애나도 어느 정도는 알기는 할 거예요. 왜냐하면 그 자리에 있었으니까요. 그리고 어머니가 달라진 것도 알죠. 하지만 얼마나 많이 달라졌는지 알았으면 해요. 저도 달라졌어요. 아주 많이요. 저도 하고 있거든요. 그 게임을요. 잘은 못하지만.”

폴리가 이마를 찡그렸다. 그 ‘게임’이 뭔지 밀리에게 묻고 싶었지만 물어볼 틈이 없었다. 바싹 긴장한 밀리가 또다시 말을 한바탕 쏟아냈다.

"아시겠지만 그전에는 제대로 돌아가는 것이 아무것도 없었어요. 어머니가 보기에요. 언제나 다른 걸 원하셨죠. 실은 저도 어머니를 탓할 수 없다고 생각해요. 어머니의 처지를 생각하면요. 하지만 이제는 커튼을 걷어도 뭐라고 하지 않고, 이런저런 것들에 관심도 보이세요. 외모라든가, 잠옷이라든가, 그런 것들에 대해서요. 그리고 작은 소품도 뜨기 시작했어요. 신생아용 겉싸개라든지, 아기 담요 같은 걸 떠서 모금 행사나 병원에 보내요. 그리고 그 일을 아주 재미있어 하시고, 그 일을 할 수 있다는 것이 아주 기쁘다고 말씀하세요! 그건 폴리애나 덕분이에요. 폴리애나가 어머니한테 어쨌거나 두 팔과 두 손이 있는 걸 기뻐하면 되지 않느냐고 말했거든요. 그리고 그 말을 들은 어머니는 왜 자신이 그 두 팔과 두 손으로 뭐든 하지 않았을까 생각하기 시작했어요. 그래서 뭔가를 하기로 했죠. 그게 뜨개질이에요. 그리고 어머니 방의 분위기도 엄청 달라졌어요. 빨갛고 노랗고 파란 양털실이랑 폴리애나가 준 프리즘을 단 창문…. 그래서 이제는 그 방에 들어가면 기분이 좋아져요. 전에는 그 방에 들어가는 게 아주 싫었거든요. 너무 어둡고 우울해서, 그리고 어머니가 너무… 너무 불행했으니까요."

"그러니까 폴리애나에게 이 모든 것이 그 애 덕분이란 걸 우리가 안다고 부디 전해주세요. 그리고 우리가 폴리애나를 만난 걸 정말 기쁘게 생각한다는 것도요. 그리고 그 애도 이 사실을 알면 자신이 우리와 만난 걸 조금이나마 기쁘게 생각하지 않을까 했다고요. 그리고, 그리고, 그게 다예요." 밀리가 한숨을 내쉬고는 서둘러 일어섰다. "전해주실 거죠?"

"그럼." 폴리가 이 엄청난 양의 단어 집합을 얼마나 기억할 수 있을지 걱정하며 속삭이듯 답했다.

존 펜들턴의 방문과 밀리 스노의 방문은 그 이후에 꼬리에 꼬리를 물고 이어진 방문 행렬의 시작에 불과했다. 그리고 하나같이 폴리애나에게 전언을 남겼다. 그 전언들이 어떤 면에서는 너무나 기이했기 때문에 폴리는 시간이 갈수록 더 혼란스러워졌다.

어느 날 젊은 미망인 벤턴이 찾아왔다. 폴리는 그녀에 대해 잘 알고 있었지만 서로의 집을 찾아가는 사이는 아니었다. 폴리는 소문을 통해 그녀가 마을에서 가장 우울한 여자라는 사실을 알고 있었다. 벤턴 부인은 늘 검은 옷만 입었다. 그런데 오늘은 목에 하늘색 장신구를 두르고 눈물을 글썽이며 나타났다. 그녀는 폴리애나가 사고를 당했다는 사실에 자신이 얼마나 상심하고 걱정했는지 말했다. 그리고 쭈뼛거리며 폴리애나를 만나고 싶다고 말했다.

폴리는 고개를 저었다.

"죄송하지만 아직 아무도 만나지 않고 있어요. 조금 더 시간이 지나면요."

벤턴 부인은 눈물을 훔치면서 자리에서 일어나 문으로 향했다. 하지만 복도에 거의 닿았을 때 황급히 되돌아왔다.

"해링턴 양, 그럼 대신 전해주시겠어요? 제 말을요." 벤턴 부인이 더듬더듬 말했다.

"물론이에요, 벤턴 부인. 기꺼이 전해드릴게요."

벤턴 부인은 한참을 망설이다가 가까스로 입을 열었다.

"그럼, 이렇게 전해주시겠어요? 제가 이걸 했다고요." 그녀가 목에 맨 하늘색 리본을 만지며 말했다. 폴리가 놀란 기색을 감추지 못하자 이렇게 덧붙였다. "그 아이가 아주 오래전부터 제게 뭔가 색깔 있는 옷을 입히려고 애썼어요. 그래서 제가 그걸 시작했다는 걸 알면 기뻐할 거라고 생각했어요. 그 애는 프레디가 좋아할 거라고 했어요. 아시다시피 이제 저한테는 프레디가 전부이니까요. 다른 가족들은 모두…." 벤턴 부인은 고개를 절레절레 흔들고는 돌아섰다. "그냥 폴리애나에게 전해주세요. 그 애는 이해할 거예요." 벤턴 부인이 문을 닫고 떠났다.

같은 날, 벤턴 부인이 돌아가고 얼마 지나지 않아 또 다른 미망인이 찾아왔다. 적어도 미망인이 입을 법한 검은 옷을 입고 있었다. 폴리가 전혀 모르는 사람이었다. 도대체 폴리애나는 이 사람을 어떻게 알게 됐을까? 방문객은 자신을 타벨 부인이라고 소개했다.

"제가 누군지 전혀 모르시겠죠? 당연해요." 타벨 부인이 곧장 설명했다. "하지만 당신의 조카 폴리애나와는 아는 사이랍니다. 이 마을 호텔에서 여름 내내 지냈어요. 그리고 건강 회복을 위해 매일 긴 산책을 했답니다. 그렇게 산책하다가 댁의 조카를 만났어요. 정말 사랑스러운 아이죠! 그 아이가 제게 어떤 의미인지 전할 수 있다면 좋을 텐데. 이곳에 올 때만 해도 저는 깊은 슬픔에 빠져 있었답니다. 그 아이의 환한 얼굴과 명랑한 모습을 볼 때마다 저는… 오래전에 떠나보낸 제 딸이 떠올랐어요. 사고 소식을 듣고는 정말 충격을 받았답니다. 그런데 그 가엾은 아이가 다시는 걷지 못할 거라는 말을 들었고, 더는 기뻐할 수가 없어서 슬퍼한다는 소식도 들었어요. 아, 가엾은 것! 그래서 온 거예요."

"감사합니다." 폴리는 고개를 숙인 채 자기 손만 보면서 중얼거렸다.

"하지만 저야말로 곧 당신에게 감사해야 할거에요." 타벨 부인이 말했다. "제 말을 전해달라고 부탁드릴 거니까요. 그래도 괜찮을까요?"

"물론입니다."

"그 아이에게 타벨 부인이 이제 기뻐한다고 전해주시겠어요? 아, 네, 물론 이상하게 들린다는 거 알아요. 당신은 모르겠죠. 하지만 괜찮다면 구체적인 내용은 설명하고 싶지 않네요." 타벨 부인의 입매에 쓸쓸한 기운이 감돌았고 눈에서는 미소가 사라졌다. "당신 조카는 제가 무슨 말을 하는지 알 거예요. 꼭 전하고 싶었어요. 그 아이에게요. 감사합니다. 부디 제가 이렇게 불쑥 찾아온 게 실례가 아니었길 바랍니다." 타벨 부인은 미안해하며 떠났다.

이제는 완전히 혼란에 빠진 폴리가 폴리애나의 방으로 갔다.

"폴리애나, 타벨 부인을 아니?"

"그럼요. 타벨 부인은 정말 좋은 분이세요. 몸이 안 좋고 아주 슬퍼하고 있어요. 호텔에 머물고 있고 산책을 오래오래 하죠. 저도 함께 걸어요. 그러니까, 함께 걸었어요." 커다란 눈물방울이 폴리애나의 양쪽 볼을 타고 흘러내렸다.

폴리는 헛기침을 하며 목을 가다듬었다.

"얘야, 타벨 부인이 찾아왔었단다. 네게 전언을 남겼어. 무슨 의미인지는 설명하지 않았지만. 타벨 부인이 이제 자기가 기뻐한다고 네게 전해달라고 하더구나."

폴리애나가 자기도 모르게 두 손을 살포시 마주 잡았다.

"정말 그렇게 말했어요? 정말로요? 아, 정말 기뻐요!"

"그런데 폴리애나 그게 무슨 뜻이니?"

"그게, 게임 이야기에요. 그리고…." 폴리애나는 말을 멈추고는 손을 입에 댔다.

"무슨 게임?"

"아무것도 아니에요, 폴리 이모. 그러니까… 그 이야기를 하려면 다른 이야기도 해야 하고… 제가 하면 안 되는 그런 이야기들이요."

폴리는 더 자세히 묻고 싶었지만 소녀의 얼굴이 매우 심란해 보였기에 혀를 꽉 깨물고 참았다.

타벨 부인이 다녀간 뒤 얼마 지나지 않아 상황이 절정으로 치달았다. 그 절정은 한 젊은 여자의 방문이라는 형태로 나타났다. 여자는 어색한 분홍빛 뺨에 샛노란 머리카락을 하고 있었다. 싸구려 보석을 둘렀고 하이힐도 신고 있었다. 폴리는 이 여자가 누군지 소문을 통해 익히 알고 있었다. 그런데 어처구니없게도 해링턴 저택 지붕 밑에서 그녀와 마주 앉게 된 것이다.

폴리는 환영의 손짓을 하지 않았다. 오히려 응접실에 들어설 때 두 손을 등 뒤로 감췄다.

폴리가 들어서자 그 여자는 벌떡 일어났다. 마치 울고 있었던 듯 두 눈이 빨갛게 충혈되어 있었다. 그녀는 잠시만이라도 폴리애나를 만날 수는 없는지 용기를 내 물었다.

폴리는 안 된다고 답했다. 아주 차갑고 짤막한 답으로 끝내려고 했지만 그 여자의 눈빛이 워낙 간절해 보여서 아직은 아무도 폴리애나를 만나지 못하고 있다고 조심스럽게 덧붙일 수밖에 없었다.

여자는 잠시 망설이더니 곧 다소 퉁명스럽게 말을 꺼냈다. 도전하듯 턱을 조금 치켜올리고 있었다.

"저는 톰 페이슨의 아내에요. 제 소문은 들으셨겠죠. 이 마을 사람들은 거의 다 아는 이야기죠. 진실이 아닌 이야기도 있어요. 하지만 그건 중요하지 않아요. 그 아이 때문에 여기 온 거니까요. 사고 소식을 들었고… 저는 가슴이 터질 것 같았어요. 지난주에는 그 애가 다시는 걸을 수 없을 거라는 소식도 들었죠. 그때는… 그때는 저한테는 아무짝에도 쓸모없는 이 두 다리를 그 애에게 주고 싶었답니다. 그 애라면 이 두 다리로 한 시간 동안 다닐 거리를 저는 백 년이 지나도 걸을 수 없겠죠. 하지만 그것도 중요하지 않죠. 꼭 자격이 있는 사람한테만 다리가 주어지는 건 아니더라고요, 제가 살아보니까."

페이슨 부인이 말을 멈추고는 헛기침을 했다. 하지만 다시 입을 열었을 때도 목소리가 여전히 쉬어 있었다.

"당신은 모르겠지만, 저는 그 애와 자주 만났답니다. 우리 집은 펜들턴 힐로 가는 길가에 있어요. 그 애는 그 길을 자주 지나다녔어요. 하지만 그냥 지나다니기만 하지는 않았어요. 우리 집에 들러서 아이들과 놀아주고 저와 이야기도 나눴죠. 그리고 남편이 집에 있을 때는 남편과도 이야기를 했어요. 아주 좋아하는 것 같더라고요. 우리 가족도 그 아이를 좋아했고요. 아마도 몰랐던 것 같아요. 자기가 속한 부류의 사람들은 우리 같은 사람하고는 말을 섞지 않는다는 걸요. 그런데 말이에요, 해링턴 양. 그 사람들이 우리와 더 자주 교류했다면 우리 같은 사람들이 그렇게까지 많지는 않겠죠." 페이슨 부인이 갑자기 분통을 터뜨리며 덧붙였다.

"어쨌거나 그 애는 우리 집에 들르곤 했어요. 자기에게는 아무 해가 되지 않고 자기는 우리에게 도움이 된다나요. 그래요, 아주 큰 도움이 됐죠. 얼마나 큰 도움이 되었는지 그 애는 모를 거예요. 모를 수밖에 없죠. 그게 나아요. 그걸 알려면 다른 것들도 알아야 하는데…. 그 애는 그런 걸 모르면 좋겠어요."

"하지만 이건 알았으면 해요. 올해는 여러 가지로 힘들었어요. 우리는 절망하고 우울했죠. 남편과 저는 이제는 어떻게 돼도 상관없다는 심정이었어요. 실은 이혼할 생각을 하고 있었어요. 아이들은… 아이들을 어떻게 할지까지는 미처 생각 못 하고 있었어요. 그러다 사고 소식을 들었어요. 그리고 그 애가 다시는 걸을 수 없을 거라는 이야기를 들었어요. 그리고 우리는 그 애가 와서 현관 계단에 앉아 있던 일이며, 아이들과 기차놀이를 하면서 웃던 일이며, 그리고 그냥 기뻐하던 일이 떠올랐어요. 그 애는 언제나 무언가에 기뻐했어요. 그러다 어느 날 우리한테 자기가 왜 그렇게 기뻐할 수 있는지, 그 게임에 대해 말해주었어요. 그리고 우리에게도 함께 게임을 하자고 설득했죠."

"그런데 지금은 그 불쌍한 애가 걱정이 많다는 이야기를 들었어요. 기뻐할 것이 하나도 없어서요. 그래서 오늘 여기 온 거예요. 우리 이야기를 듣고 기뻐하면 어떨까 하고요. 우리는 헤어지는 대신 둘이서 함께 그 게임을 하기로 했거든요. 그 애가 틀림없이 기뻐할 거예요. 우리가 하는 말을 듣고는 안타까워할 때가 있었거든요. 그 게임을 하는 게 어떤 도움이 될지 모르겠지만, 아직 해보지 않았으니까요. 하지만 어떤 식으로든 도움이 되겠죠. 어쨌든 둘이서 열심히 해보려고요. 그 애가 그러길 바랐으니까요. 그 애한테 전해주시겠어요?"

"네, 그럴게요." 폴리가 작은 소리로 약속했다. 그리고 충동적으로 앞으로 다가가 손을 내밀었다. "와주셔서 감사합니다, 페이슨 부인." 폴리가 부드럽게 말했다.

페이슨 부인은 턱을 내렸다. 입술이 파르르 떨리고 있었다. 알아들을 수 없는 말을 중얼거리던 페이슨 부인은 눈물이 앞을 가려 폴리가 내민 손을 더듬더듬 잡았다가 놓고는 허둥지둥 떠났다.

현관문이 채 닫히기도 전에 폴리는 부엌에 있는 낸시를 찾았다.

"낸시!"

폴리가 날카로운 목소리로 불렀다. 지난 며칠간 이해할 수 없는, 당혹스러운 방문객을 받은 데다가 오늘 오후에 유독 이상한 방문객들을 만나면서 그 당혹스러움이 절정에 이른 터라 폴리의 신경은 날카로워질 대로 날카로워져 있었다. 폴리애나의 사고 이후 폴리가 낸시를 그토록 매섭게 몰아붙이기는 처음이었다.

"낸시, 마을 전체가 떠들어대는 그 바보 같은 '게임'이 도대체 뭔지 어서 말해봐. 그리고 도대체 내 조카가 그것과 무슨 상관이 있지? 왜 모두들, 밀리 스노도 타벨 부인도 페이슨 부인도 자기들이 '그 게임을 한다'고 전해달라는 거지? 가만히 듣고 있자니, 마을 사람들이 하늘색 리본을 달고, 가족과 화해하고, 무언가를 좋아하게 된 게 다 폴리애나 덕분이라는 것 같은데. 그 애한테도 물어봤지만 제대로 된 답을 들을 수가 없었어. 그리고 그 아이를 불편하게 하고 싶지 않으니까. 하지만 그 애가 너한테 말하는 걸 들어보니 너도 그런 사람 중 하나인 게 틀림없어. 그러니 이게 다 무슨 일인지 말 좀 해봐."

냰시가 울음을 터뜨리는 바람에 폴리는 당황했다.

"지난 6월 이후로 그 축복받은 어린양이 온 마을을 다 기쁘하게 만들었다는 이야기죠. 이제 그 사람들이 나서서 폴리애나 아가씨가 기뻐할 수 있도록 애쓰는 거고요."

"무엇을 기뻐하라는 거지?"

"그냥 기뻐하는 거예요! 그게 그 게임이에요."

폴리는 자기도 모르게 발을 굴렀다.

"너도 다른 사람처럼 그러는구나, 낸시. 그러니까 도대체 무슨 게임이냐고?"

낸시가 턱을 살짝 들었다. 폴리를 마주 보면서 그녀의 두 눈을 똑바로 쳐다봤다.

"말씀드리죠, 마님. 그건 폴리애나 아가씨의 아버지가 아가씨에게 가르쳐준 게임이에요. 한번은 아가씨가 인형을 원했는데 선교 물품 기부함에서 목발이 나왔대요. 물론 아가씨는 울었죠. 어떤 아이라도 그랬을 거예요. 그때 아가씨의 아버지가 어떤 일에나 기뻐할 만한 점이 있다고 말했대요. 그리고 그 목발에 대해서도 기뻐할 수 있다고요."

"기뻐하라니… 목발에 대해서?" 폴리는 울음을 참으며 말했다. 위층 침대에서 꼼짝도 못 하고 있는 가냘픈 두 다리가 생각났기 때문이다.

"네, 마님. 저 역시 말도 안 된다고 생각했어요. 그리고 폴리애나 아가씨가 자기도 그랬다고 말했어요. 하지만 아가씨 아버지는 기뻐할 수 있다고 말했대요. 바로 목발이 필요 없다는 점을요."

"오!" 폴리가 울음을 터뜨렸다.

"그리고 그 뒤로 아버지와 늘 그 게임을 했대요. 모든 것에서 무언가 기뻐할 만한 점을 찾는 거요. 아가씨는 누구나 할 수 있는 게임이라고 했어요. 누구라도 인형을 못 받았다고 그렇게까지 실망하지 않게 될 거라고요. 목발이 필요 없다는 사실이 너무나 기쁠 테니까요. 그래서 '그냥 기뻐하기' 게임이라고 부르기로 했대요. 그 게임이라는 건 이걸 말하는 거예요, 마님. 폴리애나 아가씨는 이곳에 온 뒤로도 계속 그 게임을 했어요."

"하지만 어떻게··· 어떻게···." 폴리는 더는 말을 잇지 못했다.

"그리고 마님도 해보면 얼마나 깜찍한 게임인지 놀라실걸요." 낸시는 예전의 폴리애나가 그랬듯 열심히 설명했다. "고향에 있는 제 어머니와 가족들에게도 얼마나 도움이 되었는지 몰라요. 저를 따라서 폴리애나 아가씨가 제 고향 집에 두 번이나 같이 갔었잖아요. 그리고 아가씨 덕분에 저도 기뻐하게 되었답니다. 많은 것들에 대해서요. 아주 사소한 것도 있고, 큰 것도 있죠. 그래서 여러 가지가 더 쉬워졌어요. 예를 들자면 이제는 낸시라는 이름이 그렇게까지 싫지는 않아요. 아가씨가 제 이름이 헤프시바가 아닌 걸 기뻐하면 된다고 알려줬거든요. 그리고 월요일 아침도 그래요. 예전에는 월요일 아침이 오는 게 정말 싫었거든요. 그런데 아가씨 덕분에 월요일 아침이 오는 것을 기뻐하게 됐어요."

"기뻐한다고? 월요일 아침이 오는 것을?"

낸시가 웃음을 터뜨렸다.

"이상하게 들린다는 거 알아요, 마님. 하지만 이렇게 된 거예요. 그 축복받은 어린양이 제가 월요일 아침을 무진장 싫어한다는 걸 알게 됐어요. 그러던 어느 날 아가씨가 이렇게 말하는 거예요. '그래도 낸시, 어쨌거나 다른 어느 요일보다 월요일 아침에 특히 더 기뻐해야 하는 거 아닌가요? 다음 월요일 아침이 올 때까지는 아직 한 주가 통째로 남은 셈이잖아요!' 그 뒤로는 월요일 아침마다 그 말이 생각나요. 그리고 정말로 도움이 됐어요, 마님. 어쨌거나 그 말을 떠올릴 때마다 웃게 되니까요. 그리고 웃으면 도움이 되고요. 정말이에요!"

"하지만 왜… 왜 내게는… 그 게임에 대해 말하지 않은 거지?" 폴리가 떨리는 목소리로 물었다. "왜 내가 물어봤을 때는 제대로 설명하지 않았을까?"

낸시가 잠시 머뭇거렸다.

"마님, 실례가 되는 말인지도 모르겠지만, 마님이 못 하게 한 거예요. 아가씨 아버지 이야기는 듣기 싫다고 하셨잖아요. 그래서 말할 수 없었던 거예요. 아가씨 아버지의 게임이니까요."

폴리가 입술을 깨물었다.

"마님에게 제일 먼저 이야기하고 싶어 했어요." 낸시가 조심스럽게 말을 이어나갔다. "그게, 같이할 사람이 필요했으니까요. 그래서 대신 제가 하게 된 거예요. 아가씨가 혼자 하지 않아도 되도록이요."

"그리고… 그러면… 다른 사람들은?" 폴리가 떨리는 목소리로 물었다.

"아, 그게, 아마도 거의 모든 사람이 알고 있을 거예요. 아무튼 제가 가는 곳마다 그 얘길 듣고 있는 걸 보면 그런 것 같아요. 폴리애나 아가씨가 많은 사람에게 이야기하기도 했고, 또 그 사람들이 다른 사람에게 이야기했겠죠. 그런 이야기는 퍼지기 마련이니까요. 그리고 아가씨는 언제나 웃고 있고, 모두에게 상냥하고, 또, 아가씨 자신이 언제나 그냥 기뻐하니까요. 그래서 사람들이 모를 수가 없기도 했죠. 그러니 아가씨가 다친 뒤로 사람들이 아주 슬퍼하고 있어요. 무엇보다 아가씨가 더는 기뻐할 만한 것을 찾지 못해서 슬퍼한다는 소식을 듣고는 더 그랬죠. 그래서 다들 매일 찾아와서 아가씨가 자신들을 얼마나 기쁘게 했는지를 전하는 거예요. 그러면 도움이 될까 해서요. 그게, 아가씨는 언제나 누구나 다 자기와 함께 이 게임을 하기를 바랐거든요."

"그렇다면, 그 게임을 할 또 한 사람을 알고 있어. 그것도 지금 당장 말이야." 폴리는 울먹이며 돌아서서 부엌을 빠져나갔다.

부엌에는 놀란 얼굴로 멍하니 서 있는 낸시만 덩그러니 남았다.

"정말 이제는 뭐든 믿을 수 있을 것 같아. 뭐든." 낸시는 혼잣말로 중얼거렸다. "이제는 누가 어떤 말을 해도 믿을 수밖에. 마님에 관한 거라면, 뭐든!"

잠시 후 폴리애나의 방에서 간호사가 나가자 폴리와 폴리애나 둘만 남게 되었다.

"오늘 방문객이 한 명 더 있었단다, 아가." 폴리는 애써 아무렇지 않은 척 말을 꺼냈다. “페이슨 부인을 아니?”

“페이슨 부인요? 그럼요! 펜들턴 씨 집으로 가는 길에 그 아주머니 집이 있어요. 세상에서 제일 귀여운 세 살배기 여자애가 있고, 남자애는 아마 다섯 살쯤 되었을 거예요. 페이슨 부인이 정말 잘해주세요. 그 남편도요. 다만 서로에게는 그다지 잘하지 않는 것 같아요. 때로는 싸우기도 해요. 그러니까, 두 사람 의견이 다를 때가 있어요. 그 집은 가난하거든요. 게다가 선교 물품 기부함 같은 것도 못 받고요. 페이슨 씨는 목사가 아니니까요. 우리 아… 그러니까 목사가 아니에요.”

폴리애나의 뺨이 살짝 빨개졌고, 마침 폴리의 뺨도 같은 색으로 물들었다.

“하지만 페이슨 부인은 가끔 정말 예쁜 옷을 입어요. 가난한데도요.” 폴리애나가 조금 흥분하면서 이야기를 계속했다. “그리고 다이아몬드랑 루비랑 에메랄드가 박힌 정말 아름다운 반지도 있어요. 하지만 반지가 너무 많다고 말하면서 다 버리고 대신 이혼을 얻을 거라고 했어요. 폴리 이모, 이혼이 뭐예요? 좋은 말은 아닌 것 같았어요. 왜냐하면 그 말을 하는 아주머니의 얼굴이 어두웠거든요. 그리고 그렇게 되면 더는 그곳에서 살지 않을 거라고 했어요. 그리고 페이슨 씨도 아주 멀리 가게 될 거라고 했어요. 아이들도요. 하지만 차라리 반지를 가지고 있는 게 낫지 않을까요? 아무리 많아도요. 이모라면 어떻게 하겠어요? 폴리 이모, 이혼이 뭐예요?”

“하지만 멀리 가지 않을 거라고 하더구나, 아가.” 폴리 이모는 질문에 답하는 대신 서둘러 말했다. “여기서 계속 다 같이 살 거라고 했어."

"아, 정말 기뻐요! 그러면 거기 있겠군요, 제가 다시 가면…. 아, 아니지." 어린 소녀는 절망하며 말을 잇지 못했다. "폴리 이모, 왜 더는 이 다리로 어디에도 갈 수 없다는 걸 자꾸 잊을까요? 앞으로는 절대, 절대로 펜들턴 씨를 보러 갈 수 없는데도요?"

"자, 자, 그만하렴." 폴리가 울음을 참으며 말했다. "마차를 타고 갈 수 있을지도 모르잖니. 그건 그렇고, 아직도 전해야 할 말이 남아 있어. 페이슨 부인 말이, 자신들은 계속 함께 지내면서 그 게임을 하기로 했다는구나. 네가 원했던 것처럼 그렇게."

폴리애나가 눈물을 글썽이면서 웃었다.

"그래요? 정말로 그렇게 한대요? 아, 그건 기쁘네요!"

"그래, 그랬으면 좋겠다고 했어. 그래서 네게 말하는 거라고, 네가 기뻐하기를 바란다고 했어, 폴리애나."

폴리애나가 고개를 번쩍 들었다.

"어머, 폴리 이모. 마치 아는 것처럼 말씀하시네요. 그 게임에 대해 아세요, 폴리 이모?"

"그래, 아가." 폴리는 일부러 더 명랑하게 말하려고 애썼다. "낸시가 이야기해줬어. 정말 멋진 게임이라고 생각해. 나도 할 거야. 지금 이 순간부터, 너와 함께."

"아, 폴리 이모, 이모가요? 정말 기뻐요! 그게, 저는 다른 누구보다도 이모랑 하고 싶었거든요, 처음부터요."

폴리는 자신도 모르게 숨을 훅 들이마셨다. 이번에는 그 어느 때보다도 울음을 참기가 힘들었다. 하지만 터져 나오려는 울음을 삼키고 말했다.

“그래, 아가. 그리고 다른 사람들도 모두 그 게임을 하고 있지. 폴리애나, 그러고 보니 마을 전체가 너와 함께 그 게임을 하고 있는 것 같더구나. 심지어 목사님도! 네게 말할 기회가 없었는데, 오늘 아침 시내에 나갔다가 포드 목사님을 만났어. 목사님이 네가 사람들을 만날 수 있게 되면 곧장 와서 이 말을 해주고 싶다고 했단다. 네가 말해준 800개의 큰 기쁨의 성경 구절들을 읽으면서 그 이후로 죽 그 말씀들에 기뻐하고 있다고 말이야. 아가, 네가 이 모든 것을 해냈단다. 온 마을이 그 게임을 하고 있고, 온 마을이 훨씬 더 행복해졌어. 다 어린 소녀 하나가 사람들에게 게임을 가르쳐준 덕분이지.”

폴리애나가 손뼉을 쳤다.

“정말 기뻐요.” 갑자기 폴리애나의 얼굴이 아주 환해지면서 아름답게 빛났다. “어머, 폴리 이모. 제가 기뻐할 만한 것이 있어요. 결국 찾았어요. 제가 한때는 두 다리가 멀쩡했다는 걸 기뻐하면 돼요. 그렇지 않았다면 그 모든 것을 할 수 없었을 테니까요!”

29장

열린 창문으로

겨울이 되자 하루해가 점점 짧아졌다. 하지만 폴리애나에게는 하루가 여전히 길게 느껴졌다. 하루가 무척이나 길었을 뿐 아니라 때로는 통증에 시달리기까지 했다. 그래도 폴리애나는 어떤 날이든 일부러 더 환한 얼굴로 맞이하려고 애썼다. 이런 때일수록 게임을 더 열심히 해야 하지 않을까? 게다가 폴리 이모도 함께하고 있다. 그리고 폴리 이모는 기뻐할 만한 것을 정말 많이 찾아냈다!

폴리는 어디선가 이런저런 이야기를 찾아서 읽고는 게임에 어울리는 이야기를 발견할 때마다 폴리애나에게 들려주곤 했다. 그중에는 어느 날 굶주린 두 아이가 눈보라를 헤치며 걷다가 어디선가 떨어져 나온 문짝을 발견하고 눈보라를 피해 그 아래로 기어서 들어가면서 문짝을 잃은 사람들은 어떻게 지내고 있을지 걱정했다는 이야기도 있었고, 어떤 노인이 이가 두 개밖에 남지 않았는데도 그 두 이빨이 서로 맞물린다면서 기뻐했다는 이야기도 있었다.

이제 폴리애나는 스노 부인처럼 하얀 침대보 위로 화려한 색의 양털실을 알록달록 늘어뜨려 놓고는 멋진 소품들을 뜨기 시작했다. 덕분에 폴리애나는 스노 부인과 마찬가지로, 두 팔과 두 손을 자유롭게 쓸 수 있다는 사실을 기뻐할 수 있었다.

폴리애나는 방문객을 받기 시작했고, 오지 못하는 사람들도 늘 따뜻한 전언을 보냈다. 그런 전언에는 언제나 새로운 생각할 거리가 담겨 있었다. 그리고 폴리애나에게는 그런 생각할 거리가 필요했다.

그동안 존 펜들턴도 한 번 만났고, 지미 빈은 두 번 만났다. 펜들턴은 지미가 아주 훌륭한 소년으로 자라고 있다면서 그가 아주 잘 지내고 있다고 전했다. 지미는 자기 집이 얼마나 멋진지 자랑했고 펜들턴이 '끝내주는 어른'이라고 말했다. 두 사람 모두 폴리애나 덕분이라고 말했다.

"그래서 훨씬 더 기뻐요. 그러니까 제가 한때는 다리를 움직일 수 있었다는 게요." 두 사람이 다녀간 뒤 어느 날 폴리애나가 이모에게 고백했다.

겨울이 지나고 봄이 왔다. 모두 폴리애나의 상태를 초조하게 지켜봤지만 미드 의사가 처방한 치료법은 효과가 그다지 없는 듯했다. 미드가 제시한 최악의 시나리오, 즉 폴리애나가 다시는 걸을 수 없을지도 모른다는 진단이 현실이 되었다는 것을 받아들이지 않을 수가 없었다.

벨딩스빌 사람들은 여전히 폴리애나의 소식에 촉각을 곤두세우고 있었다. 그리고 특히 한 남자가 침대에서 고통받는 이들에게 겨우겨우 얻어내는 그 소식들을 들으면서 걱정과 분노에 휩싸여 미쳐가고 있었다. 날이 지나도 이런저런 소식들은 남자에게 위로가 되기는커녕 오히려 초조함만 키웠고 그런 초조함이 남자의 얼굴에 확연히 드러났다. 절망과 굳은 결심이 번갈아 가며 남자의 얼굴을 차지하다가 마침내 굳은 결심이 이겼다. 그래서 어느 토요일 아침 존 펜들턴은 뜻하지 않게 토머스 칠턴의 방문을 받게 되었다.

"펜들턴 씨." 의사는 다짜고짜 말했다. "제가 찾아온 이유는, 마을에서 나와 폴리 해링턴의 관계를 가장 잘 아는 사람이 당신이기 때문입니다."

존 펜들턴은 자신이 눈에 띌 정도로 움찔했다는 것을 느꼈다. 그는 폴리 해링턴과 토머스 칠턴의 연애에 대해 어느 정도 알고 있기는 했다. 하지만 펜들턴과 칠턴은 그 일에 대해 15년 넘게 한 마디도 나누지 않았다.

"그렇지." 펜들턴은 동정심이 드러나도록, 그리고 호기심이 드러나지 않도록 조심하며 말했다. 하지만 곧 그렇게 조심할 필요가 없다는 것을 깨달았다. 칠턴은 방문의 목적에만 관심이 있었지, 그 방문이 어떤 식으로 진행되는지에는 관심이 전혀 없었다.

"펜들턴 씨, 그 아이를 만나고 싶습니다. 진찰해보고 싶어요. 제가 직접 진찰해야만 해요."

"그렇다면 그렇게 하면 되지 않겠나?"

"하면 된다고요? 펜들턴 씨 당신도 내가 15년 넘게 그 집 문턱을 넘지 않았다는 걸 잘 알잖아요. 이건 모를 테니 말해 드리리다. 그 집 여주인은 행여나 나를 그 집에 다시 들일 때는, 자신이 내게 용서를 구하고 원래대로 돌아가자고 애원한다는 의미일 거라고 했습니다. 그러니까 나와 결혼하겠다는 의미지요. 당신은 그녀가 나를 부르는 게 가능하다고 생각할지 모르지만 나는 불가능하다는 걸 알아요!"

"하지만 그냥… 가면 되지 않는가. 꼭 그녀가 불러야만 하는가?"

의사가 이마를 찡그렸다.

"그게, 그렇게는 안 됩니다. 저도 자존심이 있으니까요."

"하지만 그렇게… 걱정이 된다면 자존심 따위는 버리고, 싸운 것도 잊고…."

"싸운 게 문제가 아니에요!" 의사가 펜들턴의 말을 끊으며 매섭게 말했다. "그런 자존심을 말하는 게 아닙니다. 그것만이 문제라면 지금이라도 당장 그 집에 가서 무릎을 꿇을 수 있어요. 소용만 있다면 기꺼이 머리도 조아리지요. 문제는 의사의 자존심입니다. 환자를 찾아가는 거예요. 저는 의사고요. 무작정 쳐들어가서 '저를 써 주세요!'라고 할 수는 없습니다. 아시겠어요?"

"칠턴 선생, 도대체 왜 싸운 건가?" 펜들턴이 물었다.

칠턴은 초조하게 손을 휘두르더니 벌떡 일어났다.

"왜 싸웠느냐고요? 연인들의 다툼에 이유가 있나요? 게다가 헤어지고 난 뒤에는 그게 다 무슨 의미가 있죠?" 칠턴은 거칠게 내뱉고는 씩씩거리며 방을 맴돌았다. "달의 크기나 강의 깊이를 두고 바보같이 아웅다웅했겠죠. 그 뒤에 겪어야 할 절망과 슬픔의 세월을 생각하면 딱 그런 정도의 다툼이었습니다! 싸웠다는 사실은 중요하지 않습니다! 저는 싸운 일은 싹 다 잊었다고 말할 준비가 되어 있어요. 펜들턴 씨, 그 아이를 직접 봐야겠어요. 생과 사를 가를 수도 있는 문제입니다. 단언컨대 제가 진단하면 폴리애나 휘티어가 걸을 가능성이 90퍼센트는 될 겁니다!"

의사는 또박또박 큰 소리로 말했고 그가 이 말을 할 무렵에는 존 펜들턴의 의자 근처 창가에 서 있었다. 창문은 열려 있었고 창밖에는 어린 소년이 바로 그 앞에서 엎드려 있었다. 그래서 의사의 말이 소년의 귀에 쏙쏙 들어왔다.

토요일 아침마다 지미 빈은 꽃밭의 잡초를 뽑는 일을 해야 했다. 그는 의사의 말을 듣자마자 눈과 귀를 크게 열고는 바로 앉았다.

"걷는다고? 폴리애나가!" 존 펜들턴이 말하고 있었다. "그게 무슨 소리지?"

"비록 폴리애나를 직접 보지는 못했지만 제가 전해 들은 바에 비춰 보면, 폴리애나의 상태는 제 대학 동기가 얼마 전에 치료한 환자와 매우 유사합니다. 그 친구는 수년간 이런 유형의 환자를 집중적으로 연구했어요. 대학 졸업 후에도 그 친구와 연락을 주고받고 있고, 그 친구의 연구에 대해서도 알고 있습니다. 그리고 제가 들은 내용을 종합해보면… 하지만 제 눈으로 직접 봐야 해요!"

의자에 앉아 있던 존 펜들턴이 허리를 꼿꼿이 세웠다.

"그 아이를 반드시 만나야겠군! 그럼… 그러니까, 워런 선생에게 부탁하면 어떨까?"

의사가 고개를 저었다.

"안 됩니다. 워런 씨는 물론 아주 좋은 분이고, 처음에 폴리애나의 사고 소식을 들었을 때 제 진단을 받아보자고 제안했었답니다. 하지만… 해링턴 양이 워낙 단호하게 거절했기 때문에 다시는 말을 꺼내지 못했다고 하더군요. 그 사람도 제가 폴리애나를 진단하고 싶어 한다는 걸 압니다. 최근에는 워런 선생의 단골 몇몇이 저를 찾아오고 있어요. 그래서 더더욱 신세를 지기가 어렵습니다. 하지만 펜들턴 씨, 그 아이를 만나야만 해요! 그것이 폴리애나에게 어떤 의미일지 생각해보세요!"

"그래? 하지만 자네가 그 아이를 만나지 못하면 그것은 또 어떤 의미일지도 생각해보게!" 펜들턴이 쏘아붙였다.

"하지만, 하지만 폴리애나의 이모가 저를 부르지 않으면… 다른 방법이… 저를 부를 리가 없어요!"

"그럼 부르게 만들어야지!"

"어떻게요?"

"그건 나도 모르겠네."

"그래요, 그렇겠죠. 아무도 모르겠죠. 그녀는 자존심이 아주 강하고 저를 용서하지도 않았을 테니, 저를 부르지 않을 겁니다. 그날 그런 말을 했으니 저를 부른다는 게 무엇을 뜻하는지를 생각하면요. 하지만 그 아이 생각만 하면… 그 애가 평생을 절망 속에 살아가야 한다는 걸 생각하면, 그리고 제가 그것을 막을 방법을 알고 있다는 걸 생각하면…. 제가 나서지 못하는 것이 우리가 자존심과 전문가로서의 체면이라고 부르는 시시한 것들 때문이라는 걸 생각하면, 저는…." 의사는 말을 마치지 못한 채 두 손을 바지 주머니에 깊숙이 찔러 넣었다. 그러고는 다시 돌아서서 씩씩거리며 방을 빙빙 돌기 시작했다.

"하지만 그녀에게 알릴 수만 있다면… 이해시킬 수만 있다면….” 존 펜들턴이 포기하지 않고 말했다.

“네, 네. 하지만 누가 그걸 할 수 있겠습니까?” 의사가 홱 돌아보며 되물었다.

“글쎄, 모르겠군. 모르겠어.” 펜들턴이 절망하며 중얼거렸다.

창밖에 있던 지미 빈은 갑자기 정신이 번쩍 들었다. 지미는 여태 둘의 대화를 숨죽여 듣고만 있었다. 아주 집중했기 때문에 전부 똑똑히 들었다.

“오호, 이런 일이…. 나는 알겠어!” 지미가 흥분하며 속삭였다. “내가 할 거야!” 지미는 곧장 일어나서 집 모퉁이를 돌아 펜들턴 힐을 힘껏 달려 내려갔다.

30장

지미가 나서다

"지미 빈이 왔어요. 마님을 만나고 싶답니다." 낸시가 방문 앞에서 전했다.

"나를?" 폴리가 놀라 물었다. "폴리애나를 보러 온 게 아니고? 확실해? 오늘은 폴리애나를 만나고 싶다면 몇 분 정도 들어가 있어도 되는데."

"아니에요. 저도 그렇게 말했는데, 꼭 마님을 봬야 한대요."

"알았어. 곧 내려갈게." 폴리는 어쩐지 불안해졌다.

거실에는 얼굴이 시뻘겋게 달아오른 채 눈을 동그랗게 뜬 소년이 기다리고 있었다. 지미는 폴리가 들어서자마자 말을 쏟아냈다.

"아줌마, 제가 잘못된 일을 하고 있는지도 모르겠어요. 제가 이렇게 온 것도, 이런 이야기를 하는 것도요. 하지만 어쩔 수 없었어요. 폴리애나를 위한 일이거든요. 그리고 저는 폴리애나를 위해서라면 활활 타오르는 불 위도 걸을 수 있어요. 아줌마를 만날 수도 있고요. 그런 건 얼마든지 할 수 있어요. 그리고 아줌마도 그럴 거라고 생각해요. 폴리애나가 걸을 가능성이 있다고 하면요. 그래서 제가 온 거예요. 폴리애나가 다시 걷는 것을 막는 게 오직 자존심과 그 뭐냐, 아무튼 그런 거라는 걸 알려드리려고요. 아줌마는 칠턴 선생님을 부를 거예요. 그걸 알고 나면…."

"뭐라고?" 멍한 표정이 성난 표정으로 바뀌면서 폴리가 지미의 말을 가로막았다.

지미가 실망한 듯 한숨을 쉬었다.

"그것 보세요. 제가 아줌마를 또 화나게 했네요. 그래서 폴리애나가 걸을 가능성이 있다는 말을 먼저 한 거예요. 그 말은 들을 테니까요."

"지미, 도대체 무슨 말을 하는 거니?"

지미가 다시 한숨을 쉬었다.

"그러니까, 지금 말하고 있잖아요."

"그럼 말해봐라. 대신 처음부터 차근차근 말하렴. 내가 네 이야기를 잘 따라가고 있는지 확인하면서. 지금처럼 중간부터 말해서는 안 된다. 이야기가 뒤죽박죽 엉망이 되어버리잖니!"

지미는 입술을 핥고서 다시 꿋꿋하게 말했다.

"그러니까, 처음부터 말하자면, 칠턴 선생님이 펜들턴 씨를 찾아왔어요. 그리고 둘이 서재에서 이야기를 나누었어요. 이해하시겠어요?"

"그래, 지미." 폴리가 다소 맥없이 말했다.

"그게, 창문이 열려 있었어요. 그리고 저는 그 창밖 아래에 있는 꽃밭에서 잡초를 뽑고 있었고요. 그러다 두 사람이 하는 말을 들었어요.”

“지미! 엿들은 거니?”

“제 이야기가 아니었으니까요. 그러니까 엿듣는 거라고 할 수 없어요.” 지미가 발끈하며 말했다. “그리고 엿들어서 기뻐요. 아줌마도 제 말을 들으면 그렇게 생각할걸요. 왜냐하면 폴리애나가 걸을 수 있을지도 모르니까요!”

“지미, 그게 무슨 소리지?” 폴리가 지미 쪽으로 몸을 기울였다.

“그것 보세요, 제가 말했잖아요.” 지미가 의기양양하게 고개를 끄덕였다. “칠턴 선생님이 어딘가에 폴리애나를 고칠 수 있는 의사가 있다고 했어요. 적어도 고칠 가능성이 있다고 말했어요. 하지만 폴리애나를 직접 봐야만 알 수 있다고 했어요. 그리고 폴리애나를 정말 보고 싶지만 펜들턴 씨한테 아주머니가 자기를 못 오게 했다고 말했어요.”

폴리의 얼굴이 새빨개졌다.

“하지만, 지미. 난… 할 수 없어. 어쩔 수가 없어! 그러니까 나는… 몰랐단다!” 폴리가 당황하며 손가락을 만지작거렸다.

“네, 그래서 제가 알려드리러 온 거예요. 알 수 있게요.” 지미가 열심히 설명했다. “그 두 사람은 무슨 이유에선가, 이 부분은 잘 못 알아들었어요, 아줌마가 칠턴 선생님을 오지 못하게 한다고 했고, 워런 선생님한테도 칠턴 선생님은 부르기 싫다고 말했다고 했어요. 칠턴 선생님은 직접 찾아오고 싶지만 아줌마가 부르지 않으면, 자존심과 전문… 전문 뭐시기 때문에 안 된댔어요. 그리고 두 사람은 누군가가 아줌마를 이해시킬 수 있으면 좋겠다고 했고, 하지만 누가 그렇게 할 수 있는지 모른다고 했어요. 그런데 제가 그 창밖에 있었거든요. 그래서 저는 곧장 '내가 할 거야!'라고 중얼거렸죠. 그래서 이렇게 왔어요. 제가 아줌마를 이해시켰나요?"

"그래. 그런데 지미, 그 의사라는 사람 말이야." 폴리가 흥분해서 물었다. "그 의사는 누구지? 뭘 하는 사람이기에 두 사람이 그 의사가 폴리애나를 걷게 할 수 있다고 확신하지?"

"저도 누군지 몰라요. 그런 말은 안 했어요. 칠턴 선생님이 아는 의사래요. 그리고 칠턴 선생님 생각에 폴리애나와 비슷한 환자를 치료했대요. 어쨌든 그 의사 걱정은 안 하는 것 같았어요. 아줌마 걱정만 했죠. 왜냐하면 아줌마가 칠턴 선생님이 폴리애나를 보는 것을 막고 있으니까요. 그렇지만 부를 거죠, 그렇죠? 이제 이해했으니까, 부를 거죠?"

폴리가 고개를 천천히 흔들었다. 호흡은 불규칙했고, 가팔랐다. 지미는 폴리가 울음을 터뜨릴 것만 같아서 불안한 눈으로 그녀를 바라봤다. 하지만 폴리는 울지 않았다. 1분 정도 뒤에 그녀는 띄엄띄엄 말했다.

"그래, 지미. 칠턴 선생을, 불러서, 폴리애나를 보게 할게. 칠턴 선생에게, 진단을 받자. 자, 얼른 돌아가거라, 지미. 어서! 나는 워런 선생을 만나야겠다. 지금 위층에 계셔. 몇 분 전에 워런 선생의 마차가 들어오는 걸 봤어."

잠시 뒤 워런은 복도에서 폴리와 마주치고는 깜짝 놀랐다. 폴리가 얼굴이 빨갛게 달아오른 채로 잔뜩 흥분해 있었기 때문이다. 그런데 폴리의 말을 듣고는 더 깜짝 놀랐다. 폴리는 가쁜 숨을 몰아쉬며 말했다.

"워런 선생님, 예전에 칠턴 선생을 불러서 진단을 받아보자고 했죠? 저는 거절했고요. 그런데 마음이 바뀌었어요. 칠턴 선생에게 꼭 진단을 받아야겠어요. 당장 불러주시겠어요? 부탁드릴게요."

31장

이모부가 생기다

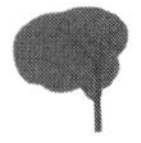

워런이 다시 폴리애나의 방에 들어섰을 때 폴리애나는 천장에서 반짝반짝 춤추는 색색의 띠를 올려다보고 있었다. 키가 크고 어깨가 넓은 남자가 워런을 따라 방에 들어왔다.

"칠턴 선생님! 아, 칠턴 선생님, 선생님이 오시다니 정말 기뻐요!" 폴리애나가 탄성을 질렀다. 그 목소리가 환희로 가득했기 때문에 방에 있던 거의 모든 사람이 자기도 모르게 눈에 뜨거운 눈물이 차오르는 것을 느꼈다. "하지만, 물론 폴리 이모가 싫다면…."

"괜찮다, 아가. 걱정하지 않아도 돼." 폴리가 서둘러 다가와 상냥하게 말했다. "내가 칠턴 선생에게… 너를 진단해달라고 했단다. 오늘 아침 워런 선생님과 함께 오라고 말이야."

"아, 그럼 이모가 부르신 거군요." 폴리애나가 기뻐하며 중얼거렸다.

"그래, 아가. 내가 불렀어. 그러니까…." 하지만 이미 늦었다. 칠턴의 애정 어린 눈빛이 워낙 강렬해서 폴리도 칠턴의 진심을 알아차릴 수 있었다. 폴리는 두 뺨이 발그레해진 채로 돌아서서는 황급히 방을 빠져나갔다.

워런과 간호사는 창가에서 진지하게 이야기를 나누고 있었다. 칠턴은 폴리애나에게 두 손을 내밀었다.

"꼬마 아가씨, 내게는 네가 한 일 중에서 가장 기뻐할 만한 것이 바로 오늘 일이구나." 감정이 북받쳐 오르는 듯 그의 목소리가 떨렸다.

그날 해 질 무렵 아주 아름답게 빛나는 폴리가 몸을 조금 떨면서 폴리애나 옆에 누웠다. 간호사는 저녁을 먹으러 가고 없었다. 방에는 두 사람뿐이었다.

"폴리애나, 아가. 말해줄 것이 있어. 네게 제일 처음 말하는 거란다. 칠턴 선생이 곧 우리 가족이 될 거야. 네… 이모부가 되는 거지. 그리고 이 모든 것이 네 덕분에 가능했어. 오, 폴리애나, 나는 정말… 행복하단다! 그리고 아주… 기뻐! 사랑하는 아가!"

폴리애나는 손뼉을 치려다 두 손이 마주치기 직전에 딱 멈추고는 두 손을 허공에 든 채로 말했다.

"폴리 이모, 폴리 이모, 칠턴 선생님이 오래전에 원했던 손길과 마음의 주인공이 폴리 이모였나요? 이모였군요, 맞죠? 그래서 칠턴 선생님이 가장 기뻐할 만한 일을 했다고 제게 말한 거였고요. 오늘 있었던 일이요. 정말 기뻐요! 아, 폴리 이모, 어쩐 일인지, 너무 기쁘니까 전혀 싫지가 않아요. 다리가 이렇게 된 것도요!"

폴리가 울음을 삼켰다.

"그래도 아가, 언젠가는…." 폴리는 말을 끝맺지 못했다. 폴리는 칠턴이 그녀의 마음에 심은 희망에 대해 폴리애나에게 아직은 말할 용기가 없었다. 하지만 이 말은 했다. 그리고 이 말만으로도 폴리애나는 충분히 기뻐했을 것이다.

"폴리애나, 다음 주에는 여행을 갈 거야. 작고 편안한 침대를 갖춘 자동차와 마차를 타고서 여기서 아주 멀리 떨어진 훌륭한 의사 집에 갈 거야. 그 집은 너 같은 환자를 위해 특별히 지은 집이란다. 그 의사는 칠턴 선생과 아주 친하다는구나. 그 의사를 만나서 네가 더 편해질 방법이 있는지 한번 알아보자꾸나!"

32장

폴리애나의 편지

사랑하는 폴리 이모, 그리고 토머스 이모부께

제가, 제가 말이에요, 걸었어요! 오늘 침대에서 창가까지 죽 걸어갔답니다. 여섯 발자국이에요. 다시 두 다리로 서니까 어찌나 좋던지!

의사 선생님들이 전부 모여서 함께 웃어주었고, 간호사들은 그 옆에서 울었어요. 지난주에 먼저 걷기 시작한 옆 병실의 아주머니는 문틈으로 엿보고 있었고 다음 달에는 걷게 될 거라고 기대하고 있는 또 다른 환자도 왔어요. 그 환자는 저를 돌보는 간호사의 침대에 누워서 손뼉을 쳤어요. 마루 청소를 하는 블랙 틸리도 창문으로 들여다보면서 제게 "애야, 사랑스러운 아이야"라고 말했어요. 그러니까 그런 말을 하지 못할 정도로 울고 있을 때를 빼고는요.

왜 다들 그렇게 울었는지 모르겠어요. 저는 노래하고 찬양하고 소리치고 싶었는걸요! 아! 생각해 보세요. 제가 걸었어요, 걸었어요, 걸었어요! 이제는 여기에 거의 열 달이나 있어야 했다는 것도 그렇게 나쁘지 않았다는 생각이 들어요. 게다가 결혼식도 놓치지 않았잖아요. 폴리 이모도 정말 못 말린다니까요. 제가 결혼식에 참석할 수 있도록 여기까지 와서 제 침대 옆에서 결혼식을 올리다니! 이모야말로 항상 가장 기뻐할 만한 일을 생각해낸다니까요! 병원 사람들 말이 곧 집에 갈 수 있을 거래요. 집까지 걸어갈 수 있으면 좋겠어요. 정말이에요. 앞으로는 어딜 가더라도 뭔가를 타고 가고 싶지는 않을 것 같아요. 걷는 것만으로도 충분히 기분이 좋을 테니까요. 아, 정말 기뻐요! 모든 것이 기뻐요. 그래서 지금은 한동안 다리를 쓸 수 없었다는 것도 기뻐하고 있어요. 다리를 쓸 수 없게 되기 전까지는 두 다리가 있다는 것이 얼마나, 얼마나 멋진 일인지 절대로 알 수 없으니까요. 그러니까 멀쩡하게 움직이는 두 다리요. 내일은 여덟 발자국을 걸을 거예요.

모두에게 사랑을 가득 담아,

폴리애나

• • •

작가 소개

1868년 12월 19일 뉴햄프셔주 리틀턴에서 엘리너 에밀리 하지먼Eleanor Emily Hodgman으로 태어났다. 어렸을 때부터 노래의 재능을 높이 평가받았고 종종 지역사회와 교회 행사에 초대되어 공연하기도 했다. 뉴잉글랜드 음악원에서 공부했고, 보스턴 케임브리지 합창단의 일원으로 활동했다. 1892년에 지역 사업가 존 리먼 포터와 결혼한 뒤 매사추세츠로 이주한다.

엘리너 H. 포터는 서른세 살이라는 늦은 나이에 글쓰기를 시작했지만, 죽을 때까지 매년 쉬지 않고 소설을 출간했으며, 대중적인 인기를 얻은 작가였다.

1911년 발표한 《빌리Miss Billy》로 첫 상업적 성공을 거두었고, 후속작인 《빌리의 결정Miss Billy's Decision》(1912년)과 《빌리와의 결혼Miss Billy Married》(1914년)을 연달아 냈다. 그 사이에 대표작 《폴리애나》(1913년)와 《폴리애나의 성장Pollyanna Grows Up》(1915년)을 냈다. 이후 만나는 사람들의 삶을 바꾸는 고아 데이비드의 이야기인 《그저 데이비드

Just David》(1916년)를 출간했고 이후 《이해의 길The Road to Understanding》(1917년), 《아, 돈! 돈!Oh, Money! Money!!》(1918년), 《여명Dawn》(1919년), 《매리 마리Mary Marie》(1920년) 등 꾸준한 작품 활동을 통해 독자들과 소통했다.

《폴리애나》는 상업적 성공과 함께 세계적 찬사를 받았다. 어린 고아 폴리애나 휘티어는 샘솟는 낙관론과 환희로 무장하고 "그저 숨 쉬는 것은 살아 있는 게 아니야!"라는 말로 소년 소녀들에게 영감을 주었다. 각지에 '기뻐하기 모임Glad Club'이 만들어졌고 이 책은 다양한 매체로 퍼져나가 20세기 초에 원 소스 멀티 유즈one source multi-use의 성공적 사례가 되었다.

엘리너 포터는 1920년 5월 21일 매사추세츠주 케임브리지의 집에서 죽었으며, 매사추세츠주 미들섹스 카운티의 마운트 오번 묘지에 묻혔다. 그녀의 비석에는 다음과 같은 글이 새겨져 있다.

'그녀의 글을 통해 누가 수백만 명의 삶에 햇살을 가져다주었는가 Who by her writings brought sunshine into the lives of millions.'

⋄⋄⋄

작품 소개

엘리너 H. 포터가 1913년에 발표해 베스트셀러가 된 소설《폴리애나》는 아동문학의 고전으로 간주되며, 주인공의 이름은 매우 낙관적인 시각을 가진 사람의 대명사로 사전에도 등재될 만큼 당시 선풍적인 인기를 끌었다. 긍정적인 것에 대한 잠재적 편향을 가리키는 '폴리애나 원리Pollyanna principle'라는 심리학 용어가 되기도 했다.

이 책이 큰 성공을 거두면서, 포터는 2년 후인 1915년 후속편 《폴리애나의 성장Pollyanna Grows Up》을 출간했다. '기쁨 책Glad Books'으로 알려진 열한 편의 더 많은 속편이 나중에 출간되었는데, 이들 책은 대부분 엘리자베스 보튼Elizabeth Borton이나 해리엇 러미스 스미스Harriet Lummis Smith에 의해 쓰였다. 그 밖에도 1997년에 출판된 콜렌 레체Colleen L. Rece의 《폴리애나 게임을 하다Pollyanna Plays the Game》를 포함한 후속편들이 이어졌다.

《폴리애나》의 인기는 100년을 넘는 동안 지속되어 영화, 드라마, 애니메이션, 심지어 게임으로도 만들어졌다. 그중 가장 잘 알려진 두 편의 영화는 폴리애나 역할로 아카데미상 아역상을 받은 배우 헤일리 밀스Hayley Mills가 출연한 디즈니의 1960년 버전과, 메리 픽포드Mary Pickford가 주연한 1920년 버전이다.

1915년에 처음 연극으로 만들어졌으며, 1916년에는 20세기 최고의 연극 스타 헬렌 헤이스Helen Hayes가 폴리애나 역으로 캐스팅되어 '폴리애나 휘티어, 기뻐하는 소녀Pollyanna Whittier, The Glad Girl'라는 제목으로 브로드웨이에서 상연되었다.

한편 1973년(영국 BBC), 1986년(일본 애니메이션), 1989년(NBC TV뮤지컬), 2003년(영국 칼턴 텔레비전), 2018년(브라질)에 TV에서 다양한 형태로 제작되는 등 지금까지도 여전한 인기를 구가하고 있다.

또 1915년에 모노폴리로 유명한 게임회사 파커 브라더스Parker Brothers에서 보드 게임(Glad Game)으로 만들어져 수십 년간 사랑받았다.

소설의 성공으로 불리한 상황이나 낙담한 상황에서도 낙천주의를 특징으로 하는 성격 유형을 대변하는 용어인 형용사 '폴리애니시(Pollyannaish: 지나치게 낙천적인)'와 명사 '폴리애니즘(Pollyannaism: 지나친 낙천주의)'이 탄생했다. 때로는 순진할 정도로 낙관적인 사람이나 불행한 상황을 직시하려 하지 않는 사람을 지칭하면서 경멸적으로 사용되기도 한다. 하지만 저자는 이 책의 메시지가 결코 '맹목적인 낙관주의'가 아니며, 모든 상황에서 긍정적이고 좋은 것을 찾기 위해 적극적으로 나서는 이야기라고 밝혔다.

폴리애나 원리 Pollyanna principle

사람들이 불쾌한 것들보다 즐거운 것들을 더 명확하게 기억하는 경향을 말한다. 잠재의식 수준에서 마음은 낙관적인 것에 집중하는 경향이 있는 반면, 의식적인 수준에서는 부정적인 것에 집중하는 경향이 있음을 보여주는 연구를 토대로 만들어졌다. 그중 긍정적인 것에 대한 무의식적인 편향이 종종 '폴리애나 원리'로 설명된다.

이 명칭은 엘리너 H. 포터가 1913년에 쓴 모든 상황에서 기뻐할 만한 것을 찾으려고 애쓰는 소녀를 주인공으로 하는 소설 《폴리애나》에서 유래했다. 심리학 문헌에서 '폴리애나'라는 이름은 1969년에 바우처Boucher와 오스굿Osgood에 의해 처음 사용되었는데 그들은 의사소통에서 부정적인 단어보다 긍정적인 단어를 더 자주, 더 다양하게 사용하는 것이 보편적인 인간의 경향이라는 '폴리애나 가설Pollyanna hypothesis'을 확립했다. 이 가설에 관한 경험적 증거는 언어자료의 컴퓨터 분석을 통해 확인되었다.

폴리애나 원리는 1978년 매틀린Matlin과 스탕Stang에 의해 사람들이 과거를 생각할 때 갖는 긍정적인 편향positivity bias을 묘사하는 심리학적 원리로 더 구체화되었다. 폴리애나 원리에 따르면, 뇌는 불쾌한 정보에 비해 기분 좋은 정보를 더 정확한 방법으로 처리하며, 사람들은 과거의 경험을 실제보다 더 장밋빛으로 기억하는 경향이 있다. 그들은 사람들이 자신을 긍정적인 자극에 노출시키고 부정적인 자극을 피한다는 것을 발견했고, 그들은 즐겁고 안전한 것보다 불쾌하고 위협적인 것을 인식하는 데 더 오랜 시간이 걸린다는 것도 발견했다.

폴리애나 원리는 온라인 소셜 네트워크에서도 관찰되었는데, 페라라Ferrara와 양Yang은 연구를 통해 트위터 사용자들이 긍정적인 정보를 우선 공유하고, 더 많이 공유하며, 더 자주 정서적인 영향을 받는다고 발표했다(2015).

그러나 폴리애나 원리가 누구에게나 보편적으로 적용되는 것은 아니며, 우울증과 불안증을 가진 이들처럼 예외도 있다.

폴리애나

초판 1쇄 발행 2018년 12월 31일

지은이 엘리너 하지먼 포터
옮긴이 방진이
기획 및 번역 감수 강주헌
발행인 박영규
총괄 한상훈
편집장 김기운
기획편집 김혜영 정혜림 조화연 **디자인** 이선미 **마케팅** 신대섭

발행처 주식회사 교보문고
등록 제406-2008-000090호(2008년 12월 5일)
주소 경기도 파주시 문발로 249
전화 대표전화 1544-1900 **주문** 02)3156-3681 **팩스** 0502)987-5725

ISBN 979-11-5909-951-9 04840
ISBN 979-11-5909-949-6(세트)
책값은 표지에 있습니다.

• 이 도서의 국립중앙도서관 출판예정도서목록(CIP)은 서지정보유통지원시스템
홈페이지(http://seoji.nl.go.kr)와 국가자료공동목록시스템
(http://www.nl.go.kr/kolisnet)에서 이용하실 수 있습니다.
(CIP제어번호: CIP2018041396)